KV-002-496

Päivänpaistetta ja merituulia

CAROLE MATTHEWS

Päivänpaistetta ja merituulia

Englannin kielestä suomentanut
Sirpa Saari

minerva
Minerva Kustannus
Helsinki

Englanninkielinen alkuperäisteos:
Carole Matthews: *Sunny Days and Sea Breezes*

First published in the United Kingdom in the English language in 2020
by Sphere, an imprint of Little, Brown Book Group.

Suomenkielinen laitos:

Minerva Kustannus on osa Werner Söderström Osakeyhtiötä.
www.minervakustannus.fi

Suomennos: Sirpa Saari
Ulkoasu ja taitto: Taittopalvelu Yliveto Oy

ISBN 978-952-375-473-7
Painettu EU:ssa, 2022

Omistettu Waterstones-kirjakauppaketjun Nikki Bloomerille, joka tekee kirjailijoiden eteen paljon enemmän kuin mitä hänen toimenkuvansa edellyttäisi. Kiitoksia avustasi ja ystävyydestäsi näiden vuosien aikana. Toivokaamme, että kirjamme menestyvät ja saamme taas hyvän syyn tilata laatikollisen kuohuviiniä!

I

Lautta lipuu ulos [illegible] ja suuntaa kulkunsa kohti Solentunsalmen harmaana vellovia vesiä. Taivas roikkuu alhaalla [illegible] kuin merkkinä [illegible] valkoisina [illegible] takakannella [illegible] Tuulen [illegible] ja harmittelen [illegible] Yllä[illegible] kaupunkiy[illegible] aina[illegible] kaikki[illegible] sen kaula-aukosta ja [illegible] materiaalina [illegible] lähtenyt kiireellä [illegible] mielessä [illegible] Kotiloon [illegible] lopauksessa oli [illegible] kuin pystyvän [illegible]

Or[illegible] maalisk[illegible] perikeja, jotka [illegible] [illegible] Lomakauden [illegible] on vielä aikaa [illegible] peolillaan, jos [illegible] kaneen, luo Katseleman [illegible]

1

Lautta lipuu ulos Southamptonin satamasta ja suuntaa kulkunsa kohti Solentinsalmen harmaana vellovia vesiä. Taivas roikkuu alhaalla synkkänä ja alakuloisena, yhtä harmaana kuin merikin. Pilvenlonkien vaaleammat huiput muistuttavat valkoisina tyrskyäviä aallonharjoja. Istun yksinäni lautan takakannella – kukaan muu ei ole uskaltautunut ulos karuun säähän. Tuulen kantamat vesipisarat enteilevät sadetta, ja harmittelen, että en tullut pukeneeksi sopivampia päällysvaatteita. Ylläni oleva tyylikäs takki soveltuu hyvin lyhyisiin kaupunkipyrähdyksiin, mutta sitä ei ole suunniteltu uhmaamaan kaikkia luonnonvoimia. Tuuli pääsee vaivatta sisään sen kaula-aukosta ja hihansuista, eikä kashmir ole tunnetusti materiaalina kaikkein vedenpitävin. Mutta olinkin lähtenyt kiireellä, eikä asuvalinta ollut silloin ollut päällimmäisenä mielessäni. Ehkä sen olisi kuitenkin pitänyt olla. Joka tapauksessa olin vain sullonut pariin laukkuun niin paljon tavaraa kuin pystyin ja lähtenyt.

On vasta maaliskuun loppu, ja kannella on rivikaupalla tyhjiä penkkejä, jotka kesäaikaan olisivat todennäköisesti täynnä turisteja. Lomakauden alkuun on vielä aikaa, ja lautta on ehkä vain puolillaan, jos sitäkään. Muutama urhea matkustaja saapuu kaiteen luo katselemaan taakse häipyvää satamaa, mutta kiiruhtaa pian takaisin laivan lämpimään, ummehtuneen ilman täyttämään kahvioon. Ostin sieltä kerrosvoileivän, mutta se näyttää niin eltaantuneelta, että en voi kuvitellakaan syöväni sitä. Voisin heittää sen lautan perässä kirkuville lokeille, mutta ne näyttävät suurilta ja uhkaavilta. Minusta tuntuu, että olen niin kevyt, niin mitätön ja merkityksetön, että ne saattaisivat napata mukaansa iljettävän voileipäni sijaan minut.

Silmäillessäni epämääräisen näköistä pekonivoileipääni ohitamme *Queen Elizabethin* – pientä kaupunkia muistuttavan ylellisen valtameriristeilijän, joka on epäilemättä matkalla johonkin hyvin eksoottiseen kohteeseen, paljon kauemmas kuin minä. Silti minusta tuntuu, että olen pakomatkalla. Ehkä pakoa varten ei ole määritetty mitään vähimmäispituutta. Jos tarkoituksena on vain jättää taakseen kaikki, matkan ei tarvitse olla tuhannen mailin mittainen, yksikin maili riittää. Toivon, että alle kaksikymmentä mailia tekee tehtävänsä, varsinkin kun matkaan sisältyy vesialueen ylitys ja kohteena on saari. Myönnettäköön, en ole suuntaamassa Mongolian kaukaisimmille perukoille, mutta onhan tämä sentään tyhjää parempi.

Solentinsalmi on varsinainen vesistöjen moottoritie. Vierellämme viilettää, pompahtelee ja matelee jos jonkin näköisiä ja kokoisia menopelejä. Meidät ohittaa nopea Red Jet -katamariini. Tiedän, että olisin voinut valita myös sen, sillä se olisi ollut nopeampi tapa päästä Isle of Wightille, mutta halusin välimatkan kasvavan hitaammin, halusin nähdä itseni ja uuden elämäni välille vähitellen avautuvan tilan.

Kuulostan ehkä siltä kuin tietäisin, mitä olen tekemässä, aivan kuin minulla olisi jokin suunnitelma. Mutta ei minulla ole. Tiedän vain sen, että minun on päästävä jonnekin, missä kukaan ei tunne minua ja missä minun ei tarvitse käydä samaa keskustelua läpi yhä uudelleen. Oikeastaan haluaisin paikkaan, jossa minun ei tarvitsisi puhua ollenkaan, jossa kukaan ei katsoisi minua säälivästi ja ajattelisi "Voi Jodie-parka".

Hylkään voileipäni penkille ja kävelen ajankulukseni kaiteen vierelle katselemaan merta. En tiedä, olenko paapuurissa vai tyyrpuurissa, sillä olen pesunkestävä maakrapu – mutta ihan varmasti olen jommallakummalla puolella. Tuuli piiskaa pitkät hiukseni kasvoilleni, ja kerrankin olen iloinen, etten tuhlannut kampaajalla rahojani kalliiseen föönaukseen.

Muutaman minuutin päästä ovi rämähtää auki, ja seuraani liittyy kylmää pelkäämätön tupakoitsija. Hän nyökkää minulle, mutta pitää minuun etäisyyttä alkaessaan vetää sauhuja. Harmi, että en polta. Viimeisestä savukkeestani on jo aikaa – se oli ollut osa teini-iän kokeilujani – tosin en ollut järin innostunut siitä silloinkaan. Tavallaan minun tekisi kuitenkin mieli pummata mieheltä tupakka. Haluaisin tuntea jotakin, vaikka vain kärventää keuhkojani savulla. Mutta ennen kuin saan suuni auki, mies imaisee pitkään tupakastaan, heittää natsan alas veteen, hytisyttää itseään suurieleisesti ja palaa sisälle. Ei ehkä sittenkään niin karaistunut kuin miltä näytti.

Jäätyäni yksin katselen kuin hypnotisoituna aluksen perässä myllertävää vanavettä, kuuntelen moottorin matalaa jylinää ja tunnen sen värinän jalkojeni alla. Puhelimeni soi, ja otan sen taskustani, vaikka tiedän jo, kuka soittaja on. Kuten arvasin, näytöllä on Chrisin numero, joten annan puhelun mennä suoraan vastaajaan. En halua puhua aviomieheni kanssa juuri nyt. En halua puhua kenenkään kanssa. Mitä tapahtuisi, jos pudottaisin puhelimeni mereen? Ojennan sen kaiteen yli ja roikotan sitä huolettomasti kädessäni. Jos se uppoaisi merten syvyyksiin, lakkaisinko minä, Jodie Jackson, yksinkertaisesti olemasta? Olisinko niin ulkona kaikesta, ettei kukaan löytäisi minua? Olisin ilman Twitteriä, Instagramia ja WhatsAppia. Se kuulostaa liiankin houkuttelevalta. Jos puhelin soi uudestaan, heitän sen mereen. Oikeasti. Mutta odotan ja odotan, ja se on kerrankin hiljaa. En anna sille enää armonaikaa, ja laitan sen äänettömälle. Pistän sen kuitenkin takaisin taskuuni, sillä saatanhan tarvita sitä jossakin hätätilanteessa.

Yritän olla ajattelematta mitään, pitää pääni tyhjänä ja katsella vain alapuolella vellovaa merta. Ja melkein onnistun. Kuulen takanani kirkaisun ja näen, miten kaksi lokkia tappelee penkille jättämästäni voileivästä. Linnut ovat saaneet sen jo ulos pahvirasiastaan. Olisin voinut kertoa niille, että niiden kannattaisi ehkä mieluummin syödä rasia. Laivan piippu tupruttaa ilmoille paksun savupilven ja tahraa linnut nokeen ja tuhkaan, mutta ne ovat niin keskittyneitä nahistuneisiin salaatinlehtiin ja rasvaisiin, limaisiin pekonisuikaleisiin, etteivät piittaa muusta.

Sitten vastaan vyöryy tiheä usvaseinä, joka kietoo sisäänsä kaiken ja estää näkyvyyden. Saapuisin määränpäähäni sumussa – sekä vertauskuvallisesti että aivan konkreettisesti.

Lauttamatka kestää vain noin tunnin, ja saavumme aivan liian pian Cowesin satamaan. Kaupungissa käy varmasti yleensä vilkas hyörinä, mutta ei tänään. Minusta näyttää kuin olisin joutunut mustavalkoelokuvaan. Jopa sataman tuloväylää reunustavien pienten purjeveneiden värikkäät liput haalistuvat harmaiksi. Ne eivät mahda mitään sumulle, joka imee itseensä kaiken valon. Alabasterinvalkoinen hiekka kohtaa hopeisen meren ja teräksenharmaan taivaan.

Kävin lapsena täällä lomamatkalla, mutta vain yhden kerran. Olin silloin ehkä seitsemän tai kahdeksan. Muistan, että leikin rannalla isoveljeni Billin kanssa, hautasimme isämme kaulaa myöten hiekkaan, istuimme kansituoleilla ja söimme voipaperiin käärittyä kalaa ja ranskalaisia. Mutta siinä kaikki. Sen jälkeen matkustimme joka vuosi Espanjaan. En muista paljoa siitäkään. Sanotaan, että Isle of Wight on kuin Britannia neljäkymmentä vuotta sitten. Se sopii minulle täydellisesti. Kunpa voisinkin palata ajassa sen verran taaksepäin. Olisin kaksivuotias, koko maailma olisi minulle avoinna, ja voisin tehdä elämässäni aivan toisenlaisia päätöksiä.

2

Otan satamasta taksin ja katselen maisemia körötellessämme saaren poikki kohti määränpäätäni. Kuski on puheliaalla tuulella. "Ensimmäistä kertaa Isle of Wightilla?"

"Kyllä."

"Työmatkallako? Vai lomalla?"

"Kyllä." Kuinka voisin selittää, ettei kumpikaan päde minuun?

"Tämä on hieno paikka. Jos tarvitsette vinkkejä hauskanpitoon, kysykää minulta."

"Kiitos."

Jos vastaan aina vain yhdellä sanalla, hän saattaa, ainakin teoriassa, lopettaa rupattelun. Muutaman epäonnistuneen uteluyrityksen jälkeen hän tekeekin niin, ja vajoan istuimellani omiin ajatuksiini. Onneksi lämmitys on täysillä, joten autossa on miellyttävä olla, ja alan vähitellen sulaa hyytävän kylmän lauttamatkan jäljiltä.

Maisema näyttää kauniilta. Vihreältä. Erittäin vihreältä. Mutta niin näyttävät melkein kaikki paikat, jos sattuu asumaan Lontoon keskustassa, kuten minä. Hetken kuluttua auto kiipeää kukkulan harjalle. Tien vieressä on karu levähdyspaikka, jolla olevassa kyltissä lukee NÄKÖALAPAIKKA.

"Voimmeko pysähtyä tässä?"

Kuski ohjaa auton levähdyspaikalle. ”Haluatteko jäätelön?”

”En.” Yksinäinen jäätelöauto näyttää siltä, ettei sinä päivänä ollut käynyt kovinkaan monta asiakasta. ”Haluan vain katsella ympärilleni hetken.”

Nousen taksista ja kävelen levähdyspaikan toiselle laidalle. Edessäni avautuu keto, jolla kevään ensimmäiset luonnonkukat nostavat toiveikkaina päitään. Taaempana rehevän vihreät niityt laskeutuvat kumpuillen kohti hopeisena kimmeltävää merta, jonka yllä levittäytyy laaja sinivalkoinen taivas. Minusta tuntuu kuin olisin saapunut kokonaan uuteen maailmaan. Usva on haihtunut, ja aurinko näyttää pääsevän voitolle. Jopa tällaisena puolipilvisenä päivänä näkymä on kaunis. Pysähdyn hetkeksi hengittämään sisään puhdasta ilmaa ja ihailemaan maisemaa.

Taksikuski odottaa kärsimättömänä takanani, ja palaan autolle. Näen meren uudestaan, kun käännymme saaren toista reunaa myötäilevälle rantatielle. Tarkistan taas osoitteeni, vaikka olenkin ilmoittanut sen kuskille, eikä hänen ole ainakaan toistaiseksi tarvinnut turvautua navigaattoriinsa. Muutaman minuutin päästä taksi kääntyy kaarevalle satamatielle, ja tienvarsikyltissä lukee TERVETULOA COCKLESHELL BAYHIN. Kuski hidastaa vauhtia ohittaessamme pitkän rivistön tyylikkäitä asuntolaivoja ja pysähtyy lopulta yhden kohdalle. Se näyttää hienommalta kuin muut.

”Perillä ollaan.” Kuski kääntyy istuimellaan minuun päin. Ojennan hänelle taksamittarin osoittaman vaatimattoman rahasumman, ja nousen autosta. Taksimatkojenkin hinnat ovat täällä aivan eri luokkaa kuin Lontoossa.

Kuski seuraa minua auton taakse ja avaa tavaratilan luukun. ”Haluatteko, että kannan laukut sisälle?” hän kysyy nostaessaan kaksi pullistelevaa kassiani takakontista.

"Ei kiitos. Pärjään kyllä."

"Kiva paikka", kuski sanoo nyökäten kohti Billin asuntolaivaa.

"Niin on." Näen sen nyt ensimmäistä kertaa luonnossa. Bill on tosin näyttänyt minulle siitä jo tarpeeksi valokuvia.

"Hauskaa lomaa." Kuski istahtaa lämpimään autoonsa ja huristelee tiehensä, ja minä jään seisomaan satamalaiturille.

Loma. Se ei ole kyllä ihan oikea sana kuvaamaan tilannettani.

Silmäilen hieman tarkemmin Billin laivaa – joka olisi lähitulevaisuudessa minun kotini. Sen nimi on *Päivänpaiste*, ja se on väriltään harmaa ja kermanvaalea. Ei ole vaikea arvata, että sen pitkälliset ja melko kalliiksi tulleet kunnostustyöt on saatu päätökseen vasta ihan hiljattain. Se kiiltää uutuuttaan, vaikka sääolosuhteet tekevät kaikkensa saadakseen sen näyttämään ankealta. Veljeni on selvästi upottanut siihen sievoisen summan, mikä on tyypillistä hänelle. Hän on ollut tietenkin liian kiireinen ehtiäkseen katsastamaan laivaa vielä itse, joten minulla on kunnia olla sen ensimmäinen asukas. Hän ilmeisesti kaavailee siitä itselleen jonkinlaista viikonloppujen pakopaikkaa, mutta en usko, että se toive koskaan toteutuu. Bill pyörittää omaa yritystään – samaa, jossa minäkin työskentelen. Sen nimi on WJ Design. Olen ollut hänen firmassaan vuosia, itse asiassa siitä lähtien, kun hän sen perusti, ja minusta on mukava tehdä töitä hänen kanssaan. Menetimme vanhempamme muutama vuosi sitten, joten olemme nyt kahdestaan. Ehkä olemme juuri siitä syystä niin läheiset.

Billin yritys on erikoistunut hotellien, toimistorakennusten ja ostoskeskusten sisustussuunnitteluun, ja vaikka itse sanonkin, meidän osaamisellemme on kysyntää. Mistä seuraa, että meille jää hyvin vähän aikaa huvitteluun. Minun sosiaalinen elämäni on hieman vilkkaampaa kuin Billin, joka on todellinen työnarkomaani. Rakkaalla veljelläni on niin paljon rahaa, ettei hän tiedä, mitä sillä tekisi, eikä hänellä tietysti olisi aikaakaan törsätä sitä mihinkään. Juuri nyt olen kiitollinen tästä hänen päähänpistostaan, sillä muuten en olisi tiennyt, minne mennä. Kun Bill ehdotti pakopaikakseni laivaansa, se oli kuin vastaus rukouksiini.

Asuntolaiva on vankkatekoinen ja kiinnitetty tukevasti laituriinsa – Bill taisi mainita, että se on toiminut aiemmin Thamesilla proomuna. En edes tiedä, mikä proomu on, mutta vaikka alus olisikin toiminut jonkinlaisena vesistöjen työjuhtana, sitä ei voi enää päätellä mistään. Billin tiimi on tehnyt sen parissa taikojaan, ja nyt se kelpaisi vaikka kuningattarelle – tai sisarelle, jonka elämä on riekaleina.

Tartun laukkuihini ja astun laivan laskusillalle. En voi olla panematta merkille, ettei naapuriasumus ole aivan yhtä elegantti kuin omani.

Billin laivan sisäänkäynnin molemmin puolin seisoo kaksi kiiltäviin teräsruukkuihin istutettua laakeripuuta – ne ovat niin täydellisiä, että niitä voisi luulla tekokasveiksi. Siinä missä veljeni laivan edessä on hienoja, taiteellisen näköisiä kasveja, naapurissani tulijaa ovat vastassa kaasupullo, puukasa, kulunut keltavihreä rottinkituoli, maastopyörä ja hylätty ostoskärry. Rannalla nököttää erinäköisistä ja -kokoisista laudanpätkistä nikkaroitu vaja. Sekin on täynnä puutavaraa. Kokonaisuus on kieltämättä persoonallinen, mutta näyttää rumalta Billin tyylikkään, vastaremontoidun laivan rinnalla.

Naapurit ovat vieneet boheemin sisustustyylin äärimmilleen: laiva näyttää siltä, kuin se olisi kyhätty kokoon roskalavoilta kerätystä materiaalista, ja pistää sellaisenaan ikävästi silmään hienompien loma-asuntojen rivistöstä. Sen seinissä on kulunut seetripuupaanutus, ja yksi seinistä on maalattu purppuranpunaiseksi. Ikkunankarmit ovat kaikki erikokoisia ja erimallisia, ja ne on maalattu monella eri sinisen sävyllä. Laivan kannella seisoo ajopuusta työstetty koristeellinen toteemipaalu, jota vasten on asetettu nojalleen kajakki. Seinillä on myös muita viehättäviä puuveistoksia, jotka esittävät aurinkoa, hyppivää kalaa tai puuta. Alus ei oikein istu muiden laivojen joukkoon, jotka tätä yhtä poikkeusta lukuun ottamatta muistuttavat enemmän Billin asumusta, mutta ihailen silti sen rentoa omaperäisyyttä. Se on kuin hippileiri keskellä toimistokorttelia. Tai maalaispoika Beverly Hillsissä. Emmekö tarvitsekin harmaaseen maailmaan hieman väriä? Mutta älkää kertoko mielipiteistäni Billille. Hän suosii hillittyjä värejä, kuten minäkin. Naapurilaiva, jonka nimi on *Merituuli*, ei näytä tällä hetkellä asutulta, joten ehkä se on jäänyt tyhjilleen. Minun on kuitenkin turha kysyä Billiltä asiasta, sillä olen varma, ettei hän tiedä naapureistaan mitään.

Luon vielä viimeisen arvioivan katseen *Merituuleen* ja astun sitten sisälle omaan asumukseeni. Kuten arvata saattaa, veljeni on tehnyt ihmeitä myös laivan sisätiloissa. En ole nähnyt valokuvia asunnosta sen valmistuttua, ja ne kuvat, jotka olin nähnyt aiemmin, eivät tehneet oikeutta sen sisustukselle. Se on ihana. Jos minulla ei olisi ollut omia kiireellisiä projektejani, olisin auttanut veljeäni, mutta aikani ei koskaan riittänyt. Hän on kyllä mitä ilmeisimmin pärjännyt mainiosti ilman minuakin.

Jättäessäni laukkuni eteiseen näen kuvani peilistä. Miten surullinen näky. Tuulen tuivertamat, pitkät vaaleat hiukseni roikkuvat suorina ja elottomina. Ennen tapasin värjätä ne kahdeksan viikon välein ja leikkauttaa kerran kuukaudessa. Teetätin myös ammattilaisella viikoittain föönikampauksen, mutta nyt en muista, milloin olisin viimeksi käynyt kampaajalla. Aina kun katson peiliin, näen samalla veljeni. Olemme hyvin samannäköiset, ja lapsena meitä luultiin usein kaksosiksi. Veljeni on vain puolitoista vuotta minua vanhempi, joten ikäeromme ei ole suuri. Myös elämänkatsomuksemme ja mieltymyksemme ovat lähellä toisiaan. Olemme molemmat pitkiä ja hoikkia, ja vaaleissa hiuksissamme on häivähdys punaista – tosin minun hiuksissani on vaaleat, kampaajan tekemät raidat, ja veljeni hiuksissa luonnon antamat hopeanharmaat juovat. Meillä molemmilla on vihreät silmät, vaikkakin minun silmieni säihke on nyt sammahtanut. Joskus ennen ihmiset – aviomieheni mukaan lukien – saattoivat kehua silmiäni. Nyt niiden alla on tummat varjot, ja ihoni näyttää yhtä värittömältä kuin äskeinen sää. Olen vältellyt peilejä usean kuukauden ajan. Nytkin kuva herättää liikaa ajatuksia, enkä kestä katsoa. Kosketan leukaani, nenäni kaarta ja pitkiä, mustia ripsiäni. Näen peilistä menneisyyteni, nykyhetkeni ja tulevaisuuteni, ja se on minulle liikaa. Silmäni täyttyvät kyynelistä, ja käännyn pois.

Kävellessäni laivan asuintilojen läpi työnnän kaikki muut ajatukseni taka-alalle ja keskityn ihailemaan näkemääni. Ja ihailtavaa riittää. Avara tila kylpee valossa. Aurinkoisena päivänä se näyttäisi uskomattomalta. Keittiössä on valkoiset kaapistot ja suuri, kyyhkynharmaa kaasuliesi. Minua hymyilyttää, sillä en usko, että tulen koskaan näkemään veljeäni ruoanlaittopuuhissa. Luulen, että kulinaristiveljeni iPhonen yhteystiedoista suurin osa on hänen suosikkiravintoloidensa numeroita. Keittiönpöytä on valkoinen, ehkä ranskalaista antiikkia, ja sen pinta on jätetty patinoituneeksi. Sen ympärillä on sekalainen kokoelma tuoleja, joiden värit – pinkki, pistaasinvihreä, vaalea turkoosi, sitruunankeltainen – sopivat kauniisti yhteen ja henkivät merenrantatunnelmaa.

Kävelen peremmälle. En edelleenkään hallitse veneilyyn liittyvää terminologiaa, eli en tiedä, olenko paapuurissa vai tyyrpuurissa, mutta olen laivan merenpuoleisessa takaosassa. Siellä on mukava olohuone sekä valtava sininen samettisohva, jonka päälle on aseteltu siniraidallisia merihenkisiä tyynyjä. Huoneessa on myös monenkirjavia nojatuoleja, ja muistan Billin kertoneen, että hän on hankkinut ne uusilta lupaavilta suunnittelijoilta, kuten meillä on tapana tehdä töissä aina kun mahdollista. Se tuo sisustukseen tiettyä särmää. Laivan jokainen esine – niin huonekalut kuin seinällä olevat taideteokset – on valittu juuri kyseistä huonetta silmällä pitäen ja aseteltu paikoilleen millimetrin tarkkuudella. Se on tyypillistä Billiä. Yhdellä seinällä on jättimäisiä merikarttoja, ja toisella Sean Connerya ja Ursula Andressia esittävä suuri juliste. Kuvassa bikineihin sonnustautunut Ursula seisoo käsillään rannalla Seanin pidellessä kiinni hänen kapeista nilkoistaan. Kuva on ikoninen ja sopii täydellisesti kyseiseen tilaan.

Haitariovien edessä on telineeseen asetettu kaukoputki. Yritän katsoa sen lävitse, mutta kuva on sumea. Kunhan olen asettunut taloksi, minulla on yllin kyllin aikaa selvittää, kuinka sen saa tarkennettua. Onnistun avaaman oven parin yrityksen jälkeen, ja astun tilavalle takakannelle. Tuuli on tyyntynyt eikä ilma ole enää niin purevan kylmä kuin lauttamatkan aikana, mutta en usko viipyväni ulkona kovin pitkään tänään.

Maisema on henkeäsalpaava. *Päivänpaiste* sijaitsee aivan kaarevan venelaiturin keskiosassa, joten sen kannelta aukenee laaja näköala yli koko satama-alueen. Billillä on silmää tällaisille asioille. Tällä hetkellä vuorovesi on korkealla ja näen, että aallonmurtajan päässä on ympyränmuotoinen, synkännäköinen sumulautan verhoama linnoitus. Se näyttää kelluvan veden päällä kuin kangastus. Vasemmalla puolellani on rivissä laituriin kiinnitettyjä muita laivoja ja rakennus, joka näyttää pursiseuran paviljongilta, sekä kirkkaansiniseksi maalattu pikkuravintola, jossa tarjoillaan tuoreita merenantimia. Toisella puolella on lisää purjeveneitä ja asuntolaivoja, mutta ei juuri mitään muuta. Edessäni näkyy pelkkää merta, edellä mainitsemani vankkarakenteinen linnoitus sekä ilmassa kaartelevia lokkeja.

Asuntolaivani aurinkokannella on ruokapöytä ja neljä tuolia. Se olisi ihanteellinen paikka aamiaiselle tai lukuhetkelle, kunhan sää lämpenisi. Laivalta pääsee pientä ramppia pitkin puiselle, vedessä kelluvalle ponttonilaiturille, jolle on asetettu kaksi tuliterää, tiikkipuista kansituolia.

Ainut ihminen, jonka näen satamassa, on märkäpukuun sonnustautunut SUP-lautailija. Jo hänen katselemisensa puistattaa minua. Luulen, että rannikkoseudun ihmiset ovat karaistuneempia kuin minunkaltaiseni sisäsiistit kaupunkilaiset. Mikään mahti maailmassa ei saisi minua veteen tällä säällä. Arastelen mereen astumista jopa trooppisessa lämmössä. Katselen vähän aikaa miehen etenemistä pitkin tyyntä vedenpintaa, ja palaan sitten sisälle. Suppailu ei vastaa minun käsitystäni hauskanpidosta, mutta mies näyttää nauttivan siitä. Huvinsa kullakin.

Katsastettuani yläkerran noudan laukkuni ja siirryn alakerran makuuhuoneisiin. Niitä on vain kaksi, mutta kumpikin on varsin tilava. Toinen on vielä tyhjä ja odottaa viimeistelyä. Päämakuuhuone on tietysti kauniisti kalustettu. Veljelläni on pettämätön maku ja tyylitaju. Hän on kuitenkin vähän liiankin pedantti, mikä ehkä selittää sen, että hän on yli nelikymppisenä edelleen pinttynyt poikamies. En usko, että kukaan pystyisi elämään hänen vaatimustensa mukaisesti.

Hän sanoo vuokraavansa asuntolaivan mahdollisesti eteenpäin, mutta en voi kuvitella, että hän päästäisi ketään vierasta asumaan siellä pysyvästi.

Päämakuuhuone on meren puolella, kauimpana satamatiestä. Alakerrassa on perinteiset, pyöreät ikkunaventtiilit, mikä saa asunnon tuntumaan enemmän laivalta. Sisustustyyli on raikkaan merihenkinen olematta kuitenkaan kliseinen. Sänky ja vuodevaatteet ovat puhtaanvalkoiset. Ylellinen syvänsininen peite on aseteltu sängylle huolellisesti niin, että se näyttää unohtuneen siihen vahingossa. Sängyllä on myös vaaleansinisiä tweedtyynyjä, joista pariin on kirjailtu käsin hienostuneita simpukkakuvioita. Pelkistettyjen, puisten yöpöytien päällä olevissa lampuissa on valkoiset varjostimet. Valkoisen peilipöydän edessä on Philippe Starckin Louis Ghost -tuoli, joka on taatusti aito, ei mikään kopio. Kaikki on upouutta ja ihanaa.

Pidän näkemästäni, ja viihdyn täällä varmasti, vaikkakin onnellisuudesta puhuminen olisi vielä liioittelua. Oloni ei välttämättä ole parempi tai kevyempi, mutta painontunne sydämessäni ja mielessäni tuntuu hellittäneen hieman. Ehkä meri-ilmalla ja hyvin sijoitetuilla designhuonekaluilla on ihmiseen sellainen vaikutus. En ole asunut yksikseni vuosikausiin, ja tuntuu erikoiselta olla talossa – tai siis tässä tapauksessa laivassa – jossa ei ole mitään toisen ihmisen jälkeensä jättämiä asumisen merkkejä. Kuulen vain laineiden liplatuksen laivan runkoa vasten; ääni on rauhoittava, suorastaan hypnoottinen. Ehkä pääsisin täällä taas kiinni elämään. Miten ihanaa saada olla kerrankin yksin.

Silloin kuulen ulko-oven rämähtävän auki, ja joku huutaa: ”Hu-huuuu!”

3

”Mitä v…?” sanon itsekseni. Hyppäsin säikähdyksestä melkein ilmaan. Bill ei tietääkseni ollut antanut avainta kellekään muulle. Jätinkö ulko-oven auki?

”Minä täällä vain!” joku huutaa.

Jätän laukkuni siihen paikkaan ja harpon portaat ylös kaksi askelmaa kerrallaan selvittääkseni, kuka on tunkeutunut yksityisalueelleni.

Keittiössä seisoo erittäin muodokas naishenkilö, jolla on platinanvaaleat hiukset – niin valkoiset kuin hiukset vain voivat olla. En ole myöskään nähnyt eläissäni niin kirkkaanväristä huulipunaa. Sen täytyy olla neonpunaista. Naisella on yllään leopardikuvioiset jeggingsit, jotka saavat aikaan sen vaikutelman, että hän on joutumaisillaan kuristajakäärmeen kitaan. Hänen valkoisessa, kevyen hulmuavassa puserossaan on vaarallisen syvään uurrettu pääntie, joka paljastaa suuren osan hänen viehkeästä rintavaostaan. Asukokonaisuuden viimeistelevät pökerryttävän korkeat punaiset korkokengät. Hänen kyntensä ovat tuumanmittaiset ja myöskin räikeänpunaiset. Tunnen itseni mustissa housuissani ja harmaassa paidassani mitäänsanomattomaksi, mutta en olekaan satsannut viime aikoina ulkonäkööni. Edessäni seisova nainen on paljon minua näyttävämpi – tavalla, joka on hieman pelottava – vaikka hän on varmasti minua kaksikymmentä vuotta vanhempi.

Hän nostelee päättäväisenä jääkaappiini ruokatarvikkeita ostoskassista, jossa lukee *Shoppailu on parasta liikuntaa.*

"Pari pikku juttua vain, kulta", hän sanoo, aivan kuin olisimme vanhoja tuttuja. "Tällä pääset alkuun. Juustoa, hummusta, kinkkupiirakkaa – se on jumalten ruokaa – ja salaattia." Hän irvistää kolmelle pakatulle jäävuorisalaatin kerälle. "Tosin en itse ole koskaan oikein päässyt salaatin makuun." Hän osoittaa kurvejaan. "Kuten näet, olen vannoutunut salaatinvihaaja. Ethän sinä vain ole vegaani? Ilottomia niuhottajia. Kaapissa on makoisaa leipää. Sinun pitää saada hiilareita. Olet laiha kuin luudanvarsi."

Seison vain paikallani ja tuijotan häntä. Kuka helvetissä hän oikein on?

"Kupponen teetä? Näytät nuukahtaneelta." Hän häärii vedenkeittimen parissa. "Millaisena haluat sen? Sellaisenaan vai maidolla? Toin maitoa ja sokeria." Nainen ojentaa pakkaukset nähtävilleni. "Näytät ihan siltä, että et käytä sokeria."

Hän ottaa kaksi mukia astiakaapista ja tarttuu vedenkeittimeen. Hänen käsivarsissaan pyörähtelevät lukuisat rannerenkaat pitävät kilisevää ääntä. Se kuulostaa minusta ärsyttävältä.

"Anteeksi", sanon saatuani viimein suuni auki. "Mutta kuka sinä oikein olet?"

"Marilyn." Hän katsoo minua aivan kuin asian olisi pitänyt jo olla tiedossani. "Sain nimeni Marilyn Monroen mukaan." Hän muikistaa huuliaan ja värisyttää rintamustaan Monroen tapaan. "Äitini ihaili häntä. Sukunimeni on kuitenkin McConaughey."

"Ja minkä takia sinä olet täällä?"

”Olen autellut Billiä”, hän ilmoittaa, niin kuin se olisi itsestäänselvyys. ”Siivosin vähän paikkoja remontin jäljiltä ja sen sellaista. Hän pyysi, että huolehtisin sinusta sen aikaa, kun olet täällä.”

”Ihanko totta?” Minun on soitettava Billille.

”Hän ei varmaankaan muistanut mainita siitä. Hänellä on aina niin kiire. En ole koskaan nähnyt ketään hänenlaistaan. Bill juoksee ympäriinsä kuin päätön poni. Sinne, tänne ja takaisin. Vaikka sai hän täällä kyllä ihmeitä aikaan.” Marilyn katselee ympärilleen hyväksyvästi. ”Hän kysyi minulta usein vinkkejä.”

Luulen, että jos niin olisi, sisustuksessa olisi käytetty huomattavan paljon enemmän leopardikuosia.

”No, Marilyn”, aloitan. ”Oli hauska tavata, mutta olen oikeastaan tullut tänne sen takia, että saisin olla *itsekseni.*” Yritän ilmaista asian niin kohteliaasti kuin mahdollista. ”En tiedä, mitä sinä olet sopinut Billin kanssa, mutta uskon pärjääväni täällä omin voimin.”

”Voit olla *itseksesi* minun kanssani”, Marilyn sanoo samaan aikaan kun vesi alkaa kiehua. ”Et edes huomaa minua. Olen hiljainen kuin orava. Käyn vain piipahtamassa täällä päivittäin, järjestelen vähän paikkoja, imuroin ja sen sellaista.”

Pelkkä ajatuskin hirvittää. ”Minulla ei ole aikomusta sotkea täällä paikkoja, ja osaan kyllä siivota jälkeni itse.”

”Niin varmasti osaatkin, mutta Bill on sinun isoveljesi. Hän haluaa pitää sinusta huolta. Omat lapseni ovat samanlaisia. He ovat hyvin suojelevia toisiaan kohtaan. Sellaista se on, kun on perhettä.”

Kyllä, minä ajattelen, mutta joskus ne ihmiset, joiden pitäisi rakastaa sinua eniten, satuttavat sinua kaikista pahiten. Huokaisen hiljaa mielessäni.

”Millaisena haluat teesi?”

”En itse asiassa halua mitään teetä.”

”Totta kai sinä haluat. Ainahan kuppi teetä maistuu. Mustana, ilman sokeria, niinkö se oli?”

”Kyllä.” Elämässä tulee joskus vastaan asioita, joille ei vain mahda mitään.

Marilyn McConaughey-uudelleensyntynyt-Monroe ojentaa minulle teemukin, jota en tiennyt haluavani, ja istuutuu oman mukinsa kanssa keittiönpöydän ääreen. Hänellä on ystävälliset, päivettyneet kasvot, joiden väri tosin on mitä ilmeisimmin peräisin purkista.

”Istupa nyt alas. Tähän näin.” Hän taputtaa kädellään tuolia. ”Sinä olet varmasti väsynyt pitkän matkasi jälkeen. Istu alas.”

Tästäkään asiasta ei ilmeisesti kannata ryhtyä väittelemään. Vaikkei lauttamatka järin uuvuttava ollutkaan, huomaan itse asiassa olevani väsynyt – niin henkisesti kuin fyysisestikin – ja ehkä teekupponen tulisi sittenkin tarpeeseen. Karkumatkalla oleminen ottaa veronsa. Istuudun uuden ja enemmän tai vähemmän ei-toivotun tuttavuuteni seuraan.

”Tee maistuu ihanalta.” Yritän hymyillä. ”Kiitos.”

”Minulla on selvänäkijän kykyjä. Tiedän, mitä ihmiset haluavat”, hän sanoo nyökäten kaikkitietävän näköisenä.

Niin varmasti.

En ilmeisesti saa vakuutettua Marilyniä siitä, että en tarvitse hänen apuaan. Minun on puhuttava Billin kanssa. Käsken häntä purkamaan sopimuksen. Hänen tarkoituksensa on hyvä, mutta en halua kenenkään ”piipahtavan” luonani joka päivä. Enkä varsinkaan Marilynin kaltaisen suupaltin. Tulin tänne nauttimaan hiljaisuudesta, etsimään menettämääni mielenrauhaa.

”Kerron sinulle kaiken meidän kauniista saarestamme, niin ettei sinulla ole täällä koskaan tylsää. Tiedän kaikki parhaat mestat.”

”Ajattelin vain levätä ja lukea”, kerron hänelle. ”Nauttia rauhasta.”

Marilyn katsoo minua niin kuin rauha olisi hänelle tuntematon käsite. ”Höpsistä. Meillähän on täällä *kaikkea*. Sinulla tulee olemaan kivaa. Meillä on täällä myös valkosipulifarmi.”

”Vai niin.”

”Sieltä saa valkosipulijäätelöä.”

Miten olen selviytynyt elämässäni ilman sitä?

”Se on vedet seisauttava elämys.”

”Tarkoitit varmaan veret.”

”Miksi sinä haluaisit veresi seisahtuvan?” hän kysyy hämmentyneen näköisenä.

En ole varma, olisiko kummastakaan vaihtoehdosta minulle iloa. Itse asiassa olen aika varma, että veren seisahtuminen vain pahentaisi tilannettani.

Sitten Marilynin ilme pehmenee. ”Onko elämä koetellut sinua? Niinpä tietenkin. Kaiken takana on mies. Se on saletti. Minä tiedän nämä asiat. Miksi sinä olisit muuten tullut tänne yksin? Olet nuori ja nätti, mutta näytät hauraalta ja surkealta. Noista vihreistä silmistä on kadonnut kaikki valo.”

Kyyneleet, jotka ovat viime aikoina pyrkineet jatkuvasti silmiini, tulvivat taas yli. Yritän nielaista alas kurkkuani kuristavan ikävän tunteen. ”Haluan vain olla vähän aikaa yksin”, toistan taas. ”*Täysin* yksin.”

Marilyn kurottautuu minua kohti ja taputtaa kättäni. Hän sanoo ystävällisesti silmät sirrillään: ”Älä huoli, sinä voit olla itseksesi minun kanssani.”

෴ 4 ෴

Juodessani kiireellä loppuun teetäni Marilyn kertoo minulle saaren nähtävyyksistä. Hän latelee tietojaan laveasti turistioppaan elkein. Pakollisen valkosipulifarmin lisäksi saarelta löytyvät myös Osborne House – kuningatar Viktorian entinen kesäasunto – Needlesin majakka ja monia muita tärkeitä turistikohteita, joihin minun pitäisi Marilynin mukaan ehdottomasti tutustua. Nimet virtaavat aivojeni läpi mutta eivät tallennu muistiin. En aio käyttää aikaani nähtävyyksien kiertelyyn, vaikka en muutoin olekaan varma, mitä aion saarella tehdä. Kun Marilyn pysähtyy vetämään henkeä, saan suunvuoron.

"Mutta nyt minun pitää purkaa laukkuni", sanon ja nousen pöydästä. "Ja minun täytyy maksaa sinulle ostoksista."

Marilyn heilauttaa kättään. "Voi, älä sinä niistä huolehdi. Lähetän laskun Billille."

"No, kiitoksia vielä teetarjoilusta."

"Haluatko, että valmistan sinulle lounaan?"

"Ei kiitos, minulla ei ole vielä nälkä. Taidan mennä myöhemmin ulos kävelylle niin kauan kuin on vielä valoisaa."

"Seuraavassa poukamassa, Sandy Covessa, on kiva pikku kahvila. Siellä on ulkoterassi ja kaikki. Ja ruoka on hyvää. Kaikki käyvät siellä. Sinne ei ole pitkä matka kävellä. Sää on tänään hieman kolea, mutta se saa poskesi rusottamaan."

”Käyn lenkillä sitten, kun olen järjestänyt tavarani.” Totta puhuen se ei tulisi viemään kauaa, sillä en ole ottanut paljoakaan mukaan.

”Selvä.” Marilyn nousee seisomaan. ”Minunkin on parasta pistää töpinäksi.”

”Se ei oikeasti ole tarpeen. Paikka on putipuhdas. Olemme käyttäneet vain kahta teemukia. Saan tiskattua ne itse.”

Marilyn hätistelee minua kohti portaikkoa. ”Tiskaaminen on minun hommaani. Sinä purat nyt laukkusi ja sitten lepäät vähän aikaa. Olen hiljaa kuin makkara. Et edes huomaa, että olen täällä, ja suljen oven perässäni sitten kun lähden.”

Minun on turha vastustella, joten sanon: ”Kiitos.”

”Ei tästä ole vaivaa.” Marilyn katsoo minua huolestuneena otsa kurtussa. ”Sano vain, jos tarvitset jotakin.”

Marilyn kääntyy tiskialtaalle päin, ja minä lähden makuuhuoneeseeni kannen alle – jos se on oikea termi.

Kun nostan laukkuni sängylle, näen taas peilikuvani. Tällä kertaa se näkyy kampauspöydän peilistä. Marilyn on oikeassa, näytän hauraalta ja surkealta. Kasvoni ovat kalpeat, ja huomaan, ettei harmaa paitani paranna asiaa. En ole koskaan pukeutunut Marilynin tyylisesti, mutta jopa minä ymmärrän, että tarvitsisin hieman väriä elämääni. Ei ihme, että Marilyn katsoi minua niin säälivästi. Käännän peilin seinään päin.

Marilyn kolistelee yläkerrassa, ja kuulen hänen kengänkorkojensa kopseen puulattiaa vasten. Soitan Billille heti, kun Marilyn on lähtenyt. En kestä Marilyniä. Hän on liian värikäs. Liian päällekäyvä. Liian äänekäs. Hän puhua pälpättää taukoamatta, ja tiedän jo yhden tapaamisen perusteella, että en saa säädettyä hänen äänenvoimakkuuttaan siedettävälle tasolle. Hänen on lähdettävä.

En ole ehtinyt laittaa vielä montaakaan tavaraa laatikoihin, kun väsähdän ja käyn pitkäkseni sängylle. Päänsärky on tuloillaan. Se on vaivannut minua usein viime aikoina. Joskus minusta tuntuu, että mielessäni risteilee liikaa ajatuksia, ja aivoissani on niille liian vähän tilaa. Ne poukkoilevat edestakaisin kalloni sisällä, tappelevat tilasta ja painautuvat silmieni taakse valmiina räjähtämään ulos kipukohtauksena. Minulla on särkylääkettä jossakin, mutta olen liian uupunut noustakseni ylös ja etsiäkseni sitä. Suljen silmäni ja yritän torjua Marilynin kengänkorkojen kopinan ja virittäytyä merenrannan rauhoittavaan äänimaailmaan.

Juuri kun olen saanut hengitykseni tasaantumaan ja silmäni alkavat tuntua painavilta, Marilyn käynnistää pölynimurin. Voitte uskoa minua, Billin laiva ei kaipaa imurointia. Siellä ei näy pölyhiukkastakaan. Mutta todennäköisesti imurointi kestää vain minuutin, maksimissaan viisi. Puren hammasta, kunnes hän lopettaa. Marilynin kolistellessa ja rymistellessä yritän keskittyä hengittämään syvään, mutta juuri kun alan lähestyä transsin kaltaista tilaa, Marilyn alkaa laulaa imurin surinan päälle. Kappale on "Jolene". En haluaisi kuulla sitä edes parhaimpina päivinäni, saati nyt.

Ähkäisen harmistuneena ja kaivan käsilaukustani kuulokkeet. Kytken ne iPhoneeni ja valitsen mahdollisimman rauhoittavaa musiikkia, mutta siitä ei ole mitään hyötyä, sillä joudun kuuntelemaan samanaikaisesti Marilyniä, joka pahoinpitelee surutta Dolly Partonin kappaletta. Luovun kuulokkeista ja makaan vain sängyssä hampaitani kiristellen, sillä seuraavaksi hän alkaa laulaa täysillä "Islands in the Stream" -kappaletta. Noin joka kolmas nuotti osuu kohdalleen. Sitten, kun pelkään jo muuttuvani kurkku suorana huutavaksi raivottareksi, imuri hiljenee, samoin Marilyn.

Huokaisen helpotuksesta ja yritän rentouttaa kiristyneet leukaperäni.

Hetken päästä hän huutaa: ”Nähdään huomenna samaan aikaan, kulta! Jätin puhelinnumeroni siltä varalta, että haluat jotain kaupasta. Pirauta, jos tarve vaatii. Heiiii!”

Sitten ulko-ovi kolahtaa, ja koko laiva, niin vahva kuin se onkin, vavahtaa.

Päästän ulos pitkän, värisevän henkäyksen. Voi taivas, mikä hössö. Minun on soitettava Billille ja pyydettävä häntä perumaan kotiapulainen. En kestä ihmistä, joka on niin energinen, niin eloisa, niin onnellinen.

Sitten säälin itseäni ja itken, koska en tiedä mitä muutakaan tekisin.

5

Rauhoitututtuani ja otettuani pienet torkut palaan takaisin yläkertaan. Käperryn olohuoneen sohvalle ja kiedon huovan jalkojeni ympärille. Minua viluttaa koko ajan, ikään kuin veri olisi lakannut kiertämästä jäsenissäni.

Vilkaisen puhelintani ja huomaan saaneeni seitsemäntoista viestiä, joista vain yksi on Billiltä.

Poistan kaikki muut viestit ja soitan sitten Billille. "Hei, Bill."

"Pääsit sitten onnellisesti perille", hän sanoo. "Aloinkin jo vähän ihmetellä."

"Olisin soittanut sinulle heti tänne saavuttuani, ellen olisi jutellut koko aikaa Marilynin kanssa", kerron hänelle. "Tai ennemminkin hän jutteli minulle."

"Ai niin. Unohdin mainita sinulle Marilynistä. Hän on upea, eikö? Puhelias."

"*Erittäin* puhelias." Toivon, että veljeni erottaa äänestäni kuultavan paheksunnan. "En tarvitse lapsenvahtia, Bill. En halua tänne ketään 'puheliasta'. Tarvitsen rauhaa. Ja jos mahdollista, hiljaisuutta." Kiedon käteni polvieni ympärille. "Minulla on kaikki hyvin."

"Eikä ole", Bill sanoo painokkaasti. "Muuten olisit täällä laatimassa kanssani työn alla olevaa hotellin saneeraussuunnitelmaa."

Tunnen syyllisyyden piston sydämessäni. "Olenko minä jättänyt sinut pulaan?" Bill on ollut minulle niin kiltti, etten haluaisi hänen joutuvan raatamaan niska limassa sillä aikaa, kun minä nuoleskelen haavojani.

"Tietysti sinä olet. Mutta ei se mitään. Ymmärrän kyllä, ja haluan, että saat nyt rauhassa koota itsesi. Ole siellä niin kauan kuin tuntuu tarpeelliselta. Mutta olet tervetullut takaisin heti kun tunnet olevasi taas iskussa."

"Olet aivan liian kiltti minulle." Jo pelkkä veljen kanssa juttelu saa aikaan itkettävän olon. "Kukaan muu työnantaja ei ymmärtäisi tällaista pakomatkaa."

"Olen ennen kaikkea sinun veljesi. Se, että olen työnantajasi, on toisarvoista. Haluan vain, että olisit taas onnellinen."

"Juuri nyt minusta tuntuu, ettei niin tule koskaan käymään."

"Ikinä ei voi tietää, mitä kulman takana odottaa", Bill sanoo. "On se sitten hyvää tahi huonoa. Olet vielä nuori."

Niin kaikki aina sanovat. En halua kuulla sitä enää.

"Ota rennosti, anna itsellesi aikaa", Bill jatkaa. "Tee niin kuin sinusta tuntuu hyvältä."

"Olet ihana", sanon hänelle. "Mitä minä tekisin ilman sinua?"

"Ei edes yritetä kokeilla sitä." Sitten hän epäröi hetken, ennen kuin kysyy: "Oletko kuullut mitään Chrisistä?"

"Olen saanut häneltä noin tuhat viestiä, mutta en halua puhua hänen kanssaan."

"Kyllä sinun jossain vaiheessa täytyy."

Bill on oikeassa, kuten tavallisesti. "Mutta ei vielä."

"Hän on soittanut minullekin, mutta minäkään en ole vastannut."

"Ethän kerro hänelle, missä minä olen?"

"En tietenkään. Jos päädyn puheisiin hänen kanssaan, sanon hänelle varmasti suorat sanat."

"Älä turhaan vaivaudu." Chris kuulee pelkästään sen, minkä hän haluaa kuulla.

"Hänen käytöksensä on törkeää", Bill sanoo vihaisena.

"Me kumpikin tiedämme sen", sanon tyynnytellen. "En ole varma, onko Chris itse samaa mieltä."

Kuulen jonkun toisen puhuvan taka-alalla, ja sitten Bill sanoo: "Anteeksi, mutta nyt täytyy mennä. Voinko vielä tehdä jotain puolestasi?"

"Kiellä Marilyniä tulemasta tänne", anelen häneltä.

"En. Hän on mainio tyyppi. Kyllä sinä totut häneen. Haluan, että hän pitää sinua vähän silmällä."

Torun veljeäni kuin olisimme taas lapsia. "Ei hänessä ole mitään mainiota. Hän on rasittava."

"Anna hänen edes yrittää", veljeni anelee. "Minun takiani."

Bill on aina pitänyt minusta huolta. Hän on ollut minulle paras mahdollinen isoveli. Hän on ollut sekä suojelijani että puolustajani. Mutta edes Bill ei pystynyt suojelemaan minua siltä, mitä tapahtui.

"En ole aikeissa ryhtyä kittaamaan vodkaa pullokaupalla päivässä", vakuutan veljelleni.

"Hyvä tietää." Joku naputtelee taustalla tietokoneen näppäimistöä. "En haluaisi lopettaa puhelua, mutta nyt täytyy mennä", Bill sanoo. "Kokous alkaa viiden minuutin päästä."

"Mikä kokous?"

"Se liittyy siihen isoon ekohotelliprojektiin. Se menee pikkuhiljaa eteenpäin. Ensimmäinen palaveri kasvotusten."

On mukava kuulla, että projekti etenee. Olimme ottaneet tehtäväksemme sisustaa hienon ekohotellin, joka on rakenteilla New Forestin luonnonpuiston reunamille. Suunnitelma on tosin ollut pitkään jäissä, sillä rakennusluvan saaminen hotellille on ollut aikaa vievä prosessi. "Siinä projektissa minäkin oikeasti haluaisin olla mukana."

"No sitten sinun pitää saada pakkasi kasaan, ja äkkiä", hän kiusoittelee.

"Olet ihana", sanon taas. "Kiitoksia tästä."

"Mitä pidät laivasta? Aika siisti, eikö?"

"Tämä on uskomaton. Loistava maku kulkee meillä suvussa." Paitsi ei miessuhteissa. Sillä rintamalla Bill ja minä olemme epäonnistuneet täysin. Luulen, etteivät veljeni suhteet ole ikinä kestäneet vuotta pitempään. Hänellä on ollut aikojen saatossa pari varteenotettavaa kumppania, mutta kuten aikaisemmin kerroin, hän on hyvin valikoiva ja samaan aikaan työnarkomaani – joista kumpikaan ei tee ihmissuhteille hyvää. Nyt minusta tuntuu, että hän on jo liian tottunut tekemään asiat omalla tavallaan. "Olet tehnyt täällä hienoa työtä."

"Jep. Täytyy pistäytyä siellä joku päivä."

"Luulin, että tästä tulisi sinun viikonloppupaikkasi kesäksi. Biletyskämppä."

"Se on vieläkin ajatukseni", Bill vakuuttelee. "Mutta katsotaan, mihin suuntaan asiat kehittyvät."

Eli jos minä en ole palannut kesäksi töihin, hänkään ei lähde kesäksi minnekään. Hän tekisi töitä 24/7. Kauheinta tässä kaikessa on se, että Bill joutuu pettymään. No, oikeastaan se ei ole kaikista kauheinta, mutta sitä te ette vielä tiedä, enkä minä ole vielä siinä kunnossa, että jaksaisin selittää.

"Laivan nimeksi tuli sitten *Päivänpaiste*." Olen iloinen, ettei hän näe minun nyrpistävän nenääni. "Luulin, että olisit valinnut jotakin osuvampaa, jotain, missä olisi jonkinlainen viesti."

"Se on aikaisemman omistajan antama nimi, ja ilmeisesti veneen nimen vaihtamisesta seuraisi huonoa onnea."

"Oikeastiko?"

"Kyllä. Jos nimen vaihtaa, silloin pitää suorittaa kaikenlaisia rituaaleja, kuten esimerkiksi puhdistusseremonia merten jumalien lepyttämiseksi."

"Taisit kuulla tuon Marilyniltä?"

"Tietysti." Bill nauraa. "Hän tietää kaiken. Ja tuntee kaikki."

Niinpä tietenkin.

"Anteeksi, siskokulta. Nyt on mentävä. Tiimi näyttää kokoontuvan jo pöydän ympärille."

WJ Designin toimisto sijaitsee trendikkäällä Shoreditchin alueella Lontoossa ja näyttää todella tyylikkäältä – niin kuin sisustussuunnittelufirman tietysti kuuluukin. Yhteisessä tilassa on valtava, teollista tyyliä edustava pöytä, jonka ympärillä on harjatusta teräksestä valmistetut tuolit. Yrityksen työntekijät nauttivat pöydän ääressä yhteisen aamiaisen joka aamu. Muut työskentelevät avokonttorissa, mutta Billillä ja minulla – yrityksen pääosakkailla – on omat lasiseinäiset, kulmittain sijoitetut työhuoneet.

Olemme onnekkaita, sillä meillä on työhönsä sitoutunut henkilökunta, mutta nyt Bill joutuu kertomaan kaikille, että minä olisin poissa kuvioista jonkin aikaa. He tietävät syynkin – ainakin osittain – ja mitä ilmeisimmin ynähtävät kohteliaan myötätuntoisina, mutta ovat todennäköisemmin samaan aikaan raivoissaan siitä, että joutuvat tekemään enemmän töitä. Se tietää heille pitkiksi venyviä iltoja, mikä on kokonaan minun syytäni.

Minua harmittaa, etten ole pääkallonpaikalla tärkeään aikaan, mutta en vain pysty siihen juuri nyt. Se on minulle liikaa. Kaikki on minulle liikaa.

"Pidetään yhteyttä", Bill sanoo. "Soitan sinulle joka päivä."

"Uskon kyllä." Sitten kurkkuani alkaa taas kuristaa. "Kiitos, että sain tulla tänne. Minulla ei olisi ollut mitään muuta paikkaa."

”Autan mielelläni. Onneksi ajoitus oli täydellinen. Maltan tuskin odottaa, että näen laivan valmiina. Sano milloin sinulle sopii, niin yritän pistäytyä siellä jonakin viikonloppuna.”

”Se olisi mukavaa. Olet ainoa henkilö, jota tulen kaipaamaan täällä.” Se ei ole ihan totta. Minulla on myös ystäväni Della. Minulle tulee ikävä myös häntä. Hän suuttuu, kun hän saa tietää, että olen häipynyt kaupungista kertomatta hänelle mitään. Sitäkin puhelua olen joutunut lykkäämään tuonnemmaksi.

”No, niin mekin kaipaamme täällä sinua. Mutta nyt täytyy lopettaa”, Bill sanoo. ”Olet rakas.”

Vaikka sanoinkin, että haluan olla yksin, kaipaan Billiä valtavasti enkä haluaisi lopettaa puhelua.

Puhelun päätyttyä en tiedä, mitä tekisin. Menen laivan takaosaan ja huomaan, että maisema on muuttunut aivan toisen näköiseksi. Yksinäinen SUP-lautailija on poissa, laivat ovat tulleet ja menneet, ja vuorovesi on laskemassa. Aurinko on alkanut painua hiljalleen mailleen, ja katselen sen laskua ihastuksissani. On uskomattoman kaunista. Kultainen hehku täyttää olohuoneeni, ja auringonsäteet maalaavat pilvet persikanvärisiksi. Pian koko taivas loistaa oranssina.

”Voi luoja”, sanon itsekseni. ”Tämä on lääkettä kivistäville silmilleni.”

Kun aurinko viimein laskee horisonttiin ja alkaa hämärtää, tajuan etten ole syönyt mitään. Marilynin suosittelema kahvila on todennäköisesti sulkeutunut jo ajat sitten. Niinpä pengon jääkaappia nähdäkseni, mitä hän on minulle tuonut. Vaikka valitinkin Marilynistä puhelimessa, huomaan, että hän on tehnyt hyvää työtä. Olen kiitollinen leivästä ja juustosta alkaessani kehitellä itselleni lämmintä voileipää.

Tyly käytökseni alkaa harmittaa minua, joten lähetän Marilynille tekstiviestin. *Kiitos ruoasta, se tuli todella tarpeeseen. Jodie.*

Vastaus tulee muutamassa sekunnissa. *Eipä kestä, kulta. M.* Perässä seuraa sarja sekalaisia emojeja: sydän, puudeli, lumiukko, kaksi samppanjalasia ja kala. Sekä kymmenkunta muuta kuvaa, joita en edes tunnista.

Siirryn keittiönpöydän ääreen ja alan näykkiä voileipääni. Minulla ei ole ruokahalua, mutta yritän syödä säännöllisesti. Aikaisemmin nautin hyvästä ruoasta, mutta nykyään kaikki maistuu sahanpuruilta. Syön vain pysyäkseni hengissä, vaikka joskus minusta tuntuu, ettei siinäkään ole mitään mieltä.

Pian huomaan istuvani pimeässä, ja sytytän keittiönvalon. Samalla huomaan, että naapurilaivassakin on valot. Siellä siis sittenkin asutaan. Menen keittiön ikkunan viereen ja kurkistan nopeasti, näkisinkö ketään, mutta en näe. En halua naapurieni luulevan, että vakoilen heitä, vaikka niin teenkin.

Kun yö alkaa lähestyä ja ikkunasta näkyy pelkkää pimeää merta, otan mukaan loput illallisestani, asetun television ääreen ja katselen hajamielisenä *Antiikkia, antiikkia* -ohjelman julkkisversiota.

Juuri sellaista minä kaipaan. Ei keskustelua, ei seuraa, ei stressiä. Ei menneisyyttä, ei tulevaisuutta, vain nykyhetki. Ainoastaan minä ja minun ajatukseni.

Marilyn lähettää taas tekstiviestin. *Telkussa on tänään Neljät häät ja yhdet hautajaiset. Paras leffa ikinä. Hugh Grant on syötävän söpö. M.* Perässä sammakko, Kanadan lippu, miessurffari, kolme pandaa ja viinilasi.

Pudistan typertyneenä päätäni. Sitten mietin: viimeinen vaihtoehtohan kuulostaa hyvältä.

6

En saa unta, mutta siinä ei ole minulle mitään uutta. En ole nukkunut kunnolla moneen kuukauteen. Tein kuten minua oli neuvottu ja katsoin pikkutunneille asti illan tv-elokuvaa *Neljät häät ja yhdet hautajaiset*. Mitä muutakaan olisin voinut tehdä? Marilyn varmasti kysyy minulta siitä. Myönnettäköön; vaikka elokuva ei olekaan tyypillisesti minun makuuni, pidin siitä, vaikka itkinkin suurimman osan ajasta – jopa hauskojen kohtien aikana.

Nyt makaan valveilla ja kuuntelen *Päivänpaisteen* nitinää ja natinaa sen liikahdellessa laiturissa vaihtuvan vuoroveden rytmissä. Kun valo tunkeutuu sisään huoneen pyöreistä ikkunoista ja kuulen lokkien kirkunan, nousen ylös.

Puhelimeeni on saapunut lisää viestejä, joista suurin osa on Chrisiltä. Poistan ne lukematta niitä. Yksi on Dellalta, ja lupaan itselleni soittaa hänelle myöhemmin. Hän varmasti ihmettelee, miksi häivyin uskoutumatta suunnitelmistani hänelle.

Käyn suihkussa makuuhuoneen yhteydessä olevassa kylpyhuoneessa. Vesi on kuumaa ja sitä on riittävästi. Saan kiittää siitäkin ilmeisesti Marilyniä, sillä mieleeni ei juolahtanut ollenkaan tarkistaa, missä kuuman veden ja lämmityksen säätöpaneeli on. Laivassa on myös lämmintä, joten keskuslämmitys on todennäköisesti päällä.

Astuessani ulos suihkusta kuulen Marilynin pyörähtävän sisään ovesta ja huutavan ”Hu-huu”. Irvistän hieman.

En jaksaisi aloittaa vielä keskustelua, joten pukeudun tavallista hitaammin – huomaan ensimmäistä kertaa, kuinka väljänä vaatteet roikkuvat ylläni – ja uskaltaudun sitten yläkertaan. Marilyn hääräilee jo keittiössä. Tänään hän on pukeutunut kauttaaltaan riikinkukonsiniseen. Hänen yllään olevaa haalaria koristavat suurikokoiset, eksoottiset kuviot viidakon kasveineen ja papukaijoineen. Värimaailmasta poikkeavat vain keltaiset korkokengät, jotka sopivat yhteen hänen käyttämiensä talouskäsineiden kanssa. Silmiini melkein sattuu. Aamutuimaan sellainen määrä väriä on ihan liikaa.

”Huomenta, kulta!” hän livertelee pirteänä, ja toivon, että hän kääntäisi volyymiaan pari pykälää hiljaisemmalle. ”Nukuitko hyvin?”

”Kyllä”, valehtelen.

Marilyn mutristaa tulipunaisia huuliaan. ”Sanoisin, että maksimissaan tunnin. Näkeehän sen jo päältä.” Hän katselee minua ja pudistaa toivottomana päätään. ”Tarvitset meri-ilmaa. Ja jotain syötävää. Laitan sinulle aamiaista. Toin sinulle maistiaisiksi kotitekoista hilloa. Se on tehty viime vuonna poimituista karhunvatukoista ja omenoista.”

”Kiitos tarjouksesta, mutta ajattelin nauttia aamiaisen siinä kahvilassa, jonka mainitsit eilen. Tänään näyttää olevan hyvä ilma.” Auringonvalo tulvii asuntoon, ja onnittelen taas mielessäni Billiä onnistuneesta remontista. Laiva näyttää kauniilta kylpiessään valossa.

”Ulkona on aika kirpakka sää”, Marilyn varoittaa. ”Tarvitset kunnon takin. Tuuli puhaltaa muuten lävitsesi. Se on pureva kuin banaani. Luulen, että se puhaltaa tänne Siperiasta saakka. Siltä se ainakin tuntuu. Haluatko juotavaa ennen lähtöäsi? Vesi kiehuu jo."

"Ei kiitos." Marilyn haluaa jutella, selvittää, miksi minä olen täällä, enkä kestä sitä. "Tarvitsen vähän raitista ilmaa. Haen takkini."

"Onko sinulla toiveita siitä, mitä minä voisin tehdä sillä aikaa?"

"Täällä ei ole mitään siivottavaa, Marilyn", sanon hänelle silmäillen ympärilleni. "Bill haluaa minulle vain jonkun lapsenvahdiksi." Hän siis haluaa tarkistaa, että olen hengissä. "Ota rennosti ja juo kuppi kahvia. Lue lehteä. Katso tosi-tv:tä."

Marilyn nauraa aivan kuin olisin sanonut jotain todella huvittavaa. "Voi sinun kanssasi. Kyllä täältä varmasti jotain tekemistä löytyy. Merivesi tekee tuhojaan ja jättää roiskeita ikkunoihin. Ja nuo halvatun lokit. Ovathan ne ihan kivoja, mutta turhan sottaisia."

Haen takkini ja napitan sen ylös asti, sillä olen varma, ettei Marilyn päästäisi minua muuten lähtemään.

"Mikä takki tuo nyt on olevinaan!" Hän tuijottaa tyylikästä yksirivistä, tummanharmaata kashmirtakkiani kauhuissaan. "Eihän tuo pidä tuulta ollenkaan."

"Ei minulla ole muutakaan." Marilyn taitaa kyllä olla oikeassa. Olin jo huomannut, että takki soveltuisi paremmin kaupunkioloihin kuin patikointiin meren rannalla.

"Entä kaulahuivi?" Marilyn kysyy. "Onko sinulla kaulahuivia?"

"Ei ole."

"Tarvitset sellaisen. Entä myssy?"

Pudistan päätäni. Minun täytyy ilmeisesti pistäytyä myös päähineosastolla.

"Saat tuolla menolla vielä keuhkopussintulehduksen."

"Ei sää nyt niin hirveältä näytä." Kurkin ulos ikkunoista, joihin merivesi kuulemma on tehnyt tuhojaan.

Marilyn katsoo minua kaikkitietävän näköisenä. "Lainaa minulta."

"Kyllä minä pärjään. Ihan totta. Nähdään huomenna." Suunnistan ovea kohti.

"Tiedätkö reitin? Kävelet ensin puistokatua eteenpäin ja sitten portaita alas seuraavaan lahdelmaan. Ja siitä suoraan eteenpäin niin pitkälle kuin pääset. Et voi eksyä. Jos menet pidemmälle, päädyt mereen."

"Kiitos."

"Voin lähteä saattamaan sinua, jos haluat."

"Kyllä minä pärjään. Hauskaa loppupäivää."

"Hei sitten. Pidä hauskaa. Kerro Idalle terveisiä. Sieltä saa hyviä teeleipiä. Kotitekoisia. Ei sellaisia mauttomia kaupan leipiä. Nähdään huomenna. Soita, jos tarvitset apua. Heiii!"

Minusta tuntuu, kuin olisin viisivuotias lapsi. Suljettuani oven takanani lörpöttely loppuu ja vedän syvään henkeä. Kukaan ei ole pitkään aikaan hössöttänyt minun takiani tällä tavoin, ja minun on pakko myöntää, etten tiedä, tuntuuko se todella rasittavalta vai oikeastaan ihan mukavalta. Marilyn tarkoittaa selvästi pelkkää hyvää, mutta se tuntuu jonkinlaiselta rakkauden pakkosyötöltä.

Laiturilla tuuli melkein kaataa minut nurin. Marilyn on tietysti oikeassa. Tarvitsen sopivamman takin. Ja huivin. Pipokaan ei olisi pahitteeksi. Ja käsineetkin olisi hyvä saada. Harmittelen jälleen kerran, että hylkäsin entisen elämäni niin surkuteltavan valmistautumattomana.

7

Lähtiessäni kulkemaan kahvilan suuntaan tuuli jää onneksi taakseni, joten minun ei tarvitsekaan taistella sitä vastaan, vaan saan siltä ennemminkin työntöapua. Paluumatka onkin sitten jo toinen juttu. Koska vuorovesi on korkealla, en voi kävellä seuraavaan lahdelmaan hiekkarantaa pitkin. Suuntaan sen sijaan kädet taskuissa kohti puistokatua ohittaen satamassa ankkuroituna olevan rivistön sieviä, pastellinvärisiä asuntolaivoja.

Niitä on kaikenkokoisia ja -mallisia, uudenaikaisia ja perinteisiä, kaikki sekalaisessa järjestyksessä. *Merituulen* toisella puolella oleva laiva on valtavan kokoinen, se on maalattu puhtaanvalkoiseksi ja siinä on koristeena viirejä ja tuulihyrriä. Seuraava laiva on tyylikäs hollantilainen proomu ja sitä seuraava suuri, kulmikas, uudenaikainen alus, jonka kylkeen on maalattu Mondrianin tyylinen abstrakti kuvio. Tutkailen laivoja uteliaana.

Sitten jätän sataman ja lähden kävelemään Marilynin ohjeiden mukaisesti Cockleshell Bay -lahden vierellä kulkevaa puistokatua, joka johtaa Sandy Cove -poukamaan. Ranta-alue muistuttaa rakennustyyliltään entisaikojen rantalomakohteita. Tyylikkäistä edvardiaanisen ajan huviloista aukeaa näkymä merelle. Suurin osa niistä on vuokrattavia loma-asuntoja tai täysihoitoloita, vain harvat ovat yksityiskoteja. Sen sijaan, että kääntyisin kaupungin pääkadulle – voin tutustua siihen myöhemmin – jatkan edelleen puistokatua pitkin. Sen varrella on takorautaisia penkkejä, jotka kaipaisivat karun talven jälkeen uutta maalikerrosta, sekä art deco -tyylinen katos, joka tarjoaa suojan ikäviä luonnonvoimia vastaan. Rannalle johtavien portaiden yläpäässä seisoo kulunut pronssinen steampunk-tyylinen patsas, joka ei näytä sopivan ympäristöönsä.

Ohittaessani patsaan se sanoo "Huomenta", mikä saa minut pomppaamaan ilmaan säikähdyksestä.

"Voi luoja, säikäytit minut melkein hengiltä", huudahdan hänelle.

"Ai, anteeksi." Herra Steampunk kohottaa hattuaan. "Näytit vähän nuukahtaneelta, joten ajattelin piristää sinua."

Olen hieman muissa maailmoissa, ja jalusta saa hänet näyttämään suuremmalta kuin hän onkaan, mutta hän on kyllä aika vakuuttava patsas. Miehen iho on kauttaaltaan pronssinvärisen meikin peitossa, ja kaikki hänen vaatteensa ja asusteensa on maalattu samanvärisiksi. Hänellä on yllään lievetakki, silinterihattu ja retrohenkiset silmälasit, ja hän pitelee kävelykeppiä, jossa on koristeellinen kädensija. Tarkemmin katsottuna jalusta on vain maalattu laatikko, ja hänen jalkojensa juuressa on pieni rahankeruulipas. "Luulin sinua oikeasti patsaaksi."

"No, sittenhän olen onnistunut työssäni", mies sanoo nauraen. Hän kumartaa ojentaen samalla hattuansa eteenpäin.

Vilkaisen laukkuani ja yritän löytää sieltä kolikoita.

"Voi, en halua rahaa."

"Eikö se ole homman juju?"

"No, kyllä. Mutta ei tällä kertaa. Olen siirtymässä toisaalle. Täällä on hyytävän kylmä. Näytät muuten siltä, että tarvitsisit kunnon takin ja kaulahuivin."

”Niin minulle on kerrottu.” Kaikki tuntuvat olevan huolissaan terveydestäni, jopa patsaat.

”Hauska tutustua.” Mies ojentaa minulle hansikkaan peittämän kätensä, ja epäröityäni hetken tartun siihen. ”Minä olen George.”

”Jodie”, vastaan hänelle.

Mies venyttelee ja juoksee paikallaan hetken. ”Tänä aamuna on ollut aika rauhallista, enkä ole oikein hyvä paikallaan seisomisessa.”

Se taitaa olla hieman huono ominaisuus elävälle patsaalle. Silmäilen rantakatua päästä päähän. Liikkeellä ei näytä olevan ketään muita. ”Tiedät nämä asiat varmasti paremmin kuin minä, mutta minusta täällä ei näytä olevan paljoakaan potentiaalisia asiakkaita. Paikka vaikuttaa hiljaiselta.”

”Se sopii minulle. Työskentelin ennen elävänä patsaana Covent Gardenissa”, hän kertoo. ”Se oli yhtä painajaista. Ihmiset nipistelivät takamustani.”

Minua alkaa naurattaa, ja hän näyttää loukkaantuneelta. ”Anteeksi.”

”Se, että elävät patsaat joutuvat häirinnän kohteeksi, ei ole yleisessä tiedossa. Täällä on erilaista. Kaikki ovat ystävällisiä.” Hän nyökkää merta kohden. ”Olosuhteet ovat myös paremmat. Kuinka moni toimistotyöntekijä pääsee nauttimaan tällaisesta? Hienompaa maisemaa saa hakea.”

Seuraan hänen katseensa suuntaa. ”Niin saa. Mutta ei täällä varmaan kovin hyvin tienaa.”

Mies kohauttaa olkiaan. ”Eihän raha ole tärkeintä elämässä.”

”Ei niin.” Sitä ei käy kiistäminen. Yritän jatkaa matkaani, mutta hänellä on vielä asiaa.

”Hieman aikaista tulla lomanviettoon”, hän huomauttaa.

Voi taivas, täällä jopa patsaat ovat puheliaita. "Niin varmaan."

"No, parasta ryhtyä taas patsaaksi, ennen kuin kukaan näkee minut tällaisena. Paljastun muuten. Nähdäänkö me vielä?"

"Ehkä", vastaan.

George ottaa uudenlaisen asennon, enkä voi olla hymyilemättä kävellessäni eteenpäin, vaikka sormiini on tarttunut hänen käsistään pronssinväristä maalia.

Laskeudun portaita pitkin kaarevaan pieneen lahdelmaan, jossa on mukava hiekkaranta. Tunnelma on ihanan välimerellinen, vaikkei paikka olekaan ihan parhaimmillaan tähän aikaan vuodesta. Alueella on lisää loma-asuntoja ja muutama koju, joissa vuokrataan rantatuoleja ja kajakkeja tuntitaksalla, mutta kaikki kojut ovat talvisaikaan kiinni. Rannalla on pieni laituri, johon on kiinnitetty kalastajaveneitä, ja rantavallia vasten on pinossa hummerimertoja.

Sielläkään ei näy kovin montaa ulkoilijaa. Vain pari innokasta koiranulkoiluttajaa on uskaltautunut rannalle tuulenriepotteleman lemmikkinsä kanssa. Mustavalkoinen cockerspanieli juoksentelee ympäriinsä korvat villisti lepattaen ja näyttää erityisen iloiselta. Tuuli saa aikaan vaikuttavan kokoisia aaltoja, ja pumpulia muistuttavat pilvet viilettävät vauhdilla taivaan poikki. Aurinko paistaa täydeltä terältä, mutta sillä ei ole mitään vaikutusta lämpötilaan. Mutta kyllä, viihdyn täällä. Antaudun luonnonvoimille ja sallin tuulen tuivertaa hiuksiani. Chrisillä ja minulla oli tapana suunnata lomilla aina Karibialle, joten en ole päässyt pitkään aikaan nauttimaan kotimaani rannoista. Olin jo unohtanut, miten mukavalta kostea hiekka tuntuu jalkojen alla. Onneksi muistin pakata laukkuuni parit lenkkarit, joten minulla on ainakin säähän sopivat kengät, ellei muuta.

Käveltyäni muutaman minuutin saavutan edelläni kulkevan pariskunnan. He kävelevät aivan vedenrajassa, missä aallot huuhtoutuvat välillä heidän kumisaappaidensa kärkien yli. Mies kantaa olkapäillään noin kaksivuotiasta lasta – pientä vaaleatukkaista tyttöä, jonka posket kirpeä sää on muuttanut ruusunpunaisiksi. Täydellinen perhe. Katselen heitä, vaikka en haluaisi. Mies ja nainen näyttävät niin onnellisilta, niin rakastuneilta. Tunnen musertavan painon vatsanseudulla, ja äkillinen epämiellyttävä tuntemus uhkaa ottaa vallan. Meneekö tämä koskaan ohitse?

Juuri kun olen kääntymäisilläni takaisin palatakseni *Päivänpaisteen* armolliseen rauhaan, näen onnekseni lahdelman toisessa päässä olevan Rantamaja-kahvilan. Sen täytyy olla Marilynin suosittelema paikka. Se on mukavan näköinen sinivalkoraidalliseksi maalattu rakennus, jonka edessä olevat koristeliput lepattavat tuulessa kuin spanielin korvat. Kävelen lähemmäksi ja pyyhin kuumat kyyneleet silmistäni.

8

Rantamaja-kahvila on juuri sitä, mitä nimi lupaa. Se on suuri, kirkkain värein maalattu mökki, joka sijaitsee lahdelman toisessa päässä, aivan meren rannalla. Kahvilan ulkopuolella on pastellinsävyisiä pöytiä ja tuoleja. Jotkut niistä ovat tuulensuojassa matalan, valkoiseksi rapatun muurin takana. Ainut sateelta suojattu alue on rakennuksen vierellä oleva muovikatos, jonka alla on lisää pöytiä ja tuoleja sekä pari terassinlämmitintä – tosin ne eivät ole tällä hetkellä päällä. Katoksen perällä on kirjahylly, jossa on kasoittain kuluneita pokkareita. Paikka on koristeltu lipuin ja viirein, ja siellä täällä on pieniä liitutauluja, joihin on kirjoitettu hilpeitä iskulauseita kuten ”Olkoon kahvisi vahva ja maanantaisi lyhyt”, ”Kakku kelpaa aina” ja ”Onnittelut! Pääsit ylös sängystäsi”.

Kesällä paikka on todennäköisesti tupaten täynnä, mutta nyt vain kaikkein kovanahkaisimmat paikalliset ovat uskaltautuneet liikenteeseen. Kahvilassa on ainoastaan pari asiakasta. Taaempana olevan kirjahyllyn vieressä kyyhöttää mies, joka pitelee käsissään valtavan suurta mukia. Edessä istuu kaksi toppatakkeihin ja tupsupipoihin sonnustautunutta naista, jotka ovat syventyneet keskusteluun ja kikattelevat samalla. Ajattelen Dellaa ja tunnen syyllisyyttä siitä, etten ole vieläkään ilmoittanut hänelle olinpaikkaani. Olen siirtänyt soittoa tuonnemmaksi, sillä tiedän hänen raivostuvan uutisesta. Hänestä on ollut minulle viime aikoina paljon apua, ja hän kokee todennäköisesti epäonnistuneensa, kun kuulee lähdöstäni.

Olen ainut, joka on tarpeeksi urhea tai hölmö istuakseen ulkona rantavallin vierellä, mutta niin tyhmänrohkea kuin olenkin, valitsen sentään paikan, joka on tuulensuojassa. Tutkin ruokalistaa ja yritän olla vilkuilematta rannalla näkemäni tyytyväisyyttä huokuvan pariskunnan suuntaan.

Minulla on ollut vuosien saatossa muutama onnellinen, mutta lopulta eroon päättynyt suhde. Minusta ei kuitenkaan ole koskaan tuntunut, että sydämeni olisi murtunut, enkä olisi voinut kuvitella, että olisin asettunut asumaan yhdenkään miehen kanssa saman katon alle. Ihastuin aina haastaviin tapauksiin, jotka eivät olleet helposti avioituvaa tyyppiä. Kun tapasin Chrisin, kaikki muuttui. Tutustumiseemme liittyi ihmeellinen yhteensattuma: osuimme yhtä aikaa täpötäyteen kahvilaan, jossa oli jäljellä enää kaksi tuolia. Rynnättyämme kohti viimeisiä paikkoja ja istuuduttuamme tuoleille samaan aikaan purskahdimme nauruun. Jää oli murtunut, ja aloimme rupatella, vaikka hädin tuskin kuulimme toisiamme kovassa melussa. Kun olimme saaneet tyhjennettyä kuppimme ja kahvila sulki ovensa, vaihdoimme puhelinnumeroita. Seuraavana iltana menimme illalliselle. Tiesin heti, että hän oli Se Oikea. Rakastuin häneen nopeasti ja syvästi. Minä kirjaimellisesti tärisin, kun hän soitti minulle. Hän oli hauska ja itsevarma – jälkeenpäin ajateltuna ehkä liiankin. Mikään ei pystynyt horjuttamaan Chrisin itseluottamusta. Se oli ihanaa. Paitsi jos sattui joutumaan riitoihin hänen kanssaan.

Hän on myös komea – pitkä ja harteikas. Jos näkisitte hänet, ymmärtäisitte miksi ihastuin häneen välittömästi. Hän viettää salilla enemmän aikaa kuin minä ja pitää huolta kropastaan – mitä tosin hankaloittavat liian tiuhaan tahtiin nautitut liikeillalliset ja hänen mieltymyksensä hyvään punaviiniin. Hänellä on vahvat kasvonpiirteet ja paljon pisamia, joita minulla oli tapana sivellä sormillani, ja hänen sarvisankaiset silmälasinsa antavat hänen ulkonäköönsä pienen nörttimäisen, intellektuellin lisän. Nyt, kymmenen vuotta myöhemmin, hänen punertavan ruskeissa hiuksissaan alkaa näkyä hieman harmaata, mutta se sopii hänelle ja tuo hänen olemukseensa kypsyyttä, josta pidän.

Sovimme aluksi niin hyvin yhteen. Olimme kumpikin uraorientoituneita, joten meitä ei haitannut se, että työ nielaisi suuren osan ajastamme. Chris puursi väsymättä ja eteni vauhdilla uraputkessaan. Minä olin mennyt töihin veljeni firmaan ja autoin häntä sen kehittämisessä. Muutama minuutti yhteistä aikaa päivässä tuntui riittävän Chrisille ja minulle. Viikonloppumme kuluivat ystävien seurassa, kävimme hienoissa baareissa, yövyimme boutique-hotelleissa ja istuimme konserteissa parhailla paikoilla. Kumpikin oli onnellinen. Naureskelimme niille ystävillemme, joiden sosiaalinen elämä päättyi perheen perustamiseen, unettomiin öihin, lastenhoito-ongelmiin, odottamattomiin kuumetauteihin, ripuleihin, yskiin ja flunssiin. Ryvimme omassa itseriittoisuudessamme.

Nyt inhoan mennyttä elämäämme.

Vanhasta tottumuksesta tarkistan puhelimeni. Chrisiltä on tullut kymmenen uutta viestiä, jotka kaikki kertovat saman asian, mutta yhä epätoivoisemmin sanakääntein.

Koska minulla oli aina niin kiire, Chrisillä oli apunaan kollegansa Meg, jota hän kutsui ”työvaimokseen”. Me nauroimme sillekin yhdessä. Meg lähti hänen seurakseen illallisille ja niihin tapahtumiin, joihin minä en ehtinyt, koska minulla oli omia tärkeitä menojani. Olin todella iloinen, että Chrisillä ja Megillä synkkasi niin hyvin, sillä se päästi minut monesta pälkähästä. Nyt siinä ei ole enää mitään huvittavaa.

Meg on paljon minua – ja Chrisiä – nuorempi. Chris on nyt neljänkymmenenkahden, kuten minäkin. Meg on vasta kaksikymmentäkahdeksan. Hänellä on vaaleat kiharat hiukset ja sääret kuin nuorella varsalla. Edes silloin en pitänyt häntä uhkana. Hän palvoi miestäni kuin jotain supersankaria, se oli päivänselvää, mutta eihän hän voinut mitenkään pitää Chrisiä mahdollisena poikaystäväehdokkaana? Chris oli vanhempi, naimisissa oleva mies. Ehkä olin naiivi, mutta en osannut epäillä mitään. Chrisin ja minun suhde oli vahva, olimme onnellisia. Tavoittelimme samoja asioita elämässä. Hänellä oli työ, joka piti hänet toimistolla myöhään iltaan saakka; työ, jonka takia hänen täytyi matkustaa joskus yöksi pois kotoa ja jonka puitteissa hänen täytyi viihdyttää vieraita teatterissa. Turha teidän on katsoa minua tuolla tavoin, minä uskoin häntä. Hän oli minun aviomieheni, hän kertoi säännöllisesti rakastavansa minua, eikä mikään antanut minulle aihetta epäillä sitä. Minäkin rakastin häntä. Olin tyhmä.

”Mitä sinulle saisi olla?” Nainen, joka saapuu ottamaan tilaukseni, on pelkkää hymyä ja epäsovinnaista vaatekertaa. Hänellä on yllään lampaanvillavuorillinen farkkutakki, nepalilainen villamyssy korvaläppineen ja tupsuineen, värikkäistä tilkuista ommeltu tunika, hippihenkiset housut sekä Doc Martens -maiharit, joihin on maalattu käsin ruusunkukkia. Hän on huomiota herättävän kaunis; hänellä on oliivinvärinen iho, ja hänen pitkät tummat hiuksensa pursuavat esiin päähineen alta. Hiuksiin on punottu monivärisiä nauhoja rastatyyliin. Toinenkin väripilkku. Tunnen itseni taas mitäänsanomattomaksi omassa harmaassa designertakissani. Olen kuin taustaan sulautuva varjo. Mikä sopii minulle hyvin.

"Päivän keitto on tomaateista ja paahdetusta paprikasta. Teetä saa santsikupin, jos pyytää nätisti."

"Kiitos, mutta taidan ottaa cappuccinon ja pekonisämpylän."

"Viisas valinta", hän sanoo. "Tulee viidessä minuutissa."

"Kiitos."

Rannalla ollut pariskunta on lähtenyt, joten katselen maisemaa, kunnes pekonisämpyläni tuodaan pöytään luvatussa viidessä minuutissa. Lievästä pahoinvoinnista huolimatta – se tuntuu olevan nykyään vakituinen seuralaiseni – sämpylä maistuu minulle paremmin kuin arvasinkaan. Pekoni on rapeaa ja savunmakuista, ja leipä selvästi vastaleivottua. Kahvi on vahvaa ja kermaista ja juuri sellaista kuin pitääkin.

Kun olen lopettelemassa ja nuolaisen viimeiset pekoninrasvat sormistani, kahvilanpitäjä tulee pyyhkimään pöytiä.

"Tänään on tosi tuulinen sää. Kaikki on hiekkakerroksen peitossa", hän sanoo ja jää seisomaan viereisen pöydän ääreen. "Rantakahvilan pidossa ei ole montaakaan ikävää puolta, mutta tämä on yksi niistä. Samoin kuin lokit, jotka pihistävät asiakkaiden voileivät."

Hänellä ei selvästikään ole mihinkään kiire, enkä halua olla epäkohtelias.

"Oletko lomailemassa?" nainen kysyy kokeeksi. "Nyt on vielä hieman aikaista. Tähän aikaan vuodesta täällä näkee yleensä vain paikallisia."

"En ole oikeastaan lomalla", tunnustan. "Tämä on ennemminkin jonkinlainen pidennetty pakomatka oravanpyörästä."

"Ymmärrän", hän sanoo. "Vähän samantapaisista syistä minäkin tänne aikanaan tulin. Olisin päässyt lontoolaiseen taidekorkeakouluun, mutta tulinkin opiskelemaan tänne, ja sille tielle olen jäänyt. Onneksi." Hänen äänessään on hiven ironiaa. "Minne sinä olet majoittunut?"

"Naapurisatamassa olevaan asuntolaivaan." Osoitan kädelläni laivan suuntaan, vaikkei se olisikaan tarpeen. "Sen nimi on *Päivänpaiste*."

"Ai. Sitä onkin remontoitu jo jonkin aikaa. Joko se on valmis?"

"Se on veljeni, ei minun. Mutta kyllä, hän sai sen valmiiksi."

"Ja pääsit nyt testaamaan sitä?"

"Kyllä. Se on kaunis. Veljeni on tehnyt hyvää työtä."

"Sinun naapurisi on hyvä ystäväni. Ned Haddon. En ole nähnyt häntä muutamaan päivään, mutta luulen, että hän on maisemissa. Hän on taiteilija, täyskahjo tietty, mutta pidän hänestä hirveästi."

"Laivassa oli eilen illalla valot, joten kyllä siellä asutaan." Sehän tästä vielä puuttui, kahjo taiteilija naapurissa. Se tosin selittää laivan monenkirjavan koristelun. Se todellakin näyttää taiteelliselta. Toivottavasti hän ei ole usein maisemissa silloin, kun minä olen kotona.

"Minun nimeni on Ida Ray. Ehkä tapaamme vielä, jos kerran viivyt täällä pitempään."

"Luulisin. Marilyn lähetti muuten terveisiä."

Ida nauraa. "Käykö Marilyn siivoamassa sinulla?"

"Kyllä."

"Hän puhuu kuin papupata, mutta hän on ihana", Ida sanoo. "Hän pitää sinusta varmasti hyvää huolta." Ida hamuaa farkkutakkinsa taskua. "Tässä, saat kanta-asiakaskorttimme. En anna näitä ihan kenelle tahansa. Vain sellaisille, jotka haluan nähdä uudestaan."

"Olen otettu."

"Nähdään sitten." Ida väläyttää minulle leveän hymynsä ja siirtyy seuraavaan pöytään.

Aurinko piiloutuu hetkeksi pilven taa, ja ilma viilenee selvästi. Ajatus Billin kamiinan lämmittämisestä alkaa tuntua houkuttelevalta. Mietin, onko Marilyn jo saanut urakkansa päätökseen ja voinko palata turvallisesti laivalle.

9

Sen sijaan, että palaisin suoraan *Päivänpaisteelle*, päätänkin tutustua Cockleshell Bayhin vähän lähemmin. En usko, että siihen menee kovin kauan. Taajamassa näyttää olevan vain yksi pääkatu, joka kohoaa loivasti satamasta ylöspäin. Sen varrella on sieviä rivitaloja ja muutamia pastellinvärisiksi maalattuja aamiaismajoituspaikkoja, joista useimpien edessä on EI VAPAITA HUONEITA -kyltti. Tulkitsen sen niin, että paikat on suljettu talveksi ja omistajat ovat häipyneet hyvin ansaitulle lomalle Gran Canarialle. Ei vaikuta kovin todennäköiseltä, että huoneet olisivat täynnä, sillä liikkeellä on hyvin vähän ihmisiä.

Edempänä näkyy pari mielenkiintoista kahvilaa, jotka ovat varmasti Rantamajan vakavia kilpailijoita turistisesongin aikaan. Kadun varrella näyttää olevan myös asiallinen lihakauppa sekä vihannes- ja hedelmäpuoti. Näen myös kampaamon, ja tietysti kaupungissa on myös omat kiinteistönvälitystoimistonsa. Loput kaupoista ovat täynnä turistirihkamaa – esineitä, jotka näyttävät kivoilta siihen saakka, kunnes pääsee kotiin. Matkustelin jonkin verran nuorena valmistuttuani yliopistosta, ja luovuin silloin matkamuistojen ostelusta tykkänään. Se, mikä näyttää hyvältä Perussa, joutaa jäädäkin Peruun. Terrakottasotilaiden kopiot eivät myöskään ole Islingtonissa oikein kotonaan. Cockleshell Bay on kuitenkin mukavannäköinen paikka, mikä on minusta hieman yllättävää. Aikana, jolloin suuri osa Britannian merenrantakohteista on hätää kärsimässä, se näyttää raikkaalta, vauraalta ja hyvinkin elinvoimaiselta.

Marilynin ansiosta en tarvitse enempää ruokaa, mutta tutustuttuani kadunvarren tarjontaan pistäydyn toiseen kaupungin kahdesta vaatekaupasta ja ostan itselleni villapipon, jossa on älyttömän suuri tupsu, sekä samanvärisen kaulahuivin. Jos aion kävellä rannalla täällä oleskellessani, minun täytyy pysytellä lämpimänä.

Marilynin ja Idan pirteä pukeutumistyyli on selvästi vaikuttanut minuun, sillä päädyn nyt kirkkaanpunaiseen tavanomaisen harmaan tai mustan sijaan. Valitsen myös punaiset huovutetut villasormikkaat. Niiden päälle on kirjailtu perhosia, enkä olen varma, ovatko ne ihan minua, mutta annan niille mahdollisuuden. Toivon, että uusi tyylini on vielä hyvän maun rajoissa. En kuitenkaan voisi kuvitellakaan käyttäväni näitä sormikkaita Lontoossa. Jos ylipäätään palaan sinne.

Mitähän Chris tuumii nyt? Onkohan hän tukeutunut omassa ahdingossaan Megiin? Todennäköisesti.

En halua teidän luulevan, että suhteemme olisi ollut pelkkää alamäkeä. Riitelimme harvoin, ja kun onnistuimme lähtemään lomalle yhdessä, meillä meni ihan hyvin. Siksi olenkin niin murheissani siitä, mitä meille tapahtui.

Väsyttyäni ikkunashoppailuun käännyn takaisin ja palaan Sandy Coven rannalle. Pistäydyn samassa kahvilassa ja pyydän saada mukaani kahvin.

”Tarvitsetko jo kofeiinitankkausta?” Ida naljailee.

”En itselleni. Rantakadun päässä on elävä patsas, ja ajattelin viedä hänelle mukillisen. Hänellä on kuulemma kylmä.”

"Ai, tapasit Georgen. Hän on vakioasiakkaamme täällä. Kanta-asiakaskortin ylpeä omistaja. Hän pitää cappuccinosta, tuplasokerilla." Ida käynnistää kahvikoneen ja valmistaa toivomani annoksen mukaan otettavaksi.

Tuuli puhaltaa vielä navakasti, ja paluumatka on juuri sellaista taistelua kuin pelkäsinkin, joten olen iloinen ostamistani villa-asusteista. Ne auttavat tukkimaan pahimmat aukkopaikat heppoisissa päällysvaatteissani. Kiivetessäni puistokadulle johtavia portaita minua hengästyttää hieman.

George istuu jalustallaan ja puhuu puhelimeen. Kun hän huomaa minut, hän lopettaa puhelun, hypähtää seisomaan ja ottaa asennon.

"Täällä sitä vain velttoillaan", sanon hänelle. "Toin sinulle kahvin."

Hän rentoutuu ja astuu alas jalustalta ottaakseen mukin. "Ihanaa", hän sanoo. "Minua ei oikein huvita olla patsaana tänään. Taidan lopettaa ja mennä päivätyöhöni."

"Missä sinä käyt töissä?"

"Ei se ole mikään *oikea* työpaikka", hän tunnustaa hieman nolona. "Kirjoitan romaania. Tai yritän ainakin."

"Ai. Olet siis kirjailija."

"No. Älä vielä innostu. Olen kirjoittanut suurteostani jo viitisen vuotta."

Ehkä hän ei ole sen kummempi kirjailijana kuin patsaanakaan.

"Ainakin sitä työtä voi tehdä istualtaan."

"Totta." George siemailee kahviaan kiitollisena. "Mmm. Hyvää ja lämmintä."

"Ida sanoi, että se on suosikkisi."

"Kiitos. Tosi ystävällistä sinulta."

”Eipä kiittämistä. Minusta oli vain niin kamala ajatella sinua täällä kylmässä.” Otan askelen eteenpäin, sillä olen jo väsynyt jatkuvaan rupatteluun. ”Täytyy mennä.”

”Hyvää päivänjatkoa, Jodie.” George kohottaa kahvimukiaan minulle. ”Kiitti vielä.”

”Ole hyvä. Työniloa romaanin parissa!” huikkaan kävellessäni pois.

Tuuli on yltynyt lähes myrskyksi ja puhaltaa ilkeästi puuskittain. Pahimmillaan se uhkaa kaataa minut nurin. Nojaudun kävellessäni eteenpäin ja olen helpottunut kun näen *Päivänpaisteen* edessäni. Lenkki tuntui kovemmalta kuin mikään juoksumatolla tekemäni harjoitus. Astuttuani laiturille pysähdyn vetämään henkeä ja huomaan, että värikkään naapurilaivani piipusta nousee savukiehkura. Idan ystävä on ilmeisesti palannut kotiin, kuten arvelinkin. Ikkunoiden edessä on kuitenkin vielä kaihtimet.

Astuttuani *Päivänpaisteeseen* riisun yltäni säähän sopimattoman takkini, uuden piponi ja kaulahuivini ja jätän ne eteisen naulakkoon. Marilynistä ei näy jälkeäkään, ja asuntolaiva on vieläkin puhtoisempi kuin lähtiessäni, jos se ylipäätään on mahdollista.

Keittiönpöydällä on viestilappu, johon on kirjoitettu koukeroisella käsialalla *Nähdään huomenna! T: M.* Sen alapuolelle on piirretty iloinen hymiö ja rivi suukkosymboleita. Iloa. On varmaan ihanaa kulkea elämänsä läpi Marilynin tapaan, ilman mitään murheita, aina yhtä aurinkoisena. Keskellä pöytää on myös vaasi, jossa on iso kimppu kirkkaankeltaisia narsisseja. Se on kieltämättä kaunis ajatus häneltä. Väri tuo mieleen kesäisen auringonpaisteen.

Keitän kupin teetä, ja juodessani sitä vilkaisen vastentahtoisesti puhelintani. Ei enää mitään Chrisiltä, mutta sen sijaan yksi viesti Billiltä. Siinä lukee vain *Ok?* Vastaan hänelle *Kaikki hyvin.*

Mitä tekisin loppupäivän? Hyllyt on ahdettu täyteen kaikenlaisia kirjoja: romantiikkaa, urheilijaelämäkertoja ja teoksia, joiden tiedän voittaneen jonkinlaisia kirjallisuuspalkintoja. Ehkä Bill on ostanut ne, mutta ei ole ehtinyt lukemaan niitä. Minullakaan ei ole kotona paljoa aikaa lukea, joten tämän pitäisi olla minulle ylellisyyttä, mutta keskittymiskykyni on nollassa. Voisin laittaa radion päälle, mutta en halua rikkoa hiljaisuutta. Tarpeeton ääni tuntuu ikään kuin kipuna aivoissani. Ja kaikki musiikkikappaleet alkavat itkettää. Aaltojen hiljainen liplatus kuulostaa mukavalta, mutta lokkien kirkuna muistuttaa liikaa lapsen itkua, ja toivoisin, että linnut olisivat hiljaa.

Otan mukaan loput teestäni sekä sohvalla olevan huovan ja suuntaan yläkannelle, johon en ole vielä tutustunut. Sielläkin on pari kansituolia, ja niihin kuuluvat tyynyt ovat kaapissa. Tyynyt näyttävät käyttämättömiltä, ja niissä on vielä hintalaputkin tallella. Viritän yhden tuolin valmiiksi, asetun loikoilemaan huovan alle enkä aio tehdä mitään sen vaativampaa kuin katsella merta. George on oikeassa, maisema on hyvin kaunis, ja kaikeksi onneksi satama on tuulelta suojassa. On niin hiljaista ja rauhallista, että huokaisen tyytyväisyydestä. Näen laituriin kiinnittyneitä purjeveneitä, kauempana olevan pyöreän tumman linnoituksen ja etäämmällä ohitse lipuvan valtavan huviristeilijän. Se on todennäköisesti täynnä hienoja onnellisia ihmisiä, jotka siemailevat matkan hintaan sisältyviä drinkkejään. Otan kulauksen teekupistani.

Chris ja minä olimme kerran risteilyllä. Siitä on nyt muutama vuosi. Karibialla. Oli autuaallista herätä joka aamu eri saarella. Nauroimme, joimme liian monia rommicocktaileja, tanssimme pitkälle yöhön, olimme varomattomia ehkäisyn kanssa. Se oli ihana loma. Luulin elämämme olevan täydellistä.

Koska en nukkunut yöllä juurikaan, silmäni alkavat painua kiinni. Vuorovesi on joko nousemassa tai laskemassa, sillä tunnen laivan hieman keinahtelevan allani, mikä vain lisää uneliaisuuttani.

Mutta sitten, juuri kun olen nukahtamaisillani, korvia raastava ääni saa minut pomppaamaan ylös säikähdyksestä. Kuulostaa siltä, kuin joku olisi käynnistämässä moottorisahaa.

”Mitä helvettiä?” Heitän huovan sivuun ja menen kurkistamaan kaiteen ylitse. Syyllinen paljastuu välittömästi.

10

Idan ystävä, Ned Haddon, seisoo naapurilaivan takaosassa. Hän askaroi puupölkyn parissa, ja kuten arvelinkin, käyttää sen työstämiseen moottorisahaa. Vaikka päivä on viileä, hänellä on yllään vain valkoinen t-paita ja tummat housut. Niiden lisäksi hänellä on kuulosuojaimet ja suojalasit. Hän näyttää pitkältä ja harteikkaalta, mutta sen enempää en pysty teille kertomaan.

Tällainen ei vetele. Ei todellakaan.

”Hei! Hei!” huudan ja yritän kiinnittää hänen huomionsa, mutta kuulosuojaimien ja moottorisahan aikaansaaman hermoja raastavan metelin vuoksi hän ei kuule sanaakaan. Voi helvetti.

Toisaalta, jos hän on pilkkomassa polttopuita, työ ei todennäköisesti vie kauan. Mutta katsellessani häntä minulle käy selväksi, että hän ei ole sahaamassa halkoja, hän on veistämässä puuta. Oivallan nopeasti, että laivassa olevat puuveistokset ovat hänen aikaansaannoksiaan. Kun Ida kertoi miehen olevan taiteilija, ajattelin mielessäni merimaisemia esittäviä akvarelleja. Olin ollut mitä ilmeisimmin väärässä. Näyttää siltä, että herra Ned Haddonin harrastama taiteenlaji on äänekkäin mahdollinen. Minun tuuriani.

Jostain syystä en saa silmiäni irti hänestä. Työstäessään puuta hän liikehtii sulavasti puolelta toiselle, ikään kuin hitaassa tanssissa, ja vaikka ääni ärsyttääkin minua, katselen häntä lumoutuneena. Ennen pitkää jopa sahan pärinä löytää rytmin, ja jos minullakin olisi kuulosuojaimet, ääni saattaisi tuntua jopa rauhoittavalta. Katsellessani häntä puusta alkavat ilmestyä esille naisen kasvot. Ympärille lentelee sahanpurua ja lastuja, osa niistä singahtaa kieppuen mereen. Näen, miten hän veistää hahmon posket, silmät ja suun. On oudon aistillista nähdä, miten naisen hahmo muotoutuu hänen käsiensä alla. Hän käyttää moottorisahaansa samalla tavalla kuin taidemaalari sivellintään. Kone ei ole tavallinen moottorisaha, se näyttää pienemmältä ja kevyemmältä ja on selvästi tarkoitettu tämänkaltaiseen työhön. Hirveä ääni siitä kyllä lähtee. Mutta silti, olen myyty. Hän on ilmiselvästi lahjakas, ja pohdin, kuinka kauan hän on harrastanut veistämistä ja kuinka hän tuli aloittaneeksi sen. Eihän moottorisaha nyt ihan kaikista tavanomaisin taiteentekoväline ole.

Nojatessani kaiteen yli mies kääntyy ja huomaa minut. Hän sammuttaa sahan, nostaa lasit silmiltään ja riisuu kuulosuojaimensa. ”Terve!”

”Hei.” Luulen, että mies on sama, jonka näin eilen SUP-lautailemassa satamassa. Oliko se vasta eilen?

Lähemmin katsottuna huomaan, että hän on todella hyvännäköinen. Hänen kasvojaan kehystävät pitkät, toffeenväriset hiukset, joissa olevat vaaleat raidat näyttävät olevan seurausta vuosien mittaisesta auringossa oleskelusta. Hän on pitkä ja hoikka, mutta hänen käsivartensa ovat lihaksikkaat, ja hänen vaatteidensa kätköön jäävä vartalo näyttää myös jäntevältä. Luulen, että hän on minua nuorempi, ehkä muutaman vuoden alle neljänkymmenen. Hänen kasvonsa näyttävät nuorekkailta ja huolettomilta.

”Luulin, ettei siellä ollut ketään kotona”, hän huikkaa minulle. ”Häiritseekö meteli sinua?”

”Kyllä”, minä tunnustan. ”Tosin pakko myöntää, että sinun työskentelyäsi on mielenkiintoista seurata.”

”Tämä on vain tällainen pikkutyö. Voita leivän päälle. Oletko täällä lomailemassa?”

”Tavallaan.” Hänen ei tarvitse tietää yksityisasioitani. ”Veljeni omistaa tämän laivan.”

”Ai. Hän on tehnyt hienoa työtä. Se on todella tyylikäs. Kurkistin kerran ikkunasta, kun se oli tyhjillään. Ajattelin muuten pitää kahvitauon. Haluaisitko liittyä seuraani, niin meidän ei tarvitse huudella toisillemme näin matkan päästä?”

Mieluummin ei, ajattelen. Harkitsen sanovani hänelle, että minulla on paljon tekemistä. Tärkeitä asioita. Mutta en sano. Itse asiassa en tiedä, miten saisin tukahdutettua rauhattomuuden sisälläni. Ja sen lisäksi – voitte vapaasti pitää minua uteliaana – haluaisin myös tutustua paremmin hänen teoksiinsa. Meidän alallamme mikä tahansa yksityiskohta voi toimia inspiraation lähteenä, ja milloin vain voi törmätä johonkin, mistä voi olla hyötyä seuraavassa projektissa. Joten olen kahden vaiheilla: en ole oikein juttutuulella, mutta toisaalta haluaisin tietää enemmän tästä epätavallisesta taiteenlajista. Minulla ei olisi myöskään mitään sitä vastaan, että näkisin naapurilaivan sisäpuolelta ja voisin verrata sitä Billin laivaan. Siis puhtaasti sisustussuunnittelijan näkökulmasta, ymmärrätte varmaan.

Jahkaillessani Ned laskee moottorisahansa alas. ”Minulla on uudenlaista kahvia, jota ajattelin testata tänään. Olisi hauskaa, jos voisimme jakaa kokemuksen. Ihan vain näin naapurihengessä. Mutta siis jos sinulle sopii.”

”Okei”, kuulen itseni sanovan. Se livahtaa suustani, ennen kuin aivoni ovat ehtineet käsitellä asiaa.

Hän hymyilee minulle. ”Kiva. Tule vain saman tien. Minä olen valmis ihan kohta.”

Ned menee sisälle, ja minä jään seisomaan jähmettyneenä kaiteen viereen. Tunnen paniikin lähestyvän. Olen asunut koko elämäni Lontoossa ja nykyisessä asunnossani viisi vuotta, enkä ole jutellut naapurieni kanssa juuri koskaan. Jos he tulisivat minua kadulla vastaan, en tunnistaisi heistä puoliakaan. Yritän vältellä kohtaamisia yhteisellä pihallamme. Mutta nyt, kun tarkoitukseni oli nauttia omasta rauhasta, lupaudunkin menemään kahville tuntemattoman henkilön kotiin. Olen tainnut tulla hulluksi.

En voi kuitenkaan enää sanoa, että olen muuttanut mieleni. En voi vain jättää menemättä hänen luokseen, eikä minulla ole hänen numeroaan, jotta voisin soittaa. Viipyisin hänen luonaan vain sen verran, että saisin kulautettua alas kupillisen kahvia – joka kyllä maistuisi minulle juuri nyt – ja sitten vilkaisisin hänen töitään ja laivaansa ja poistuisin kohteliaasti. Ja kun olisin hänen luonaan, kertoisin hänelle haluavani nauttia rauhasta ja hiljaisuudesta. Siihen yhtälöön eivät moottorisahat oikein sovi.

Ryhdistäydyn, vien huovan sisälle ja heitän sen sohvalle. Sitten suunnistan naapurilaivaan kahville. Pystyn kyllä tähän. Juttelin tänään jo kahvilanomistajan ja puhuvan patsaan kanssa, ja selviydyin siitäkin ihan hyvin. Keskustelumme tulisi pysymään aivan yleisellä tasolla. Viettäisimme hetken yhdessä, ja saisin tietää hieman hänen työstään. Mies ei tiedä minusta mitään, ja sellaisena haluan tilanteen säilyvänkin.

11

Ned Haddonin ja Billin laivat eivät voisi enää enempää poiketa toisistaan. Sen pystyi kyllä arvaamaan jo ulkoapäinkin. Etuovi on jo avoinna, kun astun laskusiltaa pitkin kannelle. Ned on tiskialtaan ääressä kuivaamassa kuppeja. Hän kääntyy minuun päin ja virnistää. ”Tervetuloa laivaan!”

”Täällähän on aivan uskomattoman hienoa”, sanon hänelle. Olen aidosti yllättynyt siitä, kuinka upea laiva on. Ulkoapäin se saattaa näyttää rähjäiseltä, epäsiistiltä värien sekamelskalta, mutta sisällä huomaa heti olevansa taiteilijan kodissa. Asunnossa on sikin sokin erityylisiä huonekaluja ja keskenään riiteleviä värejä, ja se on ihanan boheemi. En kuitenkaan ollut odottanut ihan sellaista. Saisin hävetä, sillä olin kuvitellut asunnon olevan hieman sottainen ja epäsiisti. Kaukana siitä. Nedin koti on ilo silmälle, oikea ihanuuksien aarreaitta.

Pääoleskelutila on avoin ja tilava, aivan kuten Billin laivassakin. Keittiökalusteet näyttävät kuitenkin käsintehdyiltä, ja oletettavasti asialla on ollut Ned itse. Kaappeja on vain muutama, mutta niiden oviin on kaiverrettu hienostuneita itämaisia symboleita. Pienen kuparisen pesualtaan yläpuolella roikkuu monenvärisiä lasipalloja, joihin ulkoa tuleva valo osuu juuri sopivasti ja saa aikaan sateenkaaren. Mieleeni juolahtaa, että oikeastaan jokaisessa huoneessa pitäisi olla oma sateenkaarensa.

Taaempana huoneessa on puulämmitteinen liesi, joka luovuttaa huoneeseen lempeää lämpöä. Jatkan tutkimuskierrostani, vaikka kaikkea on vaikea sisäistää yhdellä kertaa.

Sivuikkunoista tulvii sisään valoa. Vieressä on kyltti, jossa lukee VAROKAA LEIKKIVIÄ AIKUISIA. Yhdellä seinällä on vaatekoukkuja, joihin on ripustettu koristeeksi hattuja – silinterihattuja, kirjailtuja päähineitä, stetson, haalistuneenpunainen turkkilainen fetsi ja kolmikolkkahattu, jossa on kultaiset palmikkoreunukset – kokonaisuuden hahmottaminen vaatisi lähempää tarkastelua. Toisen seinän peittää sommitelma, joka on valmistettu kokonaan ajopuusta; sirot puukappaleet kietoutuvat toisiinsa muodostaen aallonharjaa muistuttavan teoksen. Huoneessa jököttävää verenpunaista Chesterfield-sohvaa vastapäätä seisoo sinivihreä, kovassa käytössä ollut plyysisohva. Molempien päälle on heitetty kodikkaan näköisiä virkattuja peittoja. Sohvien väliin jäävän lautalattian peittää isokokoinen räsymatto. Takaseinällä roikkuu värikäs kangas, johon on kirjailtu jin ja jang -kuvioita. Sen edessä olevan puulaatikon päälle on asetettu pronssinen Buddhan pää sekä useita mosaiikkijaloissa seisovia kynttilöitä. Ned selvästi suosii vahvoja jalokivivärejä ja hänellä on silmää yhdistellä niitä. Vai olisiko kaiken takana ehkä nainen? Ida ei kyllä maininnut sanallakaan, että Nedillä olisi vaimo tai kumppani, mutta ehkä miehen elämässä on joku.

”Sinulla on täällä paljon kaikkea kaunista”, totean melko latteasti huomatessani, että olen vain tuijottanut kaikkea sanomatta mitään. Oma Lontoon-kotini on minimalistinen, niukasti sisustettu ja mustavalkoinen. Olen pitänyt sitä tyylikkäänä, mutta nähdessäni Nedin asunnon lämmön ja viihtyisyyden mietin, olimmeko Chris ja minä koskaan onnistuneet luomaan asunnostamme oikeaa kotia. Ehkä se oli osa meidän ongelmaamme. Sysään kuitenkin ajatuksen mielestäni haluamatta pohtia sitä sen syvällisemmin.

”Suurin osa näistä esineistä on peräisin vuosien saatossa tekemiltäni matkoilta”, Ned sanoo viitaten kädellään olohuoneeseen päin. ”Enimmäkseen vanhoja romuja.”

”Aarteita”, korjaan. ”Muistoja. Elleivät ne olisi sinulle rakkaita, et haluaisi säilyttää niitä.” En ole yleisesti ottaen mikään hamstraaja. Päinvastoin. Haluan aina päästä ylimääräisestä romppeesta eroon. Mutta silti kodissani on yksi huone, joka on täynnä muistoja, enkä tiedä, pystynkö koskaan luopumaan siellä olevista minulle arvokkaista esineistä.

”On minulla täällä yksi viimeistä huutoa oleva luksusvempain”, hän huomauttaa. ”Huippuunsa kehitetty, kaikkeen pystyvä kahvikone. Eräs ystäväni omistaa rannalla olevan kahvilan. Hän järjesti koneen minulle tukkuhintaan.”

”Tarkoitatko Idaa? Minulla oli ilo tavata hänet tänään”, kerron Nedille. ”Kävin kahvilassa tänä aamuna. Hän mainitsi sinut ja sanoi, että olet hänen ystävänsä ja asut naapurissani.”

”Olen tuntenut Idan jo vuosia. Opiskelimme taidekorkeakoulussa yhdessä. Mutta jos kerran tiedät, kuka minä olen, olet edellä minusta.”

”Voi, anteeksi hirveästi. Kävelin muitta mutkitta kotiisi, enkä ole edes esitellyt itseäni. Nimeni on Jodie Jackson.”

”Hauska tavata, Jodie.” Ned kättelee minua. Hänen ammattinsa tietäen oletin hänen kätensä olevan karhea ja känsäinen, mutta hänen sormensa tuntuvatkin pehmeiltä, lämpimiltä ja vahvoilta. ”Olen pahoillani melusta. Olen niin tottunut siihen, ettei minulla ole naapureita tai että joudun kilpailemaan remonttimiesten mekastuksen kanssa, että en enää muista ottaa muita huomioon. En huomannut tarkistaa, onko naapurissa ketään.”

”En muuttanut tänne pysyvästi. Viivyn vain vähän aikaa.”

”Oletko lomalla?”

”Tavallaan. Pidennetyllä lomalla.” Viikon, kuukauden, ehkä vuoden. En ole varma. Tiedän vain, etten voi mennä vielä kotiin. ”Lontoo alkoi olla minulle vähän liikaa”, sanon vältellen. Hänen ei tarvitse tietää sen enempää.

”Inhoan sitä paikkaa”, Ned sanoo. ”Minun täytyy mennä sinne joskus työn tai henkilökohtaisten asioiden vuoksi, mutta Lontoo vastaa minun käsitystäni helvetistä. Palaan tänne heti kun mahdollista.”

En ollut aiemmin kokenut, että Lontoossa asumiseen liittyisi jotain negatiivista, mutta nyt en ole enää varma.

”Se saattaa olla hermoja raastava paikka”, myönnän. ”Tulin tänne etsimään rauhaa ja hiljaisuutta.” Kuulostaa ehkä vähän turhankin osoittelevalta, mutta minusta asia on mainitsemisen arvoinen.

Ned kohottaa kätensä osoittaakseen, että ymmärsi yskän. ”Minun mokani. Yritän olla työskentelemättä silloin, kun sinä olet maisemissa. Minulla on myös verstas, jonne voin mennä. Kokeilin vain vähän uusia jippoja, koska luulin, ettei naapurissa ole ketään.”

Ned kääntyy kahvikoneen puoleen. Hän mittaa pavut, jauhaa ne, säätää vipuja ja ottaa esille maidon ja kupit.

”Voinko katsella hieman ympärilleni?”

”Ihan vapaasti”, hän sanoo olkansa ylitse.

Viihdytän itseäni kuljeskelemalla olohuoneessa ja katselemalla kaikkea esillä olevaa.

”Käyn vaihtamassa t-paitani sillä aikaa kun tämä kone tekee työtänsä. Olen ihan sahanpurujen peitossa.” Hän kulkee helmiverhon läpi ja katoaa näkyvistä minun jatkaessani hänen henkilökohtaisen omaisuutensa inventointia.

Ohittaessani plyysisohvan vilkaisen tilaa, joka on ilmeisesti makuuhuone, ja näen vilahduksen Nedistä, joka on riisumassa t-paitaansa – helmiverhot eivät selvästikään tarjoa paljoa näkösuojaa. Hän on sopusuhtainen ja lihaksikas aivan kuten olin uumoillutkin, ja sydämeni ottaa tahtomattani pienen ylimääräisen spurtin. Hyvänen aika. Moottorisahalla taiteilu käy selvästi myös treenistä. Käännän katseeni toisaalle ja yritän keskittyä lootuksenkukan muotoiseen suitsukkeenpolttoastiaan. Niin on parempi mielenrauhani kannalta.

Hetken kuluttua Ned astuu ulos makuuhuoneesta, vetää t-paidan helman alas, ja minä teeskentelen tutkivani metallisen olohuoneenpöydän päälle aseteltuja fossiileja.

”Melkein valmista”, hän sanoo. ”Mitä haluat? Vaihtoehdot ovat flat white, cappuccino ja cortado. Pystyn tarjoamaan sinulle kaikki kahviherkut. Minulla on jopa suklaaströsseliä, jos sydämesi sitä halajaa. Tosin tämä kahvi on niin hyvää tavaraa, että suosittelen nauttimaan sen mahdollisimman puhtaana.”

”Uskomatonta. Flat white sopii hyvin.” Ned puuhastelee koneen kanssa vielä hetken ja tuo minulle sitten täydellisen flat white -annoksen.

”Ihanaa.” Maistelen kahvia kiitollisena.

”Minusta on moneen”, hän sanoo ilkikurinen pilke silmäkulmassaan. ”Voisimme istua ulkosalla niin kauan kuin sää sallii.”

Kävelen hänen perässään – poikkeuksellisen hyvä kahvikupponen kädessäni – ulos pääovesta, ja kierrämme sitten ulkokautta laivan takakannelle.

12

Saavumme eräänlaiselle verannalle, joka ei näkynyt *Päivänpaisteen* avaralle kannelle. Siellä on penkki, joka on ilmeisesti nikkaroitu vanhasta ovesta ja maalattu kirkkaan turkoosiksi. Sen päällä on kukikas viltti sekä monenkirjavia tyynyjä ja edessä puutukista työstetty pöytä. Sohvan vieressä on kaksi myrskylyhtyä, joiden sisällä on pitkälle palaneet kynttilät. Paikassa on myös auringonkeltaiseksi maalattu keinutuoli, ja sinne tänne on ripustettu koristevaloja. Penkin takana olevalla seinällä on lisää Nedin töitä: merenneito, mustekala ja kaksi erilaista kalaa. Laivan kokassa on kasa hopeanharmaata ajopuuta, ilmeisesti odottamassa Nedin maagista kosketusta.

”Käytän paljon ajopuuta”, hän sanoo seurattuaan katsettani. ”Jotenkin se puhuttelee minua. Kerään sitä paikallisilta rannoilta aina kun pystyn.” Hän ottaa käteensä yhden puukappaleen ja näyttää sitä minulle. ”Pidät minua varmasti kahjona, mutta näen jo hahmon, joka on pyrkimässä tästä esiin.”

”Se on erikoinen taito”, sanon hänelle. ”Se on ihailtavaa. Teoksesi ovat upeita. Helposti lähestyttäviä.” Sivelen puukappaleen sileää kulunutta pintaa, ennen kuin Ned asettaa sen takaisin kasaan muiden samanlaisten seuraan.

”Käy istumaan. Tähän.” Ned pudistelee kiireesti sahanpurut viltistä ja tyynyistä. En tiedä, onko Nedin olo yhtä vaivautunut kuin omani, mutta jos on, se ei kuitenkaan näy päällepäin. Hän oikaisee jalkansa ja potkaisee saappaat jalastaan. Huomaan, että hänen paljaat jalkansa ovat päivettyneet pähkinänruskeiksi. Hänellä on aika mukavannäköiset jalat ja kädet, kun nyt tulen katsoneeksi. Hänen sormensa ovat pitkät ja hoikat, ja lyhyen kättelyn perusteella tiedän niiden tuntuvan pehmeiltä mutta vahvoilta. Hän huomaa katseeni ja hymyilee. Vilkaisen poispäin harmissani siitä, että jäin kiinni isäntäni tuijottelusta.

Kääntääkseni huomion pois itsestäni otan kupin käteeni ja siemailen kahviani. Maku on vahva ja täyteläinen. "Tämä on ihanaa."

"Ostan pavut pienestä Seaview'ssa olevasta puodista. Tämä on uutuustuote. Kahvin kasvattaa Perussa toimiva naisten osuuskunta. Tämä on ensimmäinen kupillinen minullakin. Kippistä." Ned maistaa kahviaan ja nyökkää hyväksyvästi. "Ei hullumpaa."

Aurinko tulee esiin pilven takaa ja saa sataman veden kimmeltämään timantin lailla. Edessämme seisoo osittain veistetty puutukki, jota Ned oli ollut juuri työstämässä. Pieni moottorisaha on pistetty metalliseen laatikkoon. Hän nyökkää kohti hienopiirteisiä kasvoja, jotka ovat muodostumassa puusta. "Ajattelin veistää keijukaisia, jotka sopivat sesonkiin, jotain 'kevään voitto talvesta' -tyylistä", hän kertoo. "Käyn kesällä paljon festareilla ja pidän siellä veistonäytöksiä. Veistän työni nopeasti, noin kymmenessä minuutissa, ja myyn ne sitten demon päätyttyä. Sillä tavalla hankin tavallisesti elantoni kesäkaudella, ja haluaisin, että minulla olisi vakioasiakkailleni jotain uutta tarjottavaa, jotain, mikä on helppoa sijoittaa puutarhan nurkkaan. Luulisi tämän tyylisen tavaran kelpaavan."

”En ole ikinä käynyt festareilla.”

”Oikeastiko?” Hän tuijottaa minua. Kokemattomuuteni festaririntamalla herättää hänessä selvästi ihmetystä. ”Jokaisen pitäisi käydä ainakin kerran elämässään festareilla. Laita se tekemättömien asioiden listallesi.”

”Ehkä.” Vaikka en ole varma, olisiko epämukava teltassa kärvistely minun juttuni.

”Miten aiot saada aikasi kulumaan täällä ollessasi?”

”En tiedä”, myönnän. Halusin vain päästä pois, enkä ole vielä ajatellut asioita sen pidemmälle. ”Luen, kävelen, nukun.” Yritän löytää itseni, tai sen henkilön, joka minä joskus olin. ”Haluan päästä hieman irtautumaan työstäni.”

”Joka on?”

”Olen sisustussuunnittelija.”

Ned hymyilee. ”Ei ihme, että olit niin kiinnostunut ’aarteistani’.”

”Sinulla on silmää. Oletko valinnut laivan värit itse?” Silitän vieressäni olevaa riikinkukonsinistä tyynyä.

”Jep. Mitä kirkkaammat värit, sen parempi. Pidätkö tästä?”

”Kyllä, todellakin. Kaikki sopii niin hyvin yhteen.”

”Suunnittelitko sinä veljesi laivan sisustuksen?”

”En.” Pudistan päätäni. ”Bill on niin vaativa. Sisustus on kokonaan hänen käsialaansa. Hänellä pitää olla aina jokin projekti työn alla.” Mieleeni juolahtaa, että voisin kutsua Nedin katsomaan *Päivänpaistetta*, mutta sitten muistan: haluan olla yksinäni. ”Työskentelen hänen yhtiökumppaninaan. Hän oli niin kiltti, että salli minulle tällaisen irtioton.”

”Sisustussuunnittelun maailma oli siis sinulle vähän liikaa?”

Jonkun muun sanomana sen olisi voinut tulkita piikiksi, mutta Ned kuulostaa vilpittömältä. ”Yrityksemme osallistuu monenlaisiin vaativiin projekteihin. Sisustamme hotelleja, toimistoja, baareja, ostoskeskuksia. Se on aika stressaavaa. Halusin hieman rauhoittaa elämääni."

"Ymmärrän."

"En vain tiedä, onnistuuko se. Veljeni on pestannut tänne minua varten lapsenvahdin. Maailmassa ei ole varmasti toista yhtä puheliasta ihmistä."

"Siis Marilynin?" Ned kysyy.

Minua naurattaa. "Mistä arvasit?"

"Näin hänen käyvän laivassa säännöllisesti silloin kun sitä remontoitiin. Siellä oli varmasti saaren parhaiten ruokitut rakennusmiehet. Marilyn on sinulle paras mahdollinen lapsenvahti. Saat kiittää onneasi."

"Hän vaikuttaa mukavalta ihmiseltä. Mutta en ole varma, kestänkö hänen... energisyyttään... juuri nyt."

"Marilyn on upea", Ned vakuuttaa minulle. "Olen tuntenut hänet vuosia, enkä voi muuta kuin ihailla häntä. Hän on niin elämänmyönteinen ja hyväsydäminen. Hän tekee kaikkensa toisten puolesta. Yksi hänen pojistaan, Declan, opiskeli taidekorkeakoulussa samaan aikaan kuin Ida ja minä. Olimme parhaat ystävykset."

"Kuulostaa siltä, että ette ole enää?"

"Se on pitkä tarina", Ned sanoo.

"Anteeksi, ei ollut tarkoitus udella."

"En minä sitä tarkoittanut. Marilyn on vain joutunut niin koville elämässään", Ned sanoo.

"Täytyy myöntää, että en tiedä hänestä paljoakaan." En haluaisi myöntää, että olen yrittänyt vältellä Marilynin seuraa. Minulla on vaikeuksia sietää jopa hänen värikkäitä vaatteitaan. Ne saavat silmäni särkemään. "Meillä ei ole ollut oikein tilaisuutta jutella." Se on julkea valhe, ja poden nyt syyllisyyttä siitä, että olen yrittänyt karttaa häntä.

"Se, mitä hän on joutunut käymään lävitse, olisi saanut useimmat ihmiset murtumaan – ymmärrettävästi – mutta hän on vielä jaloillaan ja jaksaa yhä hymyillä. En tiedä, miten hän pystyy siihen."

Odotan Nedin kertovan minulle lisää.

"Marilynin perhe on suuri ja värikäs – heidät tunnetaan tällä seudulla hyvin. Hänellä on kuusi lasta ja niin monta lastenlasta, etten pysy enää edes laskuissa. Hänen tyttärensä pyörittää pubia läheisellä rannalla." Ned nyökkää epämääräiseen suuntaan. "Se on kiva paikka turistisesongin ulkopuolella."

En ole käynyt siellä vielä, enkä tiedä, miksi minun pitäisi. Pelkkä ajatuskin ulkona käymisestä ja ihmisten kanssa seurustelemisesta puistattaa.

"Siitä on jo vuosia", Ned jatkaa. "Olimme silloin vielä opiskelijoita. Mutta Marilyn menetti Declanin. Huumeille. Voi luoja, se oli hirveää. Muistan sen kuin eilisen päivän. Marilyn teki kaikkensa – niin kuin me muutkin – mutta hän ei pystynyt auttamaan poikaansa. Kukaan meistä ei pystynyt."

"Olen pahoillani. En tiennyt."

Ned kohauttaa olkiaan. "Miten sinä olisit voinutkaan? Declan oli kiva kaveri. Juhlien sydän ja sielu. Voit arvata, keneen hän oli tullut. Äitiinsä tietenkin. Declan oli myös lahjakas taiteilija. Minä en olisi ikinä päässyt lähellekään häntä. Mutta hän ihastui liikaa aineisiin." Ned huokaisee surullisena. "Me kaikki kokeiltiin hieman. Kukapa opiskelijoista ei? Mutta Declan jäi heti koukkuun. Se muuttui niin nopeasti viihdekäytöstä addiktioksi, että emme ehtineet tehdä mitään sen pysäyttämiseksi. Et tiedä, kuinka pitkät ajat istuin Marilynin keittiössä puhumassa Declanille järkeä." Ned katsoo minuun ja pudistaa päätään. "On hirveää katsoa vierestä, kun kaveri kärsii sillä tavoin. Mutta kuinka paljon pahempaa se onkaan, jos kyseessä on oma lapsi?"

"En voi edes kuvitella." Tunnen, miten väri pakenee kasvoiltani, pääni alkaa tuntua kevyeltä ja kurkkuani kuristaa.

"Siitä on viisitoista vuotta", Ned jatkaa, huomaamatta lainkaan, että osui arkaan paikkaan. "Mutta kyllä se jättää jälkensä ihmiseen. Ei olisi ollut mikään ihme, jos Marilyn olisi luhistunut, mutta hän oli meidän kaikkien tukena. En tiedä, miten hän jaksoi. Minä olisin kyllä romahtanut."

Minulle käy kohta niin. Pelkään, etten pysty pidättelemään kyyneliä, enkä haluaisi itkeä vieraan ihmisen edessä. Tämän vuoksi minun täytyi päästä pois työpaikaltani, pois niiden ihmisten luota, jotka tunsivat minut. Saatoin purskahtaa itkuun kokouksissa, kampaajalla, kuntosalilla. Toisten ihmisten tuskan näkeminen avaa kaikki padot. En voi katsoa elokuvia tai edes kuunnella musiikkia itkemättä. En pysty kuuntelemaan muiden ihmisten traagisia kertomuksia siitä, miten he ovat menettäneet lapsensa.

Lasken kahvikuppini alas, ja se kolahtaa äänekkäästi lautasta vasten. Nousen ylös ja töksäytän: "Pitää lähteä. Kiitos kahvista."

Ned ponnahtaa myös ylös, ihmeissään hätäisestä lähdöstäni. "Mitä?" hän kysyy. "Joko sinä lähdet? Sanoinko jotain sopimatonta?"

"Ei, ei. Kaikki hyvin. Minulla on vain niin paljon tehtävää." Me kumpikin tiedämme, ettei se ole totta.

"Voi luoja, olen pahoillani. Minun ei olisi pitänyt puhua tällaisia. Olet tullut tänne päästäksesi eroon ongelmistasi, ja minä alan kertoa sinulle heti surullisia tarinoita."

"Ei tässä siitä ole kysymys. Oikeasti." Singahdan laivan kokkaa kohden.

”Jodie”, Ned huutaa perääni. ”Älä mene.”

Mutta kävelen vain eteenpäin.

”Tiedät, mistä minut löytää”, Ned huutaa vielä. ”Voin tarjota kahvin lisäksi myös viiniä.”

”Kiitos”, huikkaan olkani ylitse kiirehtien samalla poispäin. ”Haluan vain olla hetken itsekseni.”

Ryntään laskusiltaa pitkin takaisin turvalliseen *Päivänpaisteeseen.* Paetessani näen Nedin katsovan perääni, kasvoillaan huolestunut ilme. Tämän vuoksi en juttele ihmisten kanssa. Suruni on aina läsnä, aivan pinnan alla. Ei tarvita kuin pieni raapaisu, ja se on taas paljaana kaikkien nähtävillä.

13

En saa nukuttua. Kun suljen silmäni, alan käydä tapahtumia läpi yhä uudelleen. Sydämestäni lähtee samanlainen tuskainen valittava ääni kuin ylös ja alas liikehtivästä laivasta. Sitten oivallan, ettei häiritsevä ääni tulekaan pelkästään sydämestäni. Kun aamu alkaa valjeta, nousen sängystä ja lähden keittiöön kahville. Keitän pikakahvia, vaikka laivassa olisi jättikokoinen automaattikin. Se näyttää pelottavalta. Ehkä minun pitäisi kysyä ensin neuvoa Nediltä, sillä hän vaikutti olevan ihan näppärä barista. Vaikka hän onkin minun alati kasvavalla "välteltävien ihmisten listallani".

Kulautan alas neljä kupillista kahvia, kerään rohkeuteni ja ryhdyn kuuntelemaan Chrisin viestitulvaa. Niitä on tullut jatkuvalla syötöllä lähtöni jälkeen.

"Jodie. Soita minulle", hän anelee. Kun kuulen hänen äänensä, sisälläni alkaa myllertää.

"Voisitko millään soittaa, ei kai se ole liikaa pyydetty. Meidän täytyy jutella."

Mutta tarvitseeko meidän jutella? Mitä puhuttavaa tässä on? On hetkiä, jolloin siitä ei ole mitään hyötyä. Se ei muuta mitään.

Mukana on myös Dellan lähettämä viesti. "Jodie, missä helvetissä sinä luuhaat? En ole kuullut sinusta päiväkausiin. Et ole vastannut WhatsApp-viesteihini." Hänen äänensä on huolesta kireä. "Törmäsin kuntosalilla lounasaikaan Billiin, ja hän sanoi, ettet ole toimistolla. Hän ei selvästikään halunnut kertoa, missä sinä *oikeasti* olet. Mikä on homman nimi? Soita nyt minulle, hyvä ihminen."

Della on ollut ystäväni – paras ystäväni – noin viiden vuoden ajan. Tutustuimme paikallisen kirjaston lukupiirissä; olimme päätyneet sinne samana iltana ja huomasimme kumpikin inhoavamme käsittelyvuorossa olevaa kirjaa. Se oli kuiva ja raskassoutuinen ja sai mielenkiintoni lopahtamaan parissa minuutissa. Della ajatteli selvästi samoin. Kun muut naiset alkoivat jaaritella kirjan taiteellisista ansioista, emmekä me olleet vielä edes lukeneet kirjaa, aloimme pälyillä ympärillemme ja katseemme kohtasivat. Ilmeemme oli sama, ja tiesimme olevamme väärässä paikassa. Vaihdoimme merkitseviä katseita ja peittelimme nauruntirskahduksiamme käsillämme. Sitten Della osoitti sormellaan ovea, ja me hiippailimme ulos ennen aikojamme. Sen sijaan, että olisimme syventäneet tietämystämme laatukirjallisuudesta, suunnistimme lähimpään baariin, missä nautimme liian monta viinilasillista ja kikatimme kuin koulutytöt. Olin liittynyt kirjallisuuspiiriin tavatakseni ihmisiä työkuvioiden ulkopuolelta, sillä minulla oli harmillisen vähän ystäviä – kuten edelleenkin – joten siinä suhteessa suunnitelma toimi. Minusta ei kuitenkaan koskaan tullut mitään lukutoukkaa. Huomasin, ettei aikani yksinkertaisesti riittänyt.

Dellalla ja minulla kuitenkin synkkasi heti – niin hyvin, että sellaista kokee vain harvoin elämänsä varrella. Hän on hauska ja terävä-älyinen eikä kainostele turhia. Hän on pitkä, 35-vuotias brunette, jolla on kaikki kurvit kohdillaan ja joka huokuu itseluottamusta. Mennessämme ulos hän saa päät kääntymään. Häneltä ei puutu ihailijoita, mutta hän on tyytyväinen saadessaan olla sinkku. Omien sanojensa mukaan hänellä on niin hauskaa, ettei hän voi asettua aloilleen. Della on räiskyvä ja äänekäs. Olemme kuin yö ja päivä, mutta jostain syystä ystävyytemme vain toimii. Hänestä on ollut minulle paljon apua, enkä tiedä, mitä olisin tehnyt ilman häntä. Mutta tällä kertaa edes paras ystäväni ei saanut pidettyä minua kasassa.

Kyllä minä vielä soitan Dellalle. Tavallisesti me juttelemme tai viestittelemme toisillemme kymmenen kertaa päivässä, ja jos työ antaa myöten, käymme lounasaikaan toimistojemme lähellä olevalla kuntosalilla. Hän varmasti ihmettelee, mitä on tekeillä, ja jos en ota yhteyttä häneen pian, hän antaa minun kuulla kunniani. Aviomieheni onkin sitten kokonaan toinen juttu. Hänen kanssaan en välttämättä halua puhua enää koskaan.

Olen edelleen keittiönpöydän ääressä kuuntelemassa Chrisin viestejä, kun Marilyn ilmestyy paikalle. Ovi rämähtää auki. ”Hu-huu!”

Suljen puhelimen, mutta hän ehtii kuulla Chrisin viestin lopun.

”Mieshän kuulostaa täydeltä surkimukselta”, Marilyn sanoo heittäessään kullalle kimaltelevan laukkunsa lattialle.

Tämän päivän asukokonaisuus on yhtä näyttävä kuin aikaisempikin. Hänellä on laukun tyyliin sopivat kullanväriset sandaalit, leopardikuvioiset jeggingsit ja hulmuava valkoinen paita. Hänen lukuisat korva- ja rannerenkaansa kilisevät hänen liikehtiessään. Tulipunaiset kynnet ovat moitteettoman siistit ja täsmälleen samaa sävyä kuin hänen huulipunansa. Maailmasta löytyy tuskin toista yhtä hohdokasta siivoojaa.

”Sanos muuta”, myötäilen.

”Ja sinä olet selvästi kahvikupposen tarpeessa.” Hän nyökkää kahvikonetta kohden, mutta ottaa kasvoilleen säikähtäneen ilmeen. ”En osaa käyttää tuota rakkinetta.”

”En minäkään.”

”Keitetään sitten murukahvia. Otatko paahtoleipää? Hain leipomosta tuoretta leipää. Se on hapanjuureen leivottu. Tiedän, mistä te lontoolaiset pidätte. Et voi kieltäytyä.”

”Paahtoleipä maistuisi kyllä.” En ole edes varma, söinkö eilen illallista, mutta vatsani murisee siihen malliin, että ilmeisesti en. ”Mutta ei enempää kahvia, olen saanut sitä jo liikaa. Alan kohta täristä.”

Muutaman minuutin kuluttua, tuijottaessani yhä äänetöntä puhelintani, eteeni asetetaan kahvia, paahtoleipää sekä pieni hillotölkki. Tänään tarjolla on persikka-proseccohilloa kimalteen kera. Ja miksipä ei? Marilynin maailmassa on itsestään selvää, että vaatetuksen ja ruoan täytyy olla niin säihkyvää kuin mahdollista.

Hän istahtaa hetkeksi seuraani, selvästi varmistaakseen, että todella syön jotakin. Levitän kimaltelevaa hilloa kuumalle paahtoleivälle, ja yllätyksekseni se todella maistuu hyvältä. Juon myös kahvia, sillä en kehtaa kieltäytyä. Hei, tutiseva oloni, tervetuloa takaisin.

”Tiedäthän, että voit puhua minulle”, Marilyn sanoo. ”Olen nähnyt ja kokenut melkein kaiken. Et saa pitää tuskaa sisälläsi. Se ei tee hyvää sinun humoraaleillesi.”

Minua alkaa hymyilyttää. ”Emme elä enää viktoriaanisella ajalla. Voin ihan hyvin. Tarvitsen vain…”

”Rauhaa ja hiljaisuutta. Sitähän sinä minulle koko ajan toitotat. Minusta rauha ja hiljaisuus ovat yliarvostettuja. Olet nuori. Olet kaunis. En tiedä, mitä sinulle on tapahtunut, mutta sinun täytyy lähteä ihmisten ilmoille ja pitää hauskaa.”

”Se on helpommin sanottu kuin tehty.” En koe itseäni enää nuoreksi ja kauniiksi. Tunnen itseni ikivanhaksi. Luokitellaanko neljäkymmentäkaksivuotias vielä nuoreksi?

Tiedän vallan hyvin, että jotkut ovet ovat jo sulkeutumassa minulta.

”Niin tietysti”, hän myötäilee. ”Mutta se ei tarkoita, että meidän pitäisi lakata yrittämästä. Ymmärtääkseni tämä kaikki johtuu hänestä.” Hän suuntaa katseensa puhelimeeni aivan kuin Chris olisi seissyt sen paikalla.

”Osittain.”

”Sinun rakastajasiko?”

”Aviomies”, kerron hänelle.

Marilyn pudistaa päätään. ”Sellaista se on miesten kanssa. Minäkin olen itkenyt monen takia silmät päästäni. Eivät he ole sen arvoisia.”

Siinä hän on varmasti oikeassa. Chris ei ole kyynelteni arvoinen.

”Menetin aviomieheni kymmenen vuotta sitten”, hän kertoo minulle.

Miksihän Ned ei maininnut siitä? ”Otan osaa.”

”Ei hän kuollut”, Marilyn tuhahtaa. ”Ei sinne päinkään. Hän keksi, että hän haluaakin olla nainen, ajoi pois partansa ja muutti Hulliin. Hänen nimensä on nyt Veronica, ja hän on kuulemma oikein onnellinen. Hän vei mennessään parhaat leninkini. Paskapää.”

Se saa minut nauramaan ääneen, oikein kunnon röhönaurua. Tuskin tunnistan sitä ääntä.

”Sinun täytyy ryhdistäytyä, karistaa vanhat pölyt jaloistasi ja mennä eteenpäin. Riippumatta siitä, mitä olet joutunut kokemaan. Elämä on elämistä varten.”

Kyynelet alkavat taas nousta pintaan. En ole pystynyt hallitsemaan tunteitani viime aikoina. ”Se on monimutkaisempi kuvio.”

”Toinen nainen?”

Nyökkään. Tai ainakin luulen niin. Ja pahempaakin. Paljon pahempaa.

Marilyn painaa kätensä olkapäälleni. ”Tiedän, miltä menetys tuntuu. Suuri menetys. Sellainen menetys, että alat ajatella, jaksatko enää edes hengittää. Joten ymmärrän suurin piirtein, miltä sinusta tuntuu.”

Ja Nedin kertomuksen vuoksi tiedän Marilynin puhuvan totta. Marilyn ei ehkä ole menettänyt puolisoaan ihan perinteisessä mielessä, mutta hän on joutunut hautaamaan poikansa. Hän tietää, mitä suru saa aikaan ihmisessä. Hän ymmärtää minua paremmin kuin itse arvaakaan, mutta en voi uskoutua hänelle. En pysty myöskään tarjoamaan hänelle myötätuntoani. En vain saa sanaakaan suustani.

”Jokainen päivä on seikkailu. Kun heräät aamulla, et voi ikinä tietää, mitä päivä tuo tullessaan. Joskus jotain ihanaa, joskus sydänsuruja. Meidän pitäisi nauttia joka hetkestä elämässämme. Sillä tavalla kunnioitamme niitä, jotka eivät enää ole kanssamme.”

Jälleen kerran Marilyn onnistuu koskettamaan suruni alkujuurta, mutta koska en selvästikään halua avautua enää enempää, hän nousee seisomaan. ”No niin”, hän sanoo. ”Nyt otat itseäsi niskasta kiinni ja lähdet ulos. Kävelylenkki rannalla on parasta lääkettä, ja sääkin on tänään aika leuto.”

”Kävin eilen rantakahvilassa”, kerron hänelle. En halua hänen luulevan, että istun vain sisällä murehtimassa päivät pitkät – vaikka se itse asiassa kuulostaisi aika houkuttelevalta. ”Tapasin Idan ja rannalla työskentelevän elävän patsaan, Georgen.”

”Voi, sehän hienoa.” Hän kohottaa kulmiaan. ”Kuulostaa, että rauhan ja hiljaisuuden tavoittelu pitää sinut kiireisenä. George on oikea kullannuppu. Hän on maailman rauhattomin patsas, mutta tosi herttainen.”

”Tapasin myös Nedin.” En tiedä miksi, mutta yhtäkkiä minua alkaa ujostuttaa. Tunnen Marilynin jo tarpeeksi hyvin tietääkseni, että hän ylitulkitsee sellaisia asioita. ”Joimme yhdessä kahvia, ja katselin hetken aikaa hänen työskentelyään.”

”Oi, Ned, hän on kuuma kuin sula voi!” Marilyn leyhyttää kädellä kasvojaan. ”Jos olisin nuorempi, hän saisi pitää varansa.” Hän sieppaa lautaseni ja mukini ja vie ne tiskialtaaseen. ”Taitava poika myös. Minulla on puutarhassa omenapuun alla yksi hänen tekemänsä veistos. Se on ihana.”

”Hän on todella lahjakas.” Tunnen punastuvani. Ehkä minunkin pitäisi vähän leyhytellä kasvojani.

Marilyn lisää olkansa ylitse: ”Hyvä, että tutustut ihmisiin. Ystävät ovat tärkeitä.” Hän sanoo sen painokkaammin kuin olisi tarpeen. ”Mutta alahan laputtaa nyt. Minun on ryhdyttävä hommiin.”

”Marilyn, asunto on tahraton.”

”Se johtuu siitä, että olen täällä huolehtimassa sinusta.” Hän väläyttää minulle säteilevän hymynsä, johon on vaikea olla vastaamatta.

”Niinpä”, myönnän. ”Kiitos siitä.”

”En lepää ennen kuin olet iloinen kuin pitsa.” Sen sanottuaan hän nappaa kaapista pölyhuiskun ja lähtee pyydystelemään näkymättömiä hämähäkinseittejä.

14

Puen ylleni uudet punaiset sormikkaani ja kaulahuivin, ja suunnistan kohti rantaa. Kuten Marilyn sanoi, sää on tänään melko leuto, mutta mereltä puhaltaa puuskittainen tuuli. Villahuivi tuntuu kaulaani vasten mukavan rauhoittavalta. Ehkä pehmeässä villassa on parantavia voimia. En tiedä.

Suunnitelmissani on – mikäli minulla sellaisia edes on – kävellä taas Idan kahvilalle ja ottaa siellä kanta-asiakaskorttini käyttöön. Kahvilaan on kohtuullisen pitkä kävelymatka, mutta ei kuitenkaan liian vaativa hauraalta tuntuvalle keholleni.

Taivas on kirkkaansininen ja näyttää valtavan laajalta Lontoon Shoreditchiin verrattuna, missä tavallisesti oleskelisin tähän aikaan päivästä. Shoreditchiä pidetään nykyään hienostoalueena, ja se on täynnä luovan alan väkeä ja startup-yrityksiä. Siellä on myös paljon trendikkäitä kahviloita, baareja ja ravintoloita, joissa kauniit ja valveutuneet woke-ihmiset käyvät. Siellä on kyllä hienoa, mutta korkeiden, vieri viereen ahdettujen rakennusten väleistä näkee vain hyvin niukasti taivasta. Kävelen ajatuksissani hiekalla, kädet takintaskuihin työnnettyinä. Marilyn on oikeassa: jos olen ulkona, ajatukseni eivät lähde vaeltelemaan hankalaan maastoon.

Ranta on taas hiljainen, mutta näen edessäpäin miehen, joka on joogaamassa hiekalla. Tunnistan heti lihaksikkaan, treenatun vartalon. Ned on ilman paitaa, joten minun ei tarvitse arvailla mitään. Todellakin, hän on kuuma kuin sula voi, kuten Marilyn asian ilmaisi.

Mitä tehdä? Käännynkö takaisin ja teeskentelen, etten nähnyt häntä, vai kävelenkö muitta mutkitta hänen luokseen? Toistaiseksi hän ei ole huomannut minua, sillä hän katsoo merelle päin ja on suorittamassa erityisen hankalan näköistä liikettä. En ole koskaan käynyt joogatunneilla, joten en osaa sanoa, mikä liike se on. Nedillä on yllään väljät tilkkuhousut, hänen jalkansa ovat tukevasti hiekassa, ja hän on avannut käsivartensa osoittamaan kohti rannan kumpaakin päätä. Minun empiessäni hän kääntää päätään ja huomaa minut. Niinkin kaukaa pystyn sanomaan, että hänen kasvonsa kirkastuvat, mikä on minulle yllätys. Chris ja minä olemme olleet yhdessä kymmenen vuotta, enkä ole pitkään aikaan nähnyt hänen kasvoillaan lähellekään sellaista ilmettä.

Ned keskeyttää jooga-asennon ja huutaa: ”Hei. Miten hurisee?”

Koska en pääse enää pakoonkaan, en voi muuta kuin kävellä häntä kohti. ”Ihan hyvin. Kiitos.”

Hän luo minuun katseen, joka on liian tutkiva, liian läpitunkeva. Vältän katsomasta häntä silmiin, etten paljasta itsestäni liikaa, mutta ehdin huomata, kuinka kauniin siniset hänen silmänsä ovat. Ne vetävät vertoja taivaan sinelle, ja ihmettelen, kuinka en aikaisemmin ollut kiinnittänyt niihin huomiota.

”Oletko menossa Idan kahvilaan?”

”Kyllä.” Mitä muuta voin sanoa? Voisin kiirehtiä takaisin laivalleni, mutta mitä hyötyä siitä olisi? Marilyn rymistelee ja kolistelee siellä parhaillaan, ja olisin vain tiellä, tai sitten hän alkaisi taas udella kaikenlaista, mitä en todellakaan kaipaa.

"Olinkin juuri lopettelemassa." Ned nostaa ylös t-paitansa, joka oli lojunut mytyssä hiekalla. "Voinko liittyä seuraasi?"

Minä varmaankin epäröin, sillä hän lisää: "Sano vain, jos et halua seuraa. Jätän sinut omaan rauhaasi."

Yhtäkkiä yksinolo ei tunnukaan enää niin houkuttelevalta. Ehkä Marilyn on oikeassa siinäkin. Hänessä on monia rasittavia piirteitä, ja vaikuttaa siltä, että aina oikeassa oleminen on yksi niistä.

"Olisi ihan mukava kävellä yhdessä", sanon hänelle, ja pidän tavasta, jolla hän virnistää minulle. Hänelle on helppo hymyillä takaisin.

Hän pukee t-paidan ylleen, mistä olen kiitollinen, sillä hänen selvästi erottuvat vatsalihaksensa ovat hämmentävää katsottavaa.

"En ole koskaan kokeillut joogaamista", sanon keksiäkseni jotain sanottavaa kävellessämme. "Se näyttää kivalta."

"Ja tekee hyvää", hän vastaa. "Se pitää kehon notkeana ja rauhoittaa mielen."

"Niin, kyllä. Siitä voisi olla minullekin hyötyä."

"Olen täällä joka aamu silloin, kun olen kotona. Voit liittyä seuraani. En väitä olevani mikään ekspertti, mutta voin neuvoa sinulle joitakin perusasentoja. Se antaa hyvän alun päivälle." Hän vilkaisee minua. "En tiedä, mikä sinulla on, Jodie, eikä se tietenkään minulle kuulu." Ned kohottaa käsiään. "Mutta jokin sinua selvästi painaa. Jos voin jotenkin auttaa, niin tässä minä olen."

Tuntemattoman ihmisen osoittama ystävällisyys saa kuumat kyyneleet kihoamaan silmiini. "Minulla on tosiaan ollut viime aikoina kaikenlaista", myönnän vastoin tahtoani.

Hän suo minulle taas lämpimän hymynsä, ja hänen kasvonsa hehkuvat onnellisuutta. Hän vaikuttaa mieheltä, joka ilahtuu nopeasti mutta vihastuu hitaasti. Sellainen on minulle uutta. Olen tottunut ympärilläni pyöriviin alfauroksiin – ja -naaraisiin – jotka ovat rehellisesti sanottuna hiton hankalia tapauksia. En tarkoita tietenkään työkavereitani, vaan suurinta osaa asiakkaistamme, jotka keskittyvät vain omien yritysimperiumiensa rakentamiseen. Ned sen sijaan vaikuttaa olevan täysin sinut itsensä kanssa. Pidän siitä. Pidän siitä paljon.

15

Saapuessamme kahvilaan George on jo seisomassa muurin vieressä. Hän on ottanut asennon, jossa hän varjostaa kädellä silmiään ja katselee merelle. ”Huomenta!” hän sanoo huomatessaan meidät.

”Patsaiden ei varmaankaan pitäisi puhua noin paljon, George”, huomautan hänelle.

”Bisnekset sujuvat tänäänkin kehnosti.” Hän vaihtaa asentoaan. ”Luulin, että tämä olisi parempi paikka.” Hän kohauttaa olkiaan patsasmaisesti. ”Täällä on kyllä hieman tylsää.”

”Pidä tauko. Tule meidän kanssamme kahville”, Ned ehdottaa.

”Vastahan minä aloitin. Minun pitää sinnitellä vielä vähän aikaa.” On vaikea nähdä hänen pronssinvärisen maalinsa ja steampunk-kamppeidensa alle, mutta minusta hän näyttää rättiväsyneeltä.

”Jos muutat mieltäsi, tiedät, mistä meidät löydät.”

George kumartaa konemaisesti ja jähmettyy sitten asentoonsa, mikä saa meidät hymyilemään.

Ned ja minä istuudumme samaan pöytään, jossa minä olin edeltävänä päivänä, ja olemme tuulelta suojassa. Ida on korjaamassa astioita katoksen alla olevista pöydistä. Hän on jälleen värikkäästi pukeutunut: hänellä on pitkä, virkattu kietaisutakki ja farkut, joihin on ommeltu koristepaikkoja – niihin on kirjailtu hymynaamoja sekä sanoja, kuten Love ja Stop – sekä musta huopahattu, joka pitää hänen nauhoin koristellut rastahenkiset lettinsä ojennuksessa. Punaiset villa-asusteeni näyttävät häneen verrattuna jotenkin pikkusieviltä. Joka tapauksessa ilma on jo lämmennyt sen verran, että uskallan riisua ne aamiaisen ajaksi.

Kun Ida huomaa meidät, hän saapuu suoraa päätä luoksemme ja näyttää hieman yllättyneeltä nähdessään minut Nedin seurassa.

"Te kaksi olette jo näköjään tutustuneet", hän sanoo, äänessään erilaista kirpeyttä kuin eilen.

"Yritän olla hyvä naapuri", Ned sanoo.

Ida kumartuu ja suutelee ystävänsää lämpimästi huulille. Hän tekee sen omistajan elkein, ikään kuin osoittaakseen, että valtaus on jo hänen nimissään. "Vakioaamiainen?"

"Otan vaihteeksi vegenakkisämpylän", Ned sanoo. "Ja kahviksi flat white. Maistoitko sitä uutta kahvia, jota toin sinulle?"

"Se oli ihanaa", Ida sanoo. "Sinulla on erehtymätön kahvimaku. Mutta naismaku? Ei ehkä niinkään."

Ned nauraa, ja Ida kääntyy minuun päin kasvoillaan hymy, joka on ihan pikkuisen liian omahyväinen. "Entä sinulle?"

"Pekonisämpylä ja teetä, kiitos."

"Tulee heti."

Ned jää seuraamaan häntä katseellaan.

"Te näytätte olevan aika läheiset."

"Juu", hän myöntää. "Olemme tunteneet toisemme pitkään. Olemme kuin sisar ja veli."

Hmm. Sen perusteella, miten Ida käyttäytyi Nedin lähellä, Ned on hänelle enemmänkin kuin vain veli. "Oletko asunut täällä aina?"

”Tällä saarellako? Kyllä. Olen ihan paljasjalkaisia. Ida on asunut täällä siitä lähtien, kun tuli taidekorkeakouluun, missä me tutustuimme.”

”Milloin sinä muutit *Merituuleen*?”

”Olen asunut siellä kahdeksan vuotta, ehkä pitempäänkin. Kun vanhempani kuolivat, sain heiltä pienen perinnön ja tartuin tilaisuuteen ostaakseni laivan. En ole oikein ikinä voinut kuvitella itseäni perinteiseen kahden kerroksen rivitaloon.”

En minäkään voisi kuvitella sitä Nedistä.

”*Merituuli* oli aivan päreinä, kun muutin siihen asumaan, mutta paikkailin sitä parhaani mukaan. Sen runko on hyvässä kunnossa ja vesitiivis. Se on pääasia.”

”Minusta se näyttää upealta. Pidän sen monenkirjavasta tyylistä.”

Ned nauraa. ”Tuo on hyvin kohtelias tapa ilmaista asia.”

”Tarkoitan sitä ihan oikeasti. Laivan ulkomuoto kertoo paljon sinusta.”

”Mikään siinä ei ole harkittua. Sisustus alkoi kehittyä luonnostaan sen mukaan, mihin minulla milloinkin oli varaa. Laivassa asuminen sopii minulle – minun elämäntapaani ja työhöni. Haluan olla lähellä merta.”

”Olen ollut täällä vasta pari päivää, ja ymmärrän jo, mikä siinä viehättää.”

”Oletko asunut koko ikäsi Lontoossa?”

”Kyllä. Tähän saakka olen nauttinut kaupungin vilskeestä ja vilinästä. Mitä tahansa saa hankittua mihin aikaan päivästä tahansa.”

”Paitsi rauhaa ja hiljaisuutta”, hän kiusoittelee.

”Paitsi niitä”, myönnän.

Ida tuo aamiaisemme ja asettaa annokset eteemme. Hän tuntuu olevan haluton lähtemään ja viivyttelee pöydän vierellä Nedin käydessä käsiksi ruokaan. ”Soitatko pubissa tänä iltana?”

”Aloitamme yhdeksältä”, hän sanoo. ”Oletko tulossa?”

”Juu”, Ida sanoo. ”Mitäpä muutakaan tekemistä täällä olisi.”

”Nähdään sitten.”

Ida epäröi vielä hetken, mutta koska mitään muuta sanottavaa ei ole, hän siirtyy seuraavien asiakkaiden luo, jotka saapuvat juuri rannalta. Ilokseni he pudottavat hieman rahaa Georgen lippaaseen, ja hän saa vaihtaa taas asentoa.

”Lähtisitkö meidän mukaamme tänä iltana?” Ned kysyy suupalojensa lomassa. ”Olen mukana bändissä, joka soittaa Jolly Rogerissa, se on se toisella rannalla oleva pubi, josta kerroin. Ei se ole kovin kummoinen paikka, mutta siellä on tavallisesti hyvin porukkaa.”

”En oikein tiedä...”

”Et saa parempaakaan tarjousta tänään.”

”Siinä sinä olet varmasti oikeassa, mutta en ole oikein menopäällä. Joten jätän tällä kertaa väliin. Kiitos tarjouksesta.”

Ned osoittaa lautasellaan olevaa vegenakkisämpylää. ”Et tiedä, mistä jäät paitsi.”

”Olen enemmän lihansyöjä.” Jotenkin arvasin Nedin olevan kasvissyöjä. Se sopii yhteen asuntoveneen, joogan ja taiteellisen työn kanssa.

”Voi, tämä on hyvää korviketta. Se, että luovuin lihasta, ei tarkoita, ettenkö joskus kaipaisi sen makua.”

”Luulen, että meri-ilma on parantanut ruokahaluani, sillä en ole viikkokausiin syönyt näin paljon.” Nautin kaikessa rauhassa viimeisenkin murusen pekonisämpylästäni.

Työpaikalla meillä on joka päivä aamiaiskokous tasan kello kahdeksalta. Bill haluaa pysytellä ajan tasalla kaikista projekteistamme. Katamme pöytään erilaisia muroja, kroissantteja, vihermehuja ja hedelmiä, joista jokainen saa valita mieleisensä. Suurin osa työkavereistani käy aikaisin aamulla salilla, ja he saapuvat tavallisesti kokoukseen posket hehkuen ja tukka suihkun jäljiltä kosteana. Useimmat heistä syövät vegaanista ja gluteenitonta ruokaa, eivätkä he tupakoi eivätkä käytä alkoholia. Bill ja minä olemme ehdottomasti joukon dinosaurukset: kaksi lihaa syövää, alkoholia naukkailevaa vanhusta.

Vilkaisen kelloani. He ovat lopettelemassa juuri näihin aikoihin kokousta ja rientämässä päivän askareisiin, ja mietin, kuka saa minun projektini hoitaakseen. Minun täytyy kysyä sitä Billiltä, kun taas juttelemme. Ehkä he kaipaavat työpanostani. Ehkä ainakin vähän. Sitten oivallan ajatelleeni työtä ensimmäistä kertaa tänne tuloni jälkeen, vaikka en todellakaan haluaisi tehdä niin.

Vilkaistessani vaivihkaa kahvilarakennukseen päin näen Idan seuraavan meitä haukkana. En ole ihan varma, haluaako hän minun lähtevän heidän kanssaan pubiin. Hän vaikuttaa hyvin omistushaluiselta Nedin suhteen, mikä on ihan ymmärrettävää. En haluaisi tuppautua kolmanneksi pyöräksi – en täällä enkä missään muuallakaan.

Ned ja minä juttelemme niitä näitä lopetellessamme juomiamme. Hän on mukavaa seuraa, ja pieneksi hetkeksi hän saa minut unohtamaan tuskani ja sen, ettei minun pitäisi nauttia elämästä.

Vastusteluistani huolimatta hän haluaa ehdottomasti maksaa kummankin laskun. Toivon, että hän saa kaverialennusta.

”Kiitos. Olet niin kiltti.” Puen villasormikkaat ja kaulahuivin taas ylleni ja katselen, miten George hätistelee lokin tiehensä hyvin epäpatsasmaiseen tapaan.

”Kävelläänkö yhdessä takaisin rantaa pitkin?” Ned kysyy.

Koska minulla ei ole muutakaan tekemistä, vastaan: ”Kyllä.”.

16

Vuorovesi on korkealla palatessamme takaisin, joten kävelemme lähellä vedenrajaa. Poimin rannalta muutamia kauniita simpukankuoria, puhdistan ne huolellisesti kosteasta hiekasta ja laitan takkini taskuun.

Ned kumartuu poimimaan kiviä ja alkaa heitellä niillä voileipiä uskomattoman taitavasti. Pistän sormikkaanikin taskuihin suojellakseni niitä hiekalta, otan sitten käteen suuren kiven ja heitän sen niin kauas kuin jaksan. Se molskahtaa komeasti veteen ja vajoaa pinnan alle tyytyväisen "plop"-äänen saattelemana. Olen niin lapsellisen tyytyväinen suoritukseeni, että etsin vielä toisen suuren kiven ja heitän senkin veteen.

"Heittokätesi kaipaa vielä vähän harjoitusta", Ned piikittelee.

"En ole tehnyt tätä koskaan aikaisemmin", myönnän. "Lontoo ei ole paras mahdollinen paikka harjoittelun kannalta."

"Haluatko oppitunnin?" Ennen kuin ehdin harkitsemaan asiaa, Ned tulee luokseni ja sanoo: "Ensin tarvitaan sopivan litteä kivi, jossa on tasainen pinta."

Etsimme yhdessä sopivia kiviä, ja näytän hänelle muutamia malliksi, mutta ne eivät kelpaa Nedille.

"Tämä on hyvä", hän ilmoittaa viimein. Hänen pitelemänsä kivi on litteä, tumma ja soikea, ja hän ojentaa sen minulle.

Se tuntuu jääkylmältä. ”Tule aivan vedenrajaan, niin lähelle vettä kuin pystyt, ja kumarru alas.”

Saappaani uppoavat märkään hiekkaan ja onnistun juuri ja juuri väistämään pari röyhkeää aaltoa, jotka uskaltautuvat muita edemmäs rannalle.

”Tämä on oikeanlainen heittoliike”, Ned havainnollistaa. ”Tarkoitus on saada kivi lentämään alhaalla lähellä veden pintaa. Hyvin alhaalla.”

Minua jännittää, mutta notkistan jalkojani ja tartun täydelliseen kiveeni.

”Hyvä.” Ned siirtyy taakseni ja kumartuu myös. ”Okei. Anna mennä.”

Nojaan taaksepäin ja päästän irti kivestä ohjeen mukaisesti. Yrityksestäni huolimatta se molskahtaa veteen paljolti samaan tapaan kuin edellisetkin.

”Ota tämä.” Ned ojentaa minulle toisen kiven, jonka pitäisi olla juuri sopivanlainen. ”Annas kun näytän.” Ennen kuin tajuan, mitä hän aikoo, hän vetää minut lähelle itseään, selkäni painuu hänen rintaansa vasten, ja hän tarttuu käsivarteeni ohjaten sitä eteen ja taakse. ”Kas näin.”

Tuntuu mukavalta saada olla tuulensuojassa hänen lämpimässä sylissään, ja huomaan ensi kertaa kaivanneeni todella toisen ihmisen kosketusta. Nedin keho niin lähellä takanani tuntuu vahvalta, vakaalta ja turvalliselta.

”Tasainen ja matala heitto”, hän neuvoo. ”Ihan matala.”

Koukistamme yhdessä jalkojamme, ja minun polveni, jotka eivät ole tottuneet sellaiseen ääriasentoon, alkavat protestoida. Vaikka asentoni tuntuu hieman huteralta, ojennan kättäni ohjeen mukaisesti ja lähetän kiveni matkaan. Sillä kertaa se pompahtaa kaksi kertaa vedenpinnasta ennen kuin sukeltaa aaltoihin.

”Jess!” huudahdan ja nostan nyrkkini ilmaan. Mutta keskittyessäni niin ankarasti heittotekniikkaan en ole huomannut ollenkaan, kuinka lähellä aallot ovat. Vesi tulvahtaa saappaitteni kärkien yli, hypähdän säikähdyksestä taaksepäin ja menetän tasapainoni.

”Jodie!” Ned huutaa ja harppaa eteenpäin yrittäen ottaa minusta kiinni ennen kuin kaadun hiekalle.

Mutta tietenkin hän myöhästyy, ja läjähdän rantaveteen juuri samalla hetkellä, kun hän kurottautuu minua kohden. Tartun hänen käsivarteensa, mutta onnistun vain kaatamaan hänet päälleni. Kaiken kukkuraksi ylitsemme vyöryy ärhäkkä pahankurinen aalto.

”Voi helvetti!” kiljaisen. Vesi on jääkylmää. Minusta tuntuu, kuin olisin kaulaani myöten jäissä. Merivesi löytää kaikki pienet rakoset takissani ja muissa vaatteissani ja tulvii iholleni. Se on keuhkoilleni niin suuri shokki, että hengitykseni salpautuu hetkeksi.

Nedistä ei ole paljoa apua, sillä hän nauraa katketakseen. Hän kierähtää pois päältäni ja jää makaamaan selälleen rantaveteen, kädet ja jalat levällään kuin meritähdellä, ja antaa veden ympäröidä itsensä. Yritän nousta seisomaan henkeäni haukkoen ja horjahdellen, sillä aallot tyrskyävät yhä meitä kohti. Lopulta annan periksi ja mätkähdän makaamaan Nedin viereen. Jälleen uusi aalto paiskautuu meitä kohden, ja minä puoliksi huudan, puoliksi nauran. Ned ottaa kädestäni kiinni, ja kun seuraava aalto saapuu, huudamme yhdessä. Sitten makaamme vain paikoillamme ja annamme meren huuhtoutua ylitsemme, kunnes keuhkoni kylmettyvät ja alan hyperventiloida.

Kun emme kestä hyistä vettä enää pitempään, Ned kiskoo minut ylös. Jään seisomaan paikoilleni vettä valuen ja täristen, hampaat suussani kalisten.

"Tämä ei ollut ihan suunnitelmissani", hän sanoo. "Mutta hauskaa se oli."

Ja vaikka olen melkein umpijäässä ja likomärkä ja minulla on hiekkaa kaikissa tärkeissä pikkupaikoissani, oloni on oudon onnellinen.

17

Ned tarttuu käsivarteeni ja ohjaa minut polulle, joka johtaa satamaan ja laivoillemme. Olen lakannut tärisemästä, viluni on muuttunut nyt syväksi sisäiseksi hytinäksi. Sormeni ja varpaani ovat menneet tunnottomiksi, ja olen melko varma, että elimeni lakkaavat kohta toimimasta.

”Nyt kuumaan suihkuun”, Ned ohjeistaa. ”Minä olen tottunut viileään veteen, koska harrastan surffausta ja suppailua, mutta sinä alat muuttua huolestuttavan siniseksi.”

En kerro hänelle, että näin hänet SUP-laudalla aiemmin ja pidin häntä silloin sekopäänä.

Päästyämme *Päivänpaisteen* ovelle sählään avaimen kanssa, sillä käteni ovat aivan kohmeessa. Ned avaa oven puolestani.

”Kiitos.”

”Minulla on huono omatunto”, hän sanoo. ”Olen huono opettaja, joka lähes hukutti oppilaansa.”

”Et kertonut, että harjoittelisimme extreme-voileivänheittoa”, sanon holtittomasti kalisevien hampaitteni välistä.

Hän ristii kätensä rukousasentoon ja ottaa anteeksipyytävän ilmeen. ”Anna anteeksi.”

”Ei tässä ole mitään anteeksipyydettävää, mutta kuolen, ellen pääse kohta lämpimään suihkuun.”

”Haluatko, että tulen sisälle ja varmistan, että selviät?”

"Kyllä minä pärjään. Ihan oikeasti. Mutta nyt pitää mennä, ennen kuin nenäni alle alkaa muodostua jääpuikkoja."

"Nähdäänkö myöhemmin?" hän ehdottaa. "Tule käymään pubissa. Olen sinulle tästä hyvästä velkaa ainakin kaksi isoa viinilasillista."

"En oikein tiedä..."

"Me olemme ihan kilttejä. Kukaan ei pure." Hän katsoo minua anoen. "Ethän jää tänne yksiksesi?"

"Mietin vielä." Sormiini ja varpaisiini alkaa palautua tunto, ja se tekee kipeää.

"Minun täytyy mennä pubiin valmistelemaan keikkaa seitsemältä, voimme kävellä sinne yhdessä, tai nähdään perillä myöhemmin, kun sinulle sopii."

"Ehkä."

"Mutta nyt sinun pitää mennä suihkuun."

"Kiitos, Ned", sanon. "Tämä oli tavallaan hauskaa, vaikka äärimmäisen epämiellyttävällä tavalla."

Hän nauraa ja lähtee kävelemään kohti *Merituulta* nostaen toisen kätensä ylös mennessään.

Kiiruhdan sisälle, riisun eteisessä läpimärän takkini ja saappaani, ja jätän ne lojumaan ovimatolle. Huolehdin niistä, kunhan olen saanut veren kiertämään jäsenissäni. Marilyn ilahtuu, kun hänellä on seuraavana päivänä hiekkajälki siivottavana.

Vedän yltäni puseroa samalla kun suuntaan kohti alakerrassa olevaa suihkua. Säädän veden niin kuumalle kuin mahdollista ja kuoriudun ulos muista vaatteistani, jotka tuntuvat hetki hetkeltä yhä kylmemmiltä. Heitän ne lattialle ja lupaan laittaa ne pesukoneeseen heti kun olen saanut sulateltua vähän itseäni. Sitten hyppään suihkuun. Olen niin jäässä, että en tiedä, onko vesi kuumaa vai kylmää. Mutta pian, kun tunto alkaa palautua, vesi pistelee ihollani kuin tulikuumina neuloina. Viivyn suihkussa niin kauan kuin pystyn, sitten kääriydyn pehmeään pyyhkeeseen, kuivaan itseni ja puen ylleni mukavat verkkarit ja hupparin sekä väljät sukat.

Heitän vaatteeni pesukoneeseen, ja minua alkaa hymyilyttää ajatellessani aalloissa temmeltämistämme. En ole ikinä tehnyt mitään sellaista ja oivallan, että elämäni on ollut aika sovinnaista. Milloin Chris ja minä olemme viimeksi hullutelleet yhdessä? En muista. Olen varma, että kyllä mekin joskus hölmöilimme, mutta siitä on aikaa. Ehkä työ vei meidät mennessään ja olimme olevinamme niin fiksuja ja sivistyneitä, että unohdimme, kuinka nauraa sydämemme pohjasta vain pelkästä nauramisen ilosta.

Mietin myös Nediä ja sitä, kuinka kiltti hän on. Hän osaa pitää hauskaa, ja hänen seurassaan on helppoa ja mukavaa olla. Ehkä runsas joogaaminen rannalla saa sen aikaan. Ehkä hän on oikeassa, ja minunkin pitäisi kokeilla sitä. Pelkkä hiekassa pyöriskelykin on jo piristänyt mieltäni.

Päästyäni yläkertaan nostan kauniin harmaan takkini lattialta. Se on edelleen hiekkainen ja läpimärkä. En usko, että merivedessä liottaminen tekee hyvää kashmirvillalle, ja arvelen, ettei takki selviä tästä. Laitan sen kuivumaan lämpöpatterin päälle, ja selvitän myöhemmin, onko paikkakunnalla pesulaa, jossa se voitaisiin vielä pelastaa. Luulen, että Marilyn on selvillä sellaisista asioista. Minun täytyy ostaa itselleni uusi takki. Marilyn tietää varmasti myös parhaat shoppailupaikat.

Otan keräämäni simpukankuoret takintaskusta ja asetan ne Billin hyllylle. Tunnen veljeni, ja hän todennäköisesti heittää ne roskiin, mutta minä pidän niistä. Niiden hennon vaaleanpunainen sisäpuoli muistuttaa vauvan ihoa. Sitten sydäntäni vihlaisee. En halua sellaisia muistutuksia.

18

Laitan Marilynille tekstiviestin. *Mistä voisin ostaa uuden, lämpimän takin? Entinen meni pilalle. J.*

Hän vastaa saman tien. *Niinkö? Minulla on hyvin aikaa. Voinko tulla hakemaan sinut saman tien? M.* Perässä seuraavat possu, hymynaama, kummitus, bikinit ja sateenvarjo.

En ymmärrä.

Se olisi hienoa. Kiitos. J. Olisihan minun pitänyt arvata, että Marilyn rientää välittömästi hätiin.

Ja toden totta, noin varttitunnin päästä Marilyn kurvaa paikalle ja tööttää auton torvea. Olen valmiina, joten menen heti ulos. Marilynin auto on banaaninkeltainen avosportti – tietenkin – ja hän on laskenut sen katon alas. Onneksi olen pukenut useamman puseron päällekkäin, sillä minullahan ei ole enää takkia.

”Saat vielä kuolemantaudin”, hän nuhtelee minua. ”Missä sinun takkisi on?”

”Sen takiahan me juuri olemme menossa ostoksille”, muistutan häntä. ”Rannalla sattui ikävä välikohtaus, ja meri vei voiton.”

”Jaahas, en sitten voi jättää sinua hetkeksikään yksin”, hän moittii. ”Ja sinä et muka tarvitse huolenpitoa.” Lisää läksytystä.

Päätän – mielestäni viisaasti – että en kerro hänelle Nedin osuudesta tapahtumiin.

"Haluan jonkin yksivärisen ja lämpimän. Ehkä toppatakin." Toivon, että Marilyn ymmärtää sen tarkoittavan samalla "ei leopardikuviointia".

"Yksivärinen. Toppatakki", Marilyn toistaa. Hän ei kuulosta vakuuttuneelta. "Etkö haluaisi jotain näyttävämpää?"

"En. Vain jotain käytännöllistä."

Marilyn kohottaa kulmiaan. "Okei. Tässä lähellä on retkeilyliike. Se on tosi tylsä."

Uskon hänen tarkoittavan sillä, että mitkään liikkeessä myytävistä vaatekappaleista eivät ole pinkkejä ja kimalteen peitossa. "Tylsä kuulostaa ihan hyvältä."

Marilyn kohauttaa pettyneenä olkiaan, mutta lähdemme joka tapauksessa täyttä vauhtia liikkeelle. Hän noudattaa nopeusrajoituksia silloin kun huvittaa. Lämmitys on säädetty täysille, ja hiuksemme hulmuavat takanamme. Minusta tuntuu kuin olisimme Thelma ja Louise.

Muutaman minuutin päästä pysähdymme kaupan eteen, jossa selvästi myydään kaikkea ulkoiluun liittyvää. Kaupan nimi on kuvaavasti "Ulkoilu ja retkeily". Olisin todennäköisesti pystynyt kävelemäänkin sinne, jos olisin saanut ohjeet, mutta Marilyn oli ilmeisesti ilahtunut tilaisuudesta päästä tyttöjen ostosreissulle. Olen hänelle varmasti aikamoinen pettymys.

"Newportissa ja Ventnorissa on kivempia kauppoja", hän sanoo. "Ei sinnekään olisi kovin pitkä matka. Täällä ei oikeastaan ole mihinkään pitkä matka."

"Tämä näyttää ihan hyvältä", vakuutan hänelle. Tarvitsen takin, millaisen takin tahansa, en mitään muotiluomuksia. Nousemme autosta ja suunnistamme kohti liikettä Marilynin kopotellessa edellä kullanvärisissä korkeakorkoisissa sandaaleissaan.

Kun hän avaa oven, vastassamme on rekkikaupalla aivan pätevännäköisiä ulkoilutakkeja. Suurin osa niistä on laivastonsinisiä tai tummanvihreitä.

"Hyvältä näyttää", ilmoitan Marilynille.

Hän katsoo minua tyrmistyneenä. Hän varmasti ajattelee, että olen rouva Harmaus ja kotoisin Harmaalan kaupungista.

"Haluan lämmintä ylleni", kerron hänelle. "Ei sen nyt niin väliä, miltä minä näytän."

Hän säpsähtää aivan kuin olisin läimäyttänyt häntä. "Kyllä sillä on väliä", hän sanoo. "Olet liian nuori lakataksesi kiinnittämästä huomiota ulkonäköösi. Olet kaunis kuin kukka. Sinun pitäisi ottaa siitä kaikki ilo irti."

Ne päivät, kun olin kiinnostunut designervaatteista tai huippumuodista, ovat taakse jäänyttä elämää. Mitä väliä? Kuka minua täällä katselisi?

Kävelen kohti laivastonsinisiä toppatakkeja. Marilyn ryntää salamana päinvastaiseen suuntaan. Otan omaa kokoani olevan takin ja sovitan sitä. Se sopii täydellisesti. Se saa kelvata.

Marilyn kiiruhtaa takaisin. Hänellä on selvästi mielessään jotain muuta, sillä hän heiluttaa minua kohden auringonkeltaista untuvatakkia, joka on samanvärinen kuin hänen autonsa.

Hän nojaa vaaterekkiä vasten kylkeään pidellen. Luulen, että hän on juossut kaupan ympäri ennätysajassa. Hän tietää, ettei shoppailuinnostukseni kestä kauaa eikä toista tilaisuutta välttämättä tule.

"Tämä tässä", hän puuskuttaa. "Kokeilepa tätä."

Irvistän. "Keltainen ei ole minun värini", sanon, vaikka tiedän, että se on yksi Marilynin suosikkiväreistä.

”Tee siitä sinun värisi”, hän yllyttää.

”Ihan totta, tarvitsisin aurinkolasit käyttääkseni tätä.” Varjostan kädellä silmiäni tehostaakseni asian perillemenoa. ”Se polttaa reiät verkkokalvoihini.”

Koska en hievahdakaan, hän sysää takin syliini ja puuskahtaa: ”Edes minun mielikseni.”

Huokaisen syvään, riisun aivan mukiinmenevän tummansinisen takin ja puen sen tilalle vaatekappaleen, joka tuo mieleen Seesamtien Tipu Tilavan.

Jupisen vetäessäni takkia vaivalloisesti ylleni. Kun saan sen puettua, se tuntuu yllättävän pehmeältä ja miellyttävältä. Minun on pakko myöntää, että se istuu paremmin kuin sininen takki. Sen tyyli ja leikkaus pukevat minua. Mutta se väri.

”Se on ihana”, Marilyn sanoo. ”Pirtsakka. Katso nyt itseäsi peilistä.”

”En harrasta peilejä.”

”Sinulla on paljon asioita, joita ’et harrasta’, mutta joita sinun pitäisi harrastaa.” Hän tarttuu minua olkapäistä ja ohjaa minut peilin eteen.

Peilistä näkyy hyvin iloisen näköinen takki. Se on oikeastaan aika kiva. Keltainen heijastus saa kalpean ihoni hehkumaan. ”Minä näytän ihan banaanilta.”

”Etkä näytä.”

”Väri riitelee juuri ostamieni punaisten villavaatteiden kanssa.”

”Loistavaa”, Marilyn huudahtaa. ”Ota se.”

”Voisinko ottaa sittenkin sinisen?”

”Et”, hän ilmoittaa. ”Kun pidät keltaista takkia, sinulle alkaa tapahtua iloisia asioita. Ihmiset hymyilevät sinulle. Ja jos et jää liikaa miettimään, saatat hymyillä heille takaisin.”

En pääse ulos tästä kaupasta ilman sitä takkia. Tunnen Marilynin jo tarpeeksi hyvin tietääkseni sen. Huokaisen alistuneena ja sanon: ”No otetaan se sitten.”

Hän hymyilee minulle leveästi. ”Huomaatko, taika toimii jo?”

19

Palaamme Marilynin urheilulliselle autolle, jonka väri sointuu yhteen uuden takkini kanssa. Ei riitä, että tunnen itseni banaaniksi, tunnen itseni vaniljakastikekulhoon upotetuksi banaaniksi. Takki on kyllä kieltämättä mukavan lämmin.

”Lopeta tuo itsetyytyväinen virnuilu. Olet kuin kissa, joka on saanut nakkimakkaran”, sanon hänelle käyttäen hänen omia väännöksiään. ”Sait minut ostamaan räikeänvärisen takin. Et sen kummempaa.”

”Sillä tavalla sodatkin voitetaan.” Hän virnistää minulle. ”Yksi pieni voitto kerrallaan.”

Katson ikkunasta ja hymyilen.

”Parasta koko hommassa on kuluttaa toisten ihmisten rahoja. Olen *personal shopper*, laitan sen ansioluetteelooni”, hän sanoo jokseenkin voitonriemuisena.

Hän olisi varmasti vakuuttava siinä tehtävässä. En olisi voinut ikinä kuvitellakaan käyttäväni häntä tyyligurunani.

”Tule meille lounaalle”, hän ehdottaa, kun olemme taas tien päällä. ”Otan matkalla kyytiin kaksi lapsenlastani.”

Vaikka haluaisinkin kovasti nauttia lounaan Marilynin kanssa, minua ei huvita tavata lapsenlapsia. ”Minua väsyttää”, sanon hänelle. ”Haluan viettää hiljaisen iltapäivän. Mutta kiitos tarjouksesta. Arvostan sitä.”

Hän toruu minua taas. "Sitä ollaan niin hiljaisuuden perään, sitä ollaan niin erakkoa."

"Joku toinen kerta", vakuuttelen hänelle. Mutta ei vielä. Ei missään nimessä vielä.

Niinpä Marilyn polkaisee tallan pohjaan, ja saavumme hetkessä *Päivänpaisteen* eteen.

Hän kääntyy minuun päin. "Oletko varma, ettet halua sitä lounasta?"

"Kyllä. Kiitos kysymästä, pärjään kyllä." Vilkaisen häneen päin. "Sitä paitsi jääkappini pursuaa ruokaa."

Avaan oven.

"Pidäkin huoli, että viet tuon sievän uuden takkisi tänään ulos. Kävely tekisi sinullekin eetvarttia."

"Ehkä sitä voisi vähän ulkoiluttaa."

"Nähdään huomenna", Marilyn sanoo.

"Kiitoksia ostosreissusta. Se oli oikein ystävällistä sinulta."

Hän heilauttaa kättään. "Sitä vartenhan ystävät ovat olemassa."

Nousen autosta ja heilautan kättäni hyvästiksi Marilynin kaasuttaessa moottori ulvoen tiehensä.

Tiedän Marilynin tarkistavan tilanteen, joten syön hieman ruokaa täyteen ahdetusta jääkaapista, ja sitten päätän uhmata hänen neuvojaan ja lorvailla koko loppupäivän.

Selailen Billin kirjoja ja valitsen Tudor-suvun edesottamuksista kertovan historiallisen romaanin. Luen muutaman luvun, mutta kirja ei saa temmattua minua mukaansa, ja silmäni alkavat harhailla omille teilleen. Istun etukannella ja kurottaudun sivulle nähdäkseni, onko Ned kotona, mutta hän ei ole, ja hänen veistoksensa lojuu hylättynä laivan kannella. Pehmeä auringonvalo kasvoillani tuntuu rauhoittavalta, ja ilma on raikas ja virkistävä. Laitan kirjan sivuun ja katselen pieniä sieviä veneitä, jotka purjehtivat keikkuen satamaan ja sieltä ulos.

Alkaa olla pikkuhiljaa illallisen aika, ja kun aurinko laskee, palaan sisälle. Suljen kaihtimet suojautuakseni ulkona olevalta pimeydeltä ja alan katsella *Pointless*-visailuohjelmaa. Kun pääsen takaisin Lontooseen, tietoni maailman tapahtumista tulee olemaan nollassa, mutta suljen television ennen uutisia, sillä ne ovat aina liian masentavia. Harkitsen soittavani Billille ja Dellalle, mutta oikeastaan en halua jutella kummankaan kanssa. Billin kanssa alkaisin puhua heti työasioista, ja Della haluaa vain kaivella vanhoja. Sen sijaan lähetän Billille tekstiviestin ja kerron olevani kunnossa, ja lupaan itselleni ottaa yhteyttä Dellaan huomenna.

Marilyn lähettää viestin. *Muista syödä illallinen! M.* Jäljessä seuraa itkunauruhymiö, ranskanperunapussi, pääkallo, huulipuikko ja aurinkolasit.

Pudistan päätäni edelleen yhtä ymmälläni.

Istuudun keittiönpöydän ääreen ja syön lisää Marilynin jääkaappiin laittamia ruokia: tällä kertaa munakokkelia hapanleivällä, jonka päällä on paksu voikerros. Ruokavarastoni ei näytä vieläkään hupenemisen merkkejä.

Siivottuani jälkeni vilkaisen Nedin laivan suuntaan. Valot ovat päällä, ja näen hänen puuhastelevan keittiössä. Pakotan itseni katsomaan toisaalle, sillä naapurien vakoileminen on sopimatonta. Samassa valot kuitenkin sammuvat, ja hetken päästä kuulen oven paukahtavan. Ned kävelee laituria pitkin kitarakotelo olkapäälleen nostettuna. Vetäydyn taaksepäin, kun hän ohi kulkiessaan hidastelee ja vilkaisee *Päivänpaisteen* suuntaan. Hän päättää kuitenkin selvästi olla noutamatta minua, sillä hän jatkaa matkaansa kohti rantapolkua ja pubia.

Olin kokonaan unohtanut, että hän oli pyytänyt minua mukaansa, mutta olen nyt levoton ja kahden vaiheilla, enkä pysty rauhoittumaan. En voi jäädä tänne taas yksikseni. Mietin, mietin ja mietin. Minähän sekoan. Lasillinen viiniä voisi tehdä hyvää, mutta ei yksin juominen ole koskaan hauskaa, jos vaihtoehtona on lämmin pubi ja hyvää musiikkia. Osa minusta haluaisi tietää, millaisia kappaleita Nedin bändi soittaa. Veikkaan, että hän on myös taitava kitaristi. Sen perusteella, miltä hän näyttää, hänen on pakko olla.

Ennen kuin ehdin tulla toisiin ajatuksiin, vedän jalkaani farkut ja puen ylleni villapaidan. Sitten tartun kirkuvan keltaiseen takkiini, ja koska saappaani ovat vielä läpimärät, pistän jalkaani lenkkarit. Kiedon punaisen huivin kaulaani ja laitan sormikkaat käteeni. Kuten arvasin, keltaiseen takkiin yhdistettynä ne saavat aikaan hirvittävän riitasoinnun. Marilyn rakastaisi sitä.

Muutaman minuutin päästä astelen poispäin *Päivänpaisteesta*, tavoitteena päästä nauttimaan alkoholista ja hyvästä seurasta.

20

The Jolly Roger on aivan rannan tuntumassa, seuraavassa lahdelmassa olevan leveän hiekkakaistaleen toisessa päässä. En ole ollut sillä rannalla aiemmin, sillä se sijaitsee vastakkaisessa suunnassa Idan kahvilaan nähden, ja toistaiseksi kävelylenkkini ovat suuntautuneet aina kahvilaan päin.

Koska on pimeää, kävelen hiekkarannan sijasta tietä pitkin, mikä kestää hieman pitempään, mutta todennäköisyys päätyä taas mereen on sillä tavoin pienempi. Marilyn ei anna minulle ikinä anteeksi, jos pilaan tämänkin takin. Toivoin saavani vielä Nedin kiinni, mutta häntä ei näy enää.

Iltaa ei voi parhaalla tahdollakaan kuvata lämpimäksi, mutta Jolly Rogerin edessä lepattavien lippujen välissä seisoskelee suuri joukko säätä uhmaavia tupakoitsijoita. Heidän naurunsa kantautuu tuulen mukana merelle saakka. Pubi näyttää jonkinlaiselta merihenkiseltä teemapuistolta, jonka ympärille on viritelty monivärisiä koristevaloja. Sen edessä on fluoresoivalla maalilla maalattu laivan keulakuva, joka vaikuttaa hohtavan valoa pimeässä illassa, toisaalla taas kohdevalo on suunnattu teokseen, joka esittää köysiä pitkin kiipeävää merimiestä. Pihalla olevaan suureen soutuveneeseen on istutettu näyttäviä, värikkäitä kevätkukkia.

George seisoo asennossa sisäänkäynnin edessä. "Hei", hän huikkaa, rentoutuen minut nähdessään. "Hauska nähdä taas. Hieno takki. Se saa hyvälle tuulelle."

"Kiitos." Hän on varmaan mukana Marilynin juonessa. "Ja hyvää iltaa, George. Tuletko kuuntelemaan bändiä?"

"Minulle tulisi liian kuuma näissä vetimissä", hän osoittaa paksua steampunk-asuaan. "Ja meikin poistamiseen menee ikuisuus. Keikka olisi jo ohi siinä vaiheessa, kun minä olen valmis. Ehdin tienata vielä muutaman lantin ennen kuin päivä on pulkassa."

Hänen lippaansa näyttää olevan kerrankin täynnä.

"Haluaisin myös päästä kirjaprojektini pariin. Minulla on hyvä luku suunnitteilla."

"Miten kirjoitustyö on edistynyt?"

"Ihan hyvin", hän vastaa. "Se hyvä puoli patsaana olemisessa on, että minulla on aikaa ajatella, sillä minun ei tarvitse tehdä muuta kuin seistä liikkumattomana päivät pääksytysten. Saatan näyttää kivipaadelta, mutta pääni tekee töitä koko ajan."

Voin kertoa teille, ettei George näytä koskaan kivipaadelta. Näen hänet useammin liikkeessä kuin paikoillaan. "Millainen kirja se on?"

"Rakkausromaani", hän vastaa. "Tyttö kohtaa pojan. Poika kohtaa pojan. Tyttö kohtaa tytön. Se on aika moderni."

"Odotin, että sanoisit kirjoittavasi synkkää steampunk-dystopiaa."

"Voi, en." Hän pudistaa päätään. "Tämän kovan ulkokuoren alla sykkii hyvin tunteellinen sydän."

Se saa minut hymyilemään. "Ihan varmasti, George." Haluaisin tutustua paremmin maskin takana olevaan mieheen. Luulen, että me kaikki pidämme yllä jonkinlaista julkisivua, mutta George on siinä suhteessa ääritapaus. "Miten sinä oikein päädyit tähän hommaan?"

"Se on tylsä tarina. Halusin näyttelijäksi, mutta huomasin olevani aivan liian ujo. Kärsin lamaannuttavasta ramppikuumeesta. Voin pahoin, ja kaikki repliikit karkasivat mielestäni. Yritin sinnitellä jonkin aikaa, mutta koin tuottavani toisille pettymyksen, joten tämä työ vaikutti ihanteelliselta. Minulla on oma pieni show'ni, eikä yleisöllä ole aavistustakaan siitä, kuka minä olen. Saan olla täysin anonyymi."

"Olen myös kuullut sanottavan, että kaikki kirjailijat ovat turhautuneita näyttelijöitä."

"Ihanko totta? Sitä en ollutkaan kuullut. Sittenhän kirjoittaminen taitaa sopia minulle."

"Haluaisin lukea tekstisi, jos sinulla on olemassa siitä kopio. Veljeni kirjahyllyssä ei ole mitään järin innostavaa. Yritin uppoutua tänään Tudorien sukuhistoriaan."

Hän hymyilee minulle iloisesti, hampaat välkkyen pronssimaalin takana. "En ole vielä koskaan näyttänyt tekstejäni kenellekään", hän sanoo. "Minua vähän hirvittää. En tiedä, onko se mistään kotoisin. Oletko varma?"

"Eihän se ole liian siirappinen?"

"En usko."

"Eihän siinä ole petollisia aviomiehiä? En halua käyttää tuntikausia sellaisen lukemiseen, missä mies kutsuu leikillään kollegaansa 'työvaimokseen' ja lähtee lopulta tämän matkaan."

"Ei siinä ole mitään sen suuntaista", hän vakuuttaa minulle.

"Sitten lukisin sitä mielelläni. Jos siis sinulle sopii."

"Jätän sinulle siitä kopion kahvilaan." Hän kumartaa teatraaliseen tyyliin. "Hauskaa illanjatkoa."

"Kiitos." George palaa takaisin asentoonsa. Epäröin hetken; harkitsen kääntyväni ympäri ja ryntääväni takaisin

Päivänpaisteeseen, mutta sitten rohkaisen mieleni, kävelen terassin poikki ja astun pubin ovesta sisään.

21

Avatessani Jolly Rogerin oven vastaani vyöryy kovaääninen, vilkas puheensorina. Sisällä on mukavan lämmintä, ja baaritiskin ympärille on kerääntynyt joukko ihmisiä. Kesällä pubi olisi todennäköisesti täynnä turisteja, mutta tällä hetkellä se näyttää olevan paikallisten kantapaikka. Myös sisätiloissa on suosittu merellistä sisustusteemaa. Seinille on ripustettu laivojen ruoreja ja erilaisia pelastusrenkaita ja köysiä. Katosta roikkuu ylösalaisin käännettyjä soutuveneitä sekä kalaverkoissa käytettäviä värikkäitä lasipalloja, jotka näyttävät hienoilta koristeina mutta joiden alkuperäinen käyttötarkoitus on minulle epäselvä. Jokaista pöytää somistaa tunnelmallinen myrskylyhty, jonka sisällä palaa tekokynttilä. Ilmassa leijuu vastagrillattujen merenantimien tuoksu.

En ole ollut ikuisuuksiin sen kaltaisessa rehellisessä vanhanajan kapakassa. Siellä, missä minä asun, kaikki baarit ovat viimeisen päälle trendikkäitä, pyörryttävän kalliita ja usein täysin sieluttomia. Sitä paitsi en ole nauttinut pitkiin aikoihin minkäänlaisia alkoholijuomia, joten iso lasillinen viiniä tuntuu ajatuksena houkuttelevalta. Minun on tehnyt sitä mieli jo useita päiviä, mutta toistaiseksi olen vastustanut kiusausta. Nyt olisi ihanteellinen hetki langeta. Miksi ei? En enää piittaa, onko se minulle hyväksi vai ei.

Näen, että soittajat ovat kerääntyneet taaempana olevan pienen esiintymislavan liepeille, ja kävelen jännittyneenä heitä kohti. Ned ja Ida istuvat aivan lavan viereisessä pöydässä ja näyttävät viihtyvän keskenään hyvin. Heidän seurassaan olevat ihmiset ovat ilmeisesti muita bändin jäseniä ja heidän kumppaneitaan. Lähestyessäni heitä Ned nostaa katseensa ja huomaa minut. Olen helpottunut, sillä hänen kasvoilleen leviää hänelle tyypillinen leveä virnistys, ja hän viittilöi minua saapumaan pöytäänsä. Kuvittelenko vain, vai onko Idan hymy hieman väkinäinen hänen tervehtiessään minua?

"Hei", sanon kuulostaen hieman hengästyneeltä, osaksi kävelylenkkini, osaksi jännityksen vuoksi.

Ned vetää viereistä tuolia lähemmäksi. "Kiva, että pääsit", hän sanoo. "Luulin, ettet tulisi."

"Olin kahden vaiheilla", myönnän.

"Uusi takki?"

"Marilynin valinta", sanon nenääni nyrpistäen.

"Se on hieno." Ned katsoo takkia hyväksyvästi. "Väri sopii sinulle."

Jo toinen henkilö, jonka Marilyn on lahjonut lausumaan minulle kohteliaisuuksia.

"Vanha takkisi taisi mennä pilalle meidän ex tempore -kastautumisemme ansiosta?"

Ida vilkaisee Nediä kysyvästi. "Halusin näyttää Jodielle, miten voileipiä heitetään, mutta meri päätti toisin", Ned selittää. "Kastuimme molemmat oikein kunnolla."

Hänen ystävättärensä näyttää edelleen tyytymättömältä, ja päättelen hänen olevan aika mustasukkainen Nedistä. No, hänen ei tarvitse olla huolissaan minusta. "Se oli hauskaa, mutta vähän märempää kuin olin odottanut."

”Pyydän vielä kerran anteeksi”, Ned sanoo, tosin puoliksi nauraen.

”Siitäkin selvittiin”, sanon. ”Tosin en ole varma, voinko sanoa samaa takkini puolesta.”

Ned irvistää.

”Ennen kuin istun alas, voinko hakea jollekulle juotavaa?” kysyn.

Ida kohottaa lasiaan epäröimättä. ”Lasillinen punaviiniä, kiitos. Iso.”

”Entä muille?” Muut bändin jäsenet pudistavat päätään.

”Ei kiitos”, Ned sanoo ja näyttää, että hänellä on jo pullollinen olutta. ”Mutta anna minun käydä baaritiskillä. Minähän tässä olen velkaa sinulle. Olemme täällä töissä juomapalkalla ja yritämme pitää huolen siitä, että saamme kunnon korvauksen. Esittelen sinut kaikille heti kun tulen takaisin.” Noustuaan seisomaan hän ohjaa minut omalle tuolilleen, jonka otan kiitollisena vastaan. Paikassa alkaa olla tungosta ja istuimet näyttävät olevan kortilla.

Ned palaa nopeasti takaisin. Hän ojentaa Idalle tämän juoman, istuutuu sitten viereeni ja ojentaa minulle toisen lasin. Otan hyvän kulauksen viinistä, joka maistuu suussani taivaalliselta. Huokaisen tyytyväisenä.

”Maistuuko?” Ned kysyy. ”Toin jotain astetta parempaa kuin talonviiniä.”

”En ole juonut pitkään aikaan. Olin jo unohtanut, kuinka paljon tästä pidän.”

”Vieroituksessa?” Ned kysyy ilkikurinen pilke silmäkulmassaan.

Pudistan päätäni. ”Ei mitään sellaista.”

”Saanko esitellä sinulle seurueemme, vaikka et tule ikinä muistamaan heitä kaikkia.” Hän käy läpi bändin jäsenet sekä heidän vaimonsa tai tyttöystävänsä, ja yritän parhaani mukaan painaa nimet muistiini – mutta Ned on oikeassa, unohdan ne melkein saman tien. He kaikki nyökkäävät tai sanovat "hei".

"Millaista musiikkia te soitatte?"

"Enimmäkseen covereita", Ned sanoo. "Se pitää asiakkaat tyytyväisinä. Aina silloin tällöin bändimme orastavat biisinikkarit saavat väsättyä kasaan pari omaakin kipaletta. Mutta vaikka teemme parhaamme, ne eivät ole yhtä suosittuja. Porukka kuuntelee mieluummin George Ezraa ja Sam Smithiä kuin Rantapummeja."

"Rantapummeja?" Se saa minut kikattamaan.

"Hei, ei se ollut minun keksintöni. Olen uusi tulokas, olen soittanut bändissä vasta viisi vuotta. Voit syyttää Timiä surkeasta nimestä."

"Eiköhän aloiteta, pojat?" Puhuja on Jack. Muistaakseni.

Kaikki nyökkäävät, ja Ned sanoo: "Työt kutsuvat."

He vievät juomansa lavalle ja asettuvat paikoilleen. Ned soittaa bassokitaraa, mikä ei ole minulle mikään yllätys, sillä basistit tuntuvat olevat rentoja tyyppejä. Pienen alkulämmittelyn jälkeen he soittavat muutaman viimeisimmän listahitin – ei mitään tanssittavia kappaleita, vaan hitaampia sävelmiä. Olen jo puolivälissä lasiani, ja viini on tasoittanut pahimman jännitykseni. Ei sillä, että haluaisin hypätä pöydälle tanssimaan, mutta juoma tuntuu selvästi avaavan sellaisia solmuja, joita en tiennyt itsessäni olevan. Ned on loistava basisti – hän on siis hyvä siinäkin. Hänen sormensa näppäilevät kieliä ja liukuvat niitä pitkin rennosti ja vaivatta. Baarin meteli hiljenee, mikä on epätavallista, sillä nykyään ihmisillä on tapana puhua musiikkiesitysten päälle.

Ida huomaa, että katselen Nediä. "Hän on hyvä, eikö?"

"Loistava", vastaan.

"Hänestä olisi voinut tulla vaikka mitä", Ida sanoo. "Ellei hän ottaisi kaikkea niin helkkarin rennosti."

"Hän vaikuttaa olevan tyytyväinen elämäänsä", totean. Sitten, ehkä viinin rohkaisemana, päätän puhua suoraan. "Teillä vaikuttaa synkkaavan aika hyvin."

He myös näyttävät hyvältä yhdessä. Ida ja Ned saisivat kauniita lapsia. Minkä ikäinen Ida on? Ehkä kolmenkymmenenviiden? Kyllä joidenkin kelpaa. Hänellä on todennäköisesti vielä viisi vuotta aikaa hankkia lapsia ilman kalliita lääketieteellisiä hoitoja. Se on yksi niistä asioista, joita tavallisesti mietiskelen tavatessani muita naisia. Kuinka kauan heillä on aikaa perustaa perhe? Jos he haluavat lapsia, mikseivät he aloita heti, kun he vielä pystyvät siihen? Minä toimisin aivan eri tavalla, jos minulla vielä olisi aikaa. Mutta mikä minä olen muita neuvomaan?

"Näytätte siltä, että olisitte täydellinen pari. Miksi ette ole lyöttäytyneet yhteen?"

Idan silmät kapenevat. "Kyllä me olemmekin. Moneen kertaan vuosien saatossa."

"Ai." Myönnän, että yllätyn.

"Olen hänelle jonkinlainen oletusasetus. Kun ketään muuta ei ole saatavilla, hän kääntyy vanhan kunnon Idan puoleen."

Hän sanoo sen vitsinä, mutta kuulen taustalla piilevän katkeruuden. Olen ekspertti sillä alalla.

"Yksi asia, josta Ned ei pidä, on sitoutuminen", hän jatkaa aika kipakkaan sävyyn. "Ned on vaihtelunhaluinen. Hän on rakkaudessaan vapaamielinen, ja kun kesäkausi koittaa, valinnanmahdollisuuksia on liikaakin."

En tunne Nediä kovin hyvin, mutta minusta hän ei vaikuta miltään pelurilta. Vaikka toisaalta – kuten olette ehkä jo huomanneet – olen aika surkea arvioimaan miesten luonnetta. Luulin, että aviomieheni olisi vahva, luotettava ja uskollinen. En olisi voinut olla enää enempää väärässä.

"Hän on sydäntenmurskaaja", Ida sanoo. "Pidä se mielessäsi."

"Ei huolta sillä rintamalla. En halua sitoutua kehenkään. Olen saanut tarpeekseni kaikenlaisista suhteista."

"Oletko joutunut petetyksi?"

"No kyllä." Viini saa minut selvästi puhumaan sivu suuni.

"Ja sekö sai sinut matkaamaan tänne?"

Ida katsoo minua odottavasti, janoten lisää mehukkaita yksityiskohtia, mutta hänen ei tarvitse tietää enempää. Kenenkään ei tarvitse.

"Se on pitkä tarina", sanon, ja keskitän huomioni bändiin.

22

Bändi soittaa noin puoli tuntia ja pitää sitten tauon. Ned liittyy seuraamme muiden rynnätessä baaritiskille. Siirrän tuoleja niin, että hän istuu lähempänä Idaa kuin minua.

”Se oli mahtavaa”, sanon hänelle.

”Pidän soittamisesta”, Ned ottaa kulauksen oluestaan. ”Aloitin jo teini-ikäisenä.”

”Vain koska ajattelit saavasi muusikkona enemmän tyttöjä”, Ida letkauttaa.

Ned nauraa. ”Tavallaan se toimi. Ainakin vähän aikaa.”

Ida tuhahtaa epäuskoisena.

”Jos jatkat tuota, taitaa olla parempi, että siirryn baaritiskille”, Ned sanoo hänelle. Sitten hän kysyy minulta: ”Otatko lisää viiniä?”

”Kyllä, kiitos.” Vaikka ehkä minun ei pitäisi. Pitkän tipattoman kauden jälkeen minun olisi järkevää aloittaa varovasti, mutta viini maistuu niin hyvältä, ja oloni on rennompi kuin aikoihin.

”Entä sinulle, Ida?”

”Ainahan minulle maistuu.”

”Tuletko laulamaan toiseen settiimme?”

”Perhana vieköön”, Ida tokaisee. ”Pitihän tämä arvata. Älä viitsi, Ned. Enhän minä ole harjoitellut teidän kanssanne maailman aikoihin.”

”Nämä ovat vanhoja tuttuja biisejä”, Ned vakuuttaa. ”Pystyt vetämään ne lonkalta. Niin kuin aina.”

”Pitää miettiä.” Ida rypistää otsaansa.

”Saat noin viisitoista minuuttia. Laulat vain muutaman kipaleen kanssamme. Bändin pojat tykkäisivät. Sopisivatko alkajaisiksi ’Beyond the Sea’ ja ’Love is Easy’?”

Minusta näyttää, että Ida vain esittää vastahakoista.

”Entä ’Time after Time’?” Ned ehdottaa. ”Sinähän pidät Cindy Lauperista.”

”Se saa minut aina itkemään”, Ida sanoo.

”Haen meille juotavaa sillä aikaa, kun sinä mietit.” Ned nyökkää baaritiskille päin.

Käännyn Idaan päin. ”En tiennytkään, että olet laulaja.”

”En ole laulanut paljoakaan viime aikoina”, hän kertoo minulle. ”Mutta muutama vuosi sitten kuuluin bändiin. Esiinnyimme häissä ja muissa juhlissa sekä pubeissa eri puolilla saarta. Sitten Nedille ja minulle tuli ’hankala’ vaihe, enkä pystynyt enää olemaan mukana. Oli raskasta katsoa vierestä, kun hän lähti keikkojen jälkeen kotiin aina eri naisen kanssa.” Ida odotti minulta jonkinlaista reaktiota, mutta en sanonut mitään. ”Nykyään laulan enimmäkseen vain suihkussa. Tosin aina silloin tällöin Ned saa suostuteltua minut takaisin.”

”Mitä aiot tehdä tänä iltana?”

Ida kohauttaa olkiaan. ”En tiedä. Minun pitäisi harjoitella ensin. Olen pahasti ruosteessa.”

”Olisi kiva kuulla, kun laulat. Ihailen aina sellaisia ihmisiä, jotka osaavat soittaa tai laulaa. Itsekin haluaisin, mutta ei minusta kerta kaikkiaan ole siihen.”

En tiedä, oliko minun puheillani mitään vaikutusta, mutta kun tauko on ohi, Ida astuu bändin kanssa lavalle. Hän tekee oman show'nsa siitä, kun hänet kiskotaan mikrofonin eteen ja ihailijat alkavat osoittaa suosiotaan. Ida on selvästi hyvin pidetty täällä. Hän laulaa Nedin ehdottamat kappaleet, ja vaikka en ole mikään asiantuntija, hänen äänensä kuulostaa minusta todella kauniilta. Yleisö taputtaa ja viheltää niin kovaa, että Idan on pakko laulaa pari kappaletta lisää. On sääli, ettei hän enää kuuluu bändiin, sillä olisin valmis maksamaan siitä hyvästä, että saisin kuulla hänen lauluaan.

Ida tulee alas lavalta. Hänen kasvonsa punoittavat ja hän käy hieman ylikierroksilla. Luulen, että hän nautti esiintymisestä, vaikka olikin ensin hieman vastahakoinen. Kun bändi jatkaa soittoaan, haen meille lisää viiniä, ja kilistelemme lasejamme.

"Kippistä sinulle", sanon. "Ja lisää keikkoja Rantapummien kanssa."

Ida nauraa ja sanoo: "En tiedä, huolivatko he minua enää takaisin." Minusta tuntuu, että Ida suhtautuu minuun jo myönteisemmin, ainakin vähän.

Ilta on ohi liian nopeasti. Pubin isäntä ilmoittaa tarjoilun päättyvän, ja bändi soittaa loppulaulun. Sählään pukiessani takkia ylleni, sillä sormeni eivät toimi kunnolla. Bändi laittaa kasaan tavaransa.

Kun olen lähdössä, Ned hyppää alas lavalta. "Jos maltat odottaa pari minuuttia, niin voimme kävellä kotiin yhdessä, Jodie. Ulkona on pimeää, eikä sinun pitäisi kulkea yksin."

"Okei." Myönnän, ettei minua huvita lähteä matkaan yksin, sillä huomaan yllätyksekseni jalkojeni tuntuvan hieman huterilta. En kuitenkaan tiedä, olisiko Ned lähtenyt mieluummin Idan seurassa.

Ned laittaa bassonsa koteloon ja suutelee Idaa poskelle samaan aikaan kun minä odottelen taaempana. Huomaan Idan pälyilevän huolestuneena Nedin ja minun suuntaan. Hän on selvästi vielä täysin rakastunut Nediin. Mutta tunne ei ilmeisestikään ole molemminpuolinen.

”Sitten suorinta tietä kotiin, te kaksi.” Idan sanojen takaa kuultaa katkeruus.

”Kyllä, äiti”, Ned sanoo.

En haluaisi jättää Idaa sillä tavoin yksikseen, mutta toisaalta koen, ettei asia kuulu minulle. Juuri kun olen pyytämäisilläni Idaa mukaan, Ned tarttuu minua käsivarresta ja ohjaa minut muutaman jäljelle jääneen asiakkaan ohitse ulos pubista. Raittiissa ulkoilmassa humalani tuntuu vahvempana kuin istuessani sisällä lämpimässä. Sievät koristevalot kieppuvat silmissäni.

”Hupsista”, sanon. ”Tuo viini kihahti tosissaan päähän.”

”Ajattelin kävellä tietä pitkin”, Ned sanoo, ”mutta voimme myös oikaista rannan kautta. Se on nopeampi reitti. Eihän sinulla ole korkokenkiä?”

”Ei.” Näytän hänelle käytännöllisiä jalkineitani, mutta yhdellä jalalla seisominen on minulle hankalaa. Olen vähällä horjahtaa kumoon, mikä saa minut kikattamaan kippurassa.

”Tuo ei näytä hyvältä”, Ned nauraa ja ottaa minusta kiinni. ”Voin soittaa taksin. Pääsemme kotiin tuossa tuokiossa.”

”Kuutamokävely rannalla kuulostaa ihanalta.” Olen tarpeeksi skarppina huomatakseni, että on täysikuu, ja taivas loistaa ihmeen valoisana. Hopeareunaiset pilvet kulkevat kuun loistavien kasvojen yli.

”Muistutan sinua vielä siitä, että emme ole Karibialla. Rannalla on kylmä.”

”Jos sinä pärjäät, niin pärjään kyllä minäkin.” Kuulostan rohkealta, riehakkaalta. ”Sitä paitsi raitis ilma saattaa selvittää pääni – en ole oikein tottunut vahvoihin juomiin.”

”No, mennään sitten.” Kävelemme yhdessä pubin terassin poikki ja laskeudumme portaita pitkin rannalle. Ned pitää huolen, että harhateille pyrkivät jalkani löytävät jokaisen askelman.

23

Päässäni pyörii, ja kehoni on miellyttävän turta. ”Se viimeinen lasillinen oli minulle liikaa.” Ehkä myös sitä edeltävä olisi pitänyt jättää väliin.

”Sinulla näytti olevan hauskaa.”

”Hauskempaa kuin arvasinkaan.” Sitten tunnen, miten kurkkuani kuristaa taas ikävä tunne. ”En enää oikein hallitse seuraelämän kiemuroita.”

”Katsotaan, voimmeko tehdä sille jotain. Ida näyttää pitävän sinusta. Se ei ole ollenkaan itsestään selvää. Hän tuntuu tulevan paremmin toimeen miesten kuin naisten kanssa.”

”Hän on kipakka”, sanon. ”Pippurinen. Ihailen häntä.”

Portaiden loputtua astun hiekalle, ja käveleminen muuttuu humalatilani vuoksi heti paljon hankalammaksi. Minusta se on, tietenkin, vain huvittavaa.

Ned on valmiina tukemaan minua, kun alan taas hoiperrella. ”Ja tämäkö se oli se hyvä idea”, hän kysyy, mikä saa minut taas kikattamaan.

”Siitä on aikaa, kun olen viimeksi ollut rannalla yöaikaan.”

”Tämä on mukavampaa keskikesällä”, Ned sanoo. ”Nuotion äärellä kylmän oluen kera.”

”Se on varmaan ihanaa. Eihän sitä tiedä, vaikka olisin täällä vielä kesälläkin.” Taidan shanoa *keshällä*. Joku täällä on alkanut sammaltaa. Sitten mietin, voisinko todella olla täällä kesällä. En ehkä palaa enää Lontooseen. Täällä voisi olla minun uusi kotini. Olen ollut saarella vasta hetken, ja silti kaikki tuntuu niin ter... tera.. teraperttisen hyvältä.

Kun lähdemme ylittämään märkää hiekkaa, Ned vetää minut lähemmäksi. Hänen kätensä ympärilläni tuntuu tavattoman hyvältä. Kukaan ei ole koskettanut minua sillä tavoin pitkään aikaan, ja huomaan kaivanneeni sitä. Painaudun häntä vasten ja tunnen hänen kehonsa lämmön. Kävelemme muutaman askelen, mutta sitten minulle tule pakottava tarve asettua lepäämään hiekalle, vaikka Ned tekee parhaansa pitääkseen minut pystyssä.

Ehkä hän vaistoaa haluttomuuteni kävellä, sillä hän sanoo: "Olet tuhonnut tänään jo yhden takin. Pidän huolen, ettet päädy mereen täysissä pukeissa enää toista kertaa saman päivän aikana."

"Olen väsyneempi kuin luulin", myönnän.

"Sillä nimelläkö me sitä nyt kutsumme?" hän nauraa. "Että *väsynyt*?"

Hän höllentää otettaan minusta, ja valahdan tahtomattani polvilleni. Märkä hiekka tuntuu kylmältä farkkujeni polvien läpi, ja tunnen kosteuden läpäisevän kankaan. "Olisi tosi kivaa rakentaa hiekkalinna", sanon hänelle nelinkontin. "En ole tehnyt sellaista pitkiin aikoihin."

"Oletko varma?" hän kysyy. "Vai olisiko parempi, että saattaisin sinut mukavan lämpimään asuntolaivaasi?"

"Ei kun hiekkalinna", intän. "Sellainen, joka sopii keijukaisprinsessalle."

Hän pudistaa päätään ja pudottautuu viereeni hiekalle. "Kuinka ollakaan, satun olemaan mestari hiekkalinnojen rakentamisessa", hän kerskuu. "Käännyit juuri oikean henkilön puoleen. Keijukaisprinsessojen hiekkalinnat ovat erikoisalaani."

"Oikeastiko?" Se tekee minuun vaikutuksen, ja ihmettelen hetken, mistä Ned on hankkinut sellaisen pätevyyden.

"Selvä. Ala kaivaa, hiekkalinnaorja", Ned ohjeistaa, "muuten olemme täällä vielä aamunkoitteessa."

"Ei minulla olisi mitään sitä vastaan." Eikö se olisikin parempi kuin se, että pyöriskelisin valveilla koko yön? "Meillä ei ole täällä mitään, millä kaivaa. Meidän olisi pitänyt ottaa juomalasimme mukaan pubista."

"Odota tässä. Älä lähde minnekään." Ned osoittaa minua sormellaan hyvin vaativan näköisenä.

"Ei tulisi mieleenkään." En ole edes varma, pystyisinkö.

Ned pinkaisee takaisin pubiin ja palaa hetken päästä takaisin mukanaan kaksi suurta olutlasia. "He eivät olleet vielä siivonneet tupakkanurkkausta. Mutta mitä tahansa teetkin, älä taputtele näitä liian kovasti. En haluaisi tehdä retkeä ensiapupoliklinikalle."

"En taputtele liian kovasti", toistan.

"Tai ehkä on parempi, että sinä vain täytät ne hiekalla, ja minä hoidan taputtelun."

"Minä en taputtele", myötäilen.

Joten sillä aikaa, kun Ned kokoaa eteensä hiekkakasan, minä alan kauhoa olutlaseihin pehmeää, kosteaa hiekkaa. Rakeinen hiekka tuntuu mukavalta sormissa. Ojennan täytetyt lasit Nedille, joka taputtelee hiekan tiiviiksi parhaan kykynsä mukaan, ja kumoaa sitten lasit rannalle. Tuloksena on täydellisiä, tasaisia hiekkakakkuja. Minä olen kauhomiskone ja Ned taputtelunero, ja pian meillä on hiekkakasan ympärillä täydellinen hiekkakakkukehä. Nojaan taaksepäin ihaillakseni työmme jälkeä. "Tämähän alkaa näyttää hienolta."

”Luksuslukaali vaativaan makuun”, Ned toteaa. ”Nyt seuraa työn hankalin vaihe.”

Odotan henkeäni pidätellen, mikä se on.

”Nyt meidän on kasattava kakkuja kehään kumpareen päälle. Ojennan hänelle seuraavan lasin, ja hän muodostaa rakennelmaan pienen tasanteen, jolle kumoaa lasin. Katselen lumoutuneena, miten hiekkakakku liukuu ulos lasista ja muuttuu osaksi edessäni muodostuvaa linnaa.

”Näyttää hienolta”, henkäisen.

Ned virnistää minulle pimeässä.

Taputan käsiäni ja sanon: ”Loistavaa. Vauhtia. Vauhtia.”

Täytän lasit ja odotellessani niiden tyhjentymistä alan kaivaa suurta kuoppaa, josta tulee vallihauta. Pitäähän satulinnassa vallihauta olla. Tunnen viileän tuulen kasvoillani, mutta minua ei palele. Ehkä viinillä on osuutta asiaan, mutta tunnen hehkuvani sisältäpäin.

”Sitten viimeinen osa”, Ned sanoo. ”Haluatko sinä asettaa sen?”

Nostan katseeni ja näen edessäni upean rakennelman. Rannalle kasatun keskuskumpareen ympärillä seisoo kehässä hiekkakakkuja, jotka kannattelevat taas uusia ja uusia hiekkakakkuja. Rakennelma kohoaa spiraalimaisesti ylöspäin. Huipulta puuttuu vain sen viimeinen osa.

”Laita sinä se”, sanon Nedille. ”En halua pilata linnaa.” Niinpä Ned kumoaa lasin varovasti mutta määrätietoisesti.

Hiekkakakku asettuu ylväästi rakennelman huipulle. Ned silmäilee sitä arvioiden. ”Yksi juttu puuttuu. Meillä ei ole lippua, vaikka linna kyllä ehdottomasti ansaitsisi sellaisen.”

”Se on upea.” Olen todella vaikuttunut. ”Saimmeko me todella aikaan tuon?” En tiedä, kuinka kauan olemme olleet rannalla, mutta olen nauttinut joka minuutista. ”Huomaan kyllä, että olet rakentanut näitä aikaisemminkin.”

”Jep”, Ned myöntää. ”Mutta en pitkään aikaan. Palveluksiani ei enää tarvita.” Hänen kasvonsa venähtävät hetkeksi, ja hän näyttää hirveän surulliselta. Tiedän, miltä hänestä tuntuu. Jokaisessa haavekuvassa, jonka olen kätkenyt mieleni perukoille tulevasta perheestäni, rakennetaan hiekkalinnoja. Eivätkö kaikki perheet halua tehdä joskus jotain sellaista, olla onnellisia, huolista vapaita ja telmiä lastensa kanssa rannalla? Sysään ajatuksen mielestäni. Nyt ei ole sen aika.

”Olet minun hiekkalinnasankarini”, sanon hänelle.

”Linna tarvitsee vielä kauniin prinsessan”, Ned huomauttaa. ”Suostutko vapaaehtoiseksi?”

”Ota minusta kuva sen edessä”, ehdotan. ”Kuinka kauan linna kestää?”

”Se on todennäköisesti jo huomenna poissa.”

”Voi miten surullista.”

”Tämä on taikuutta”, Ned muistuttaa minua. ”Eikä taika kestä koskaan ikuisesti.”

Yritän nousta seisomaan, mutta se on vaikeampaa kuin arvaankaan. Polvissani ja takamuksessani on märät läikät.

”Annas kun autan, prinsessa Ruusunen.” Ned kiskoo minut ylös. Horjahtelen vielä, mutta en niin pahasti kuin aikaisemmin. Ned pitää minusta kiinni, kunnes löydän tasapainoni. Yhtäkkiä en enää koekaan olevani niin humalassa, ja olen tietoisempi siitä, kuinka lähellä minua hän on. Hän tuoksuu makealta oluelta, puunpihkalta ja mereltä. Minun tekisi hirveästi mieli painaa pääni hänen rintaansa vasten.

”Kas niin”, hän sanoo. ”Varovasti.”

Hoipun Nedin avustamana hiekkalinnan luo. Se näyttää kuunvalossa korkealta ja komealta, enkä voi uskoa, että se on meidän aikaansaannostamme. Se on niin hieno, että minua ihan itkettää. Itse asiassa taidan pian tehdäkin niin.

"Anna minulle puhelimesi, niin otan kuvan." Teen työtä käskettyä ja hymyilen reippaasti Nedin näpätessä kuvia. Sitten hän ottaa meistä molemmista selfien. Hän ojentaa puhelimen minulle takaisin. "Ne saattavat olla hieman tummia."

"Ainakin saimme tämän ikuistettua." Kuten Ned sanoi, linna olisi jo huomenna poissa. Kukaan ei saisi koskaan tietää, että se oli ollut täällä. Jäljelle jää vain valokuva, joka on niin tumma, ettei linnan eteerinen kauneus pääse siinä oikeuksiinsa.

"Nyt on parasta lähteä kotiin", Ned sanoo. "Aurinko nousee kohta."

Luulen, että hän vitsailee, mutta ehkä olemme olleet siellä koko yön. Sitten minut valtaa sellainen uupumus, että pystyn tuskin liikkumaan.

"Tulehan jo, prinsessa." En vastustele, kun hän nostaa minut ilmaan ja heittää olkapäälleen kevyesti kuin höyhenen. Hän on ilmeisesti tottunut nostelemaan raskaita tukkeja.

"Minä *olen* prinsessa", sanon roikkuen pää alaspäin Nedin olkapäällä. "Jolla on oma linnakin."

"Niinhän sinä oletkin."

Joskin hieman sammalteleva, päihtynyt, itkuinen prinsessa.

Sitten hän siirtää minua hieman parantaakseen omaa asentoaan ja lähtee tarpomaan rannan poikki. Minua kannetaan kuin perunasäkkiä, mutta suostun miellyttävään nöyryytykseen. Olen vain iloinen, ettei minun tarvitse kävellä. Lepuutan itseäni Nedin selkää vasten ja suljen silmäni. Kun hän kantaa minua *Päivänpaistetta* kohti, hänen vahvat käsivartensa pitelevät minusta tiukasti kiinni, ja taidan pitää siitä ihan pikkuisen liikaa.

24

Aurinko alkaa nousta, kun Ned laskee minut varovasti *Päivänpaisteen* oven eteen. Taivas muuttuu sitruunankeltaiseksi ja vaaleanpunaiseksi ja karkottaa yön tiehensä.

”Varovasti”, hän sanoo laskiessaan minut jaloilleni.

Etsin taskusta avaintani, ja kun melkein pudotan sen, Ned ottaa sen kädestäni ja avaa oven. Alkaessani kiitellä häntä hienosta illasta horjahdan hieman. En tiedä, olenko yhä humalassa vai olenko nyt pelkästään väsynyt. Ned ottaa minusta kiinni, ja hänen otteensa tuntuu vahvalta, kykenevältä. Haluaisin kääntyä ja syleillä häntä. Haluaisin, että hän silittäisi hiuksiani ja kertoisi kaiken olevan hyvin. Nedin kanssa voisin jopa vähitellen uskoa sen olevan totta.

Ajatellessani näitä Ned kysyy: ”Laitanko vedenkeittimen päälle?”

”Kyllä, kyllä. Mikä ettei.” Astun kauemmaksi hänestä. Ned varmistaa, että pysyn pystyssä, ennen kuin kävelee ohitseni keittiöön. Sytytän eteisen valon, ja sen kirkkaus käy silmiini.

Istahdan naulakon alla olevalle penkille. Riisun lenkkarini. Olen niin uuvuksissa, että voisin asettua pitkäkseni ja nukahtaa siihen paikkaan, mutta siirryn keittiöön silmiäni siristellen.

”Piparminttuteetä”, Ned sanoo. ”Ajattelin, että se tekisi nyt hyvää.”

”Ihanaa.” Otan mukin häneltä, ja sormemme koskettavat toisiaan. Kumpikaan ei vetäydy kauemmaksi.

Ned vetää syvään henkeä. ”Sinusta näkee, että työstät nyt jonkinlaista kipukohtaa”, hän sanoo pehmeästi. ”Vaistoan sieluusi kätkeytyvän surun.”

Se saa minut lähes romahtamaan. Olen väsynyt, eikä itkukaan ole kaukana. ”Olen kunnossa, ihan totta”, vakuutan hänelle. Mutta huomaan, ettei se mene läpi.

”Pärjäätkö täällä yksiksesi?” hän kysyy. ”Voin aina ottaa torkut sohvallasi.”

”Ei, ei. Ei sinun tarvitse. Olen kunnossa.”

Hän hymyilee surullisena. ”Sitähän sinä koko ajan toistat.”

”Tosin luulen, etten ole ollut näin hiprakassa sitten opiskeluaikojen”, myönnän. ”Toivottavasti en ole tehnyt itsestäni ihan pelleä.”

Nyt on Nedin vuoro sanoa: ”Ei, et ollenkaan. Tämä on ollut hauskaa. En ole rakentanut pitkään aikaan hiekkalinnaa.”

”Olet siinä tosi taitava.”

Se saa Nedin hymyilemään taas, ja huomaan, kuinka kovasti kaipaan sitä. Hänellä on vastustamattoman suloiset hymykuopat. Hän ottaa askelen minua kohti, ja juuri kun ajattelen hänen ehkä suutelevan minua, hän antaakin minulle vain hädin tuskin havaittavan poskisuudelman.

”Hyvää yötä”, hän sanoo. ”Vaikka ei siitä kyllä enää paljoa ole jäljellä.”

”Niinpä. Kiitos vielä sinulle.”

Seuraan häntä ovelle, ja kierrän avainta lukossa, kun hän on lähtenyt. Sitten sammutan valot ja palaan keittiöön. Sammutan valot sieltäkin ja huokaisen pimeässä. Mielessäni myllertää. En ansaitse olla onnellinen, mutta miksi minusta tuntuu tältä?

Istun aamuhämärässä keittiönpöydän ääressä ja katselen, kun Ned sytyttää keittiössään lampun ja alkaa puuhata jotain tiskipöydän ääressä. Hän keittää itselleen ilmeisesti teetä. Kunpa hän olisi viipynyt täällä hieman pitempään. Pidän Nedistä. Paljon. Hän vaikuttaa niin avoimelta ja luotettavalta. Hänelle voisi hyvin kertoa salaisuuksia. En usko, että hän voisi pettää vaimoaan. Uskotteko te?

Lopulta hänen laivansa pimenee, ja päätän, että minunkin on aika painua pehkuihin. Satama näyttää värikkäältä lisääntyvässä valossa, ja katselen hetken meren tummaa varjoa ikkunasta. Annan ajatusteni virrata vapaasti. Ne pyörähtelevät päässäni sinne tänne, mutta en saa niistä kunnon otetta.

Siirryn alakertaan ja riisun farkkuni ja villapaitani, hypähdellen samalla ympäriinsä pitkin lattiaa. Koska oloni on aika lailla hutera, rojahdan tyytyväisenä sänkyyn ja käperryn lohduttavan untuvatäkin alle. Ennen nukahtamistani kuvittelen hetken aikaa, että täkin sijasta ympärilläni ovatkin Nedin kädet.

25

Vaivuin syvään uneen ilmeisesti nanosekunnissa, sillä herään vasta siinä vaiheessa, kun kuulen Marilynin sulosointuisen äänen huikkaavan: ”Hu-huu!”

”Voi luoja”, mutisen itsekseni.

Avattuani silmäni kirkas valo polttaa pupillejani ja siristelen silmiäni. Edellisillan viinitankkaus ei tehnyt minulle hyvää, kai minun olisi pitänyt jo tähän ikään mennessä se arvata. Päässäni rymistelee katupora ja vatsassani pyörii pyykkikone. Silmämunani tuntuvat paisuneen kaksinkertaisiksi ja kasvoni vaikuttavat uineen kuolalammikossa.

”Vieläkö sinä olet sängyssä, kulta?” Marilyn huutaa. ”Tuonko sinulle teetä? Tai kahvia?”

Kompuroin ylös sängystä ja laahustan ovelle. ”Olen jalkeilla muutamassa minuutissa”, onnistun huikkaamaan, vaikka suuni tuntuu olevan täynnä linnunsiemeniä.

Minulla ei ole koskaan omaa rauhaa, nyt kun Marilyn on kanssani. Hoipertelen suihkuun. Nojaan seinään ja annan kuuman vesisuihkun piiskata ihoani. Ehkä se tekee oloni paremmaksi. En ole varma.

Eilen lattialle riisumani farkut ovat hiekan peitossa, samoin makuuhuoneen matto. Marilyn ilahtuu huomatessaan, että hänellä on tänään jotain tekemistä. Muistan, miten Ned ja minä rakensimme eilen hiekkalinnaa, ja hymyilen itsekseni. Pieneksi hetkeksi saatoin unohtaa kaikki murheeni. Katson kuvaa, jonka hän otti meistä rannalla, ja hymyilen taas.

Puen ylleni puhtaammat farkkuni ja kerään lattialta edellisillan vaatteet hiekkoineen ja vien ne pyykkikoriin. Valmistaudun ottamaan vastaan herpaantumattoman pirteän Marilynin.

"Hei, muru", hän sanoo astuessani keittiöön. Hyvin kovaan ääneen. Hän on jo tekemässä jotain joutavanpäiväistä pölyrätin kanssa. Hän keskeyttää työnsä ja tarkastelee minua arvioiden. "Sanoisin, että päissään kuin kukko."

"Taisin tosiaan ottaa eilen pari ylimääräistä", myönnän.

"Tyttäreni sanoi, että viivyit eilen myöhään pubissa. Nedin kanssa." Marilyn nyökkää tietävän näköisenä.

On selvää, että pienessä yhteisössä sekä hyvät että huonot uutiset leviävät nopeasti. Huomasikohan joku, kun Ned ja minä suuntasimme rantaa kohti? Ja että olimme siellä vielä aamunkoitteessa? Tai nähtiinkö Nedin poistuvan *Päivänpaisteesta* auringon noustessa? Se pistäisi taatusti juorut liikkeelle. Olen jo huomannut, että täällä kaikki tietävät toistensa asiat. Odottakaahan, kun Marilyn näkee hiekat makuuhuoneen lattialla.

"Unohdin, että tyttäresi on pubissa töissä", myönnän. "Olisin tervehtinyt häntä. Siellä on hieno tunnelma."

"Yritän tavallisesti ehtiä sinne itsekin silloin, kun tarjolla on elävää musiikkia. Mutta minun piti vahtia lapsenlastani."

"Missasit hyvän illan."

"Joskus toiste sitten", Marilyn sanoo. "Tulen varmasti. Se on saletti. Joskus on hyvä päästä vähän grillailemaan."

"Chillailemaan", kähisen hänelle. "On hyvä päästä *chillailemaan.*

”No sitäkin”, Marilyn vastaa. ”Maistuisiko pieni aamupala?”

”Ei. Ei kiitos mitään tällä kertaa.” Sitten lisään: ”Voisitko mitenkään puhua vähän hiljempaa? Ihan vain pikkuisen?”

”Tietysti. Anteeksi.” Marilyn pyörittelee silmiään. ”Olen tällainen kailottaja. Kaikki sanovat samaa. Se johtuu siitä, kun minulla on niin monta lasta. On pakko huutaa, että saa äänensä kuuluville.” Mutta hän jatkaa entiseen malliin, yhtä kovaäänisenä kuin aikaisemminkin. ”Tulin vähän myöhemmin siltä varalta, että haluaisit nukkua pitempään. Laitanko kahvia tulemaan?”

”Kyllä. Tarvitsen kolme kuppia. Mustaa ja vahvaa.” Pari särkylääkettäkin tekisi terää. Silmieni takana tuntuu sykkivä kipu.

”Krapulalääkettä”, Marilyn sanoo myötätuntoisena.

”Niinpä.”

Mutta ovelle koputetaan, ennen kuin hän saa keitettyä kahvin.

”Minä menen”, Marilyn sanoo ja kiirehtii ulos huoneesta. Kun hän palaa, hän on yhtä höpsöä hymyä. ”Sait vieraita”, hän ilmoittaa.

Hänen takanaan seisoo Ned, joka näyttää väsyneeltä ja pöhöttyneeltä, eli todennäköisesti samalta kuin minä.

”Rankka ilta?” kysyn.

”Minäkin taisin ottaa vähän liikaa”, hän myöntää. ”Toin sinulle aamiaista.” Hän ojentaa minulle ruskean paperipussin ja termospullon. ”Kokojyvä-hedelmäbageli ja Virgin Mary. Vodka ei tuntunut oikein hyvältä ajatukselta.”

”Hyvin päätelty.”

”Tuntui vain, että tämä on paras tapa pyytää anteeksi sitä, että valvotin sinua niin pitkään.”

”Ei sinun tarvitse pyydellä anteeksi. Nautin joka minuutista.” Sitten huomaan, että Marilyn seisoo yhä vieressäni, ja varon sanojani.

"Olen menossa rannalle joogaamaan ja ajattelin, että ehkä sinä haluaisit lähteä mukaan. Päivä on kaunis."

Minusta tuntuu, että auringonvalolle altistuminen kärventäisi minut kuoliaaksi kuin vampyyrin. "En oikein tiedä..."

"Se tekee sinulle hyvää", Marilyn heittää väliin. "Se on loistava idea. Haukkaat vähän raitista ilmaa, niin saat karistettua nuo hämähäkinseitit yltäsi."

"Luulen, että minun olisi parempi..."

Marilyn patistelee minut ylös. "Pistät nyt sen sievän keltaisen takin päällesi. Se tulee tarpeeseen. Aurinko on petollinen."

"Minä... ööh..." Minut työnnetään muitta mutkitta ulos keittiöstä, ja joudun ilmeisesti unohtamaan kahvini. Näen Nedin pidättelevän nauruaan. Hän ojentaa minulle takkini, ja koska vastustelusta ei ole hyötyä, puen sen ylleni.

"Nähdään myöhemmin", Marilyn livertelee. "Ei mitään kiirettä." Hän on pyyhkivinään pölyjä, mutta pitää samalla silmällä meitä kumpaakin.

Seuraan Nediä ovelle. "Sinusta ei ole sitten mitään apua", sanon hänelle, kun olemme poissa kuuloetäisyydeltä.

"Marilyn on kyllä oikeilla jäljillä", Ned sanoo minulle. "Raitis ilma tekee sinulle hyvää."

"Kaikki äkkinäiset liikkeet saavat minut voimaan pahoin. En ole varma, onko jooga nyt hyvä idea. Sinä olet paljon kovakuntoisempi kuin minä."

Ned nauraa. "Etsin mukavan kiven, jolla voit istuskella tuulensuojassa ja katsella, kun minä teen työt."

26

Kun saavumme rannalle, Ned tekee juuri niin kuin lupasi. Hän etsii minulle tasaisen, suojaisassa paikassa olevan kiven. Koska se on nousuveden jäljiltä hieman kostea, hän riisuu hupparinsa ja asettaa sen kivelle istuinalustaksi.

”Tämäpä ystävällistä.”

”Onko siinä hyvä olla?”

”Oikein hyvä.” Auringonvalo kimaltelee merenpinnasta, joka on yhtä sininen kuin taivaskin. Sää on kuitenkin viileä, joten olen iloinen, että puin ylle takkini. Marilyn oli oikeassa. Aurinko on petollinen, niin kuin moni muukin asia elämässä.

Maistelen varovasti hedelmäbageliani ja siemaisen yhtä varovasti raikasta Virgin Mary -drinkkiäni. Tomaatin, Tabascon ja sellerisuolan kirpeys kutittaa kieltäni. Se saa minut taatusti hereille.

Ned potkaisee kengät jalastaan, upottaa jalkansa hiekkaan ja alkaa venytellä. Muutamassa sekunnissa hän on riisunut myös t-paitansa ja seisoo edessäni rannalla rinta paljaana. En oikein tiedä, mihin katsoa. Tiedän, että minun kuuluisi seurata hänen liikkeitään, mutta se tuntuu hieman tirkistelyltä. Kuinka voin katsella häntä noteeraamatta noita vatsalihaksia? Hänen hartiansa ovat vahvat ja hänen käsivartensa vaikuttavan lihaksikkaat, vaikka hänen raajansa ovat pitkät ja hoikat.

Rannalla on kuitenkin hyvin vähän muita ihmisiä, joita voisin tarkkailla – vain veden rajassa liikkuvat pakolliset koiranulkoiluttajat ja pari reipasta hölkkääjää. Yritän siis olla potematta syyllisyyttä tuijottamisestani, otan paremman asennon aitiopaikallani ja keskityn seuraamaan Nedin liikesarjaa. Häntä ympäröi sellainen rauha ja tyyneys, että pelkästään hänen katselemisensa tuntuu rentouttavalta. Olen varma, että siitä on yhtä paljon hyötyä kuin itse joogaamisesta. Ainakin se saa sisimpäni lämpenemään.

Ida sanoi Nediä sydäntenmurskaajaksi, mutta se ei vastaa käsitystäni hänestä. Tietenkin Ida tuntee Nedin paljon paremmin kuin minä, mutta minusta Ned vaikuttaa hyvin huolehtivaiselta ja ystävälliseltä. Ehkä häntä kuvaisi paremmin ilmaus ”vapaa sielu”. Tai ehkä se kuuluu hänen viettelytaktiikkaansa?

”Miten menee?” Ned vilkaisee olkansa yli tehdessään liikettä, jossa hän seisoo suorassa. Toivottavasti hän ei pysty lukemaan ajatuksiani.

”Paremmin.” Nostan Virgin Mary -pulloa kohottaakseni hänelle maljan. Vielä annos kahvia sen päälle, niin oloni saattaisi olla taas siedettävä. ”Tämä oli hyvä idea.”

”Haluaisitko tehdä kanssani pari helppoa asentoa?”

”Hmm. Ehkä en.”

Ned tulee luokseni ja tarttuu käteeni. ”Epäröit siihen malliin, että minun kannattaa ainakin yrittää.” Hän vetää minut ylös mukavalta kivi-istuimeltani, ja asetun hieman vastentahtoisesti hänen viereensä. ”Turha pyristellä vastaan. Marilyn ja minä saamme kyllä taltutettua sinut.”

”Marilyniltä se ainakin onnistuu”, nauran. ”Hän ei ota kieltoja kuuleviin korviinsa.”

”Olemme samaa maata.” Ned ohjaa minut seisomaan eteensä hiekalle. ”Takki pois.”

”Täällä on kylmä.”

”Lämpenet kyllä pian.”

Riisun takkini ja heitän se kivelle. Vahvistaakseni sanojani olen hytisevinäni suurieleisesti.

Ned vilkaisee minua. ”Sitten kengät.”

”En halua luopua niistä.”

”Haluat tuntea, miten varpaasi ovat yhteydessä maahan.”

”Luulen, että selviän ilman sitä tunnetta”, vakuutan hänelle. ”Eikö hiekka ole kylmää?”

”Kyllä, mutta se tuntuu uskomattomalta. Usko pois.”

Epäröin yhä. Kukapa ei siinä tilanteessa?

”Kengät.” Ned osoittaa niitä sormellaan ja kuulostaa ankaralta. ”Saanen huomauttaa, että viime yönä et muuta halunnutkaan kuin peuhata hiekassa.”

Niskoittelusta ei selvästi ole apua, joten riisun kenkäni. Hiekka on kylmää ja kosteaa, kuten arvelinkin, mutta niin kuin Ned totesi, se tuntuu yllättävän mukavalta jalkojen alla. Elähdyttävältä.

”En pysty liikkumaan paljoakaan farkuissani”, muistutan häntä.

”Teemme vain joitain helppoja juttuja”, hän lupaa.

”Eikä mitään äkkinäisiä liikkeitä.”

Ned nauraa ja ottaa sitten asennon. ”Vuoriasento”, hän sanoo ja näyttää siltä, kuin seisoisi vain rauhassa paikallaan.

Teen samoin. Pystyn kyllä seisomaan hiljaa. Vaikka olisinkin nauttinut edellisenä iltana paljon viiniä. Tätä olisi vaikea tyriä. Huojun hieman. Paikallaan seisominen osoittautuu itse asiassa aika haastavaksi.

Ennen kuin kaadun maahan, Ned neuvoo minulle muutamia venytyksiä. Päässäni tykyttää hieman, ja tuulenvire puhaltaa hiukseni kasvoilleni.

"Onko olo jo lämpimämpi?"

"Kyllä."

"Okei, kokeillaan sitten aurinkotervehdystä. Näytän ensin, miten se menee."

"Oletko opettanut joogaa aikaisemmin?"

"En", Ned sanoo minulle. "Mutta olen harrastanut tätä vuosia ja käynyt tarpeeksi monilla kursseilla, jotta tiedän, mitä teen." Katselen kun hän suorittaa sarjan erilaisia taivutuksia. "Tämä on nimeltään alaspäin katsova koira."

"En ala pyllistelemään tuolla lailla ihmisten nähden", sanon kauhistuneena.

"Ei sinua täällä kukaan katso", Ned rauhoittelee. "Täällähän on paljon vapaampaa kuin normaalilla joogatunnilla. Täällä ei ole muita kuin minä, aurinko ja meri. En arvostele sinua, eivätkä nekään. Rohkeasti vain."

Nedillä on päättäväinen ilme kasvoillaan, joten taivutan ylävartaloani alaspäin hänen vierellään, ja minun on myönnettävä, että veren syöksähtäminen päähän tuntuu ihanalta.

"Hitaasti ja rauhallisesti", hän ohjeistaa. "Kuuntele hengitystäsi." Luulen, että olen pidätellyt sitä.

"Pidä kehosi rentona ja keveänä."

Sitten teen hänen perässään askelkyykyn tapaisen liikkeen niin pitkälle kuin se farkuissa on mahdollista, ja olen iloinen, että aaltojen pauhu peittää ähkäisyni. Seuraava liike muistuttaa epäilyttävästi lankkua, ja pyrin parhaani mukaan välttämään sen tekemistä, mutta se päättyy nopeasti, ja laskeudumme hiekalle selän venytykseen. Sitten nostan takamukseni ylös ja teen alaspäin katsovan koiran, mikä tuntuu minusta nololta yleisellä paikalla. Sitten taivutan ylävartaloni toistamiseen alas, ja liikesarja päättyy. Teen sarjan muutamaan kertaan Nedin perässä ja huomaan kehoni reagoivan jo paremmin. Myös hengitykseni sopeutuu liikkeisiin. Onneksi Ned ei odota minun tekevän mitään sen vaativampaa. Hän nousee pian ylös, mikä tarkoittaa, että harjoitus on päättynyt. Hän nostaa kätensä rinnalle rukousasentoon. ”*Namaste.*”

Toistan hänen perässään: ”*Namaste.*”

”Se tarkoittaa, että minussa oleva valo kunnioittaa sinussa olevaa valoa.”

”Kuulostaa kauniilta.”

Ned virnistää pukiessaan ylleen t-paitaansa. ”Eihän tämä niin hirveää ollut?”

”Se oli itse asiassa aika mukavaa”, tunnustan.

Oloni on yhteisen harjoituksen jälkeen hieman kevyempi ja yllättävän vetreä. Minusta tuntuu, että kaikkien pitäisi aloittaa päivänsä rantajoogalla. Krapulanikin on hellittänyt.

”Käyn täällä melkein joka aamu”, Ned sanoo. ”Säällä kuin säällä. Aina kun pääsen. Jos haluat liittyä seuraani, olet enemmän kuin tervetullut.”

”Onhan niitä varmasti huonompiakin tapoja aloittaa aamu. On ihana tuntea tuulen tuiverrus hiuksissa ja meren pärskeet kasvoilla.”

”Sovittu. Meillä on sitten treffit”, Ned sanoo, ja me kumpikin nauramme hieman ujosti.

”Minun täytyy varmaan palata takaisin.” Kerään roskani, ja Ned noutaa hupparinsa. Vilkaisen *Päivänpaisteen* suuntaan. Minun pitäisi soittaa Billille antaakseni ainakin jotain elonmerkkiä itsestäni, ja Dellalle myös. Tiedän, että hän on huolissaan minusta. Kuten myös eräs toinen henkilö. ”Marilyn ihmettelee, mitä minulle on tapahtunut.”

”Marilyniltä ei jää juuri mikään huomaamatta.”

”Se on tullut minulle jo selväksi”, sanon Nedille.

27

Seisomme asuntolaivani laskusillalla. Ned viivyttelee hieman ja on ilmeisen haluton lähtemään. Minäkään en haluaisi erota vielä.

”Kiitos sinulle”, sanon. ”Siitä, että pistit minut joogaamaan. Se oli todella mukavaa. Nähdään huomenna. Toivottavasti.”

Ned on jo lähdössä, mutta pysähtyy sitten. ”En tiedä, mitä olet suunnitellut loppupäiväksi, mutta minun pitää tehdä yksi tilaustyö valmiiksi.” Hän haroo hiuksiaan, joiden seassa on edelleen hiekanjyväsiä. ”Jos haluat nauttia rauhasta ja hiljaisuudesta, en häiritse sinua enempää. Mutta jos haluat seuraa, voin esitellä sinulle verstaani. Jos meteli ei haittaa sinua, voit katsella työntekoani. Jos se siis kiinnostaa sinua.”

”Sehän olisi ihanaa”, vastaan ennen kuin ehdin harkita. Ei minulla ole muitakaan suunnitelmia.

”Kiva.” Hän näyttää ilahtuneelta.

”Minun pitää soittaa ensin pari puhelua. Sopisiko sen jälkeen?”

”Selvä. Ei kiirettä. Sinne on vain lyhyt ajomatka.” Hän heilauttaa kättään ja kävelee sitten poispäin. Katson häntä hetken ja astun sisään.

Potkaisen kengät jalastani ja jätän ne ovelle. Jos Marilyn on saanut siivousurakkansa päätökseen, en halua vihastuttaa häntä. Minun tekisi mieli huutaa "Hu-huu", mutta vastustan kiusausta.

Hän on pakkaamassa laukkuaan, kun astun keittiöön.

"Hyvä ajoitus", hän sanoo. "Ajattelin juuri lähettää etsintäpartion sinun perääsi."

"Minut suostuteltiin joogaamaan vastoin parempaa tietoani."

Marilyn nyökkää Nedin laivan suuntaan. "Tuo mies pystyisi myymään vaikka jäätä kannibaaleille."

"Pidän hänestä", sanon Marilynille ja toivon, ettei se tieto ole ehtinyt kiiriä ympäri saarta puoleenpäivään mennessä.

Hänen silmänsä kapenevat ja hän kysyy: "Aiotko harrastaa sitä joogaa enemmänkin hänen kanssaan?"

"Ehkä. Se olisi kivaa. Tosin minulla on täällä vain farkut ja luksusverkkarit, eivätkä ne oikein sovellu siihen."

Marilynin silmät kirkastuvat. "Lähdetäänkö taas ostoksille?"

"Voi, en oikein tiedä. Saanko ensin miettiä?" Ehkäpä Marilyn unohtaisi uuden ostosmatkan.

"No, kerro, jos tulet toisiin ajatuksiin. Mutta kyllä sinun pitäisi jatkaa sitä joogaamista. Se saattaisi tehdä sinulle hyvää. Se Ned on ihan kiva kaveri", Marilyn sanoo. "Sellaiset ovat harvassa. Hänellä oli railakkaammat aikansa, mutta minulla ei ole hänestä mitään pahaa sanottavaa."

Pohdin, mitä "railakkaammat ajat" mahtoivat pitää sisällään. "Hän kertoi minulle pojastasi", rohkenen sanoa. "Siitä, mitä hänelle tapahtui, ja että he olivat ystävykset keskenään."

"Niin. Hän ja Declan olivat läheiset. Kuin veljekset." Marilynin silmät täyttyvät kyynelistä. "Ei kulu päivääkään, ettenkö ajattelisi poikaani. Näen hänet yhä kaikkialla, ja kaikki muistuttaa hänestä. Joskus minusta tuntuu, että hän on vielä ihan lähelläni, ja kun sitten käännyn sanoakseni hänelle jotakin, hän ei olekaan siinä." Hän pudistaa päätään hämmentyneenä. "Äidinrakkaus ei katoa koskaan."

"Ei niin", myötäilen.

"Kiitän Jeesusta, Mariaa ja taivaan enkeleitä siitä, että sain pitää hänet niinkin kauan luonani." Marilyn huokaisee, ja näen hänen kasvoillaan harvinaisen surun häivähdyksen. "Nyt on parasta lähteä", Marilyn sanoo nyyhkäisten. "Minulla on keikka vielä rouva Smithin talossa. Nähdään huomenna."

"Kiitos, Marilyn", sanon lempeästi. "Arvostan todella työtäsi. Asunto kiiltää puhtauttaan, kuten aina."

Hän hymyilee ylpeänä. "Likainen talo, likainen mieli."

"Se on niin totta."

Marilyn poistuu laivasta kengänkorot kopisten. Katselen, miten hän astelee lanteet keinahdellen laskusiltaa pitkin, enkä voi olla ihailematta häntä. Kuinka kukaan voi selvitä lapsensa menetyksestä? Kuinka on mahdollista jatkaa elämäänsä ilman lasta, siirtää edelleen jalkaa toisensa eteen? Kuinka voisi muuttua Marilyniksi ja olla niin yltiöoptimistinen ja iloinen, huolimatta siitä, että elämä on murjonut julmimmalla mahdollisella tavalla?

28

Jäätyäni yksin asetun sohvalle mukavaan asentoon ja katselen aalloilla ylös ja alas keikkuvia veneitä. Tänään on varmaankin hyvä purjehdussää, sillä satamassa näkyy monenlaista liikettä. Ennen kuin ehdin vaipua transsiin, soitan Billille toimistoon. ”Hei”, sanon kun hän vastaa puheluun.

”Mitä kuuluu? Kuulostat aika pirteältä.”

”Siltä minusta tuntuukin”, vastaan veljelleni ja huomaan, että olen todellakin ainakin hitusen verran pirteämpi. ”Olin joogaamassa rannalla.”

”Joogaamassa? Oletko ryhtynyt siellä hipiksi?”

”Pidin siitä”, kerron hänelle. ”Vaikka en olisi ikinä uskonut.” Bill olettaa, että osallistuin joogakurssille, enkä kerro hänelle, että sain hyvin henkilökohtaista ja yksityistä opetusta. Kerron hänelle siitä myöhemmin. Veljeni pitäisi Nedistä – ehkä vähän liikaakin. Vilkaisen Nedin laivan suuntaan ja näen hänen puuhastelevan aluksensa takaosassa. Hän odottelee minua, ja minun pitäisi mennä kohta hänen luokseen, kuten lupasin. Haluaisin kovasti nähdä, kun hän tekee moottorisahaveistoksiaan. Ehkä saan häneltä joitakin tuliaisia Billin veneeseen.

”En saa sinua koskaan tänne takaisin”, Bill valittaa samalla kun mietiskelen omiani.

"En ole vielä valmis", tunnustan. "Tunteet heilahtelevat sinne tänne. Mutta tänään tuntuu olevan hyvä päivä."

"Kiva kuulla." Sitten Bill selvittelee kurkkuaan. "En haluaisi olla ilonpilaaja, mutta juttelin tänään Chrisin kanssa puhelimessa. Jodie, hän on epätoivoinen."

"Ethän kertonut hänelle, missä minä olen?"

"En tietenkään, mutta täytyyhän sinun jossain vaiheessa kohdata hänet."

"Tiedän. Mutta ei tänään." Ja ehkä ei vielä huomennakaan. Minua ei huvita yhtään puhua aviomiehelleni.

Kuulen Billin äänessä huokauksen, mutta hän antaa asian olla. "Dellakin on lähettänyt minulle kymmenkunta viestiä."

"Soitan hänelle", lupaan. Olen sen velkaa Dellalle ja Billille.

"Varmastiko?"

"Nyt saman tien. Heti kun olemme lopettaneet tämän puhelun. Miten töissä sujuu? Pärjäättekö ilman minua?"

"Pärjätään, mutta työ ei ole hauskaa ilman sinua", veljeni sanoo.

"Miten ekohotellin palaveri sujui?"

"He pitivät ehdotuksestamme ja pyysivät meiltä yksityiskohtaisempaa suunnitelmaa ennen kuin etenemme seuraavaan vaiheeseen", Bill kertoo. "Nyt vain toivotaan parasta. Se olisi hieno projekti meille."

"Kuulostaa mielenkiintoiselta."

"Sinä *rakastaisit* sitä", hän vakuuttaa, ja projekti todella vaikuttaisi olevan minun ominta alaani. "Tarvitsisin sinut tosissaan remmiin, jos saamme sen urakan."

Minuun iskee ikävä. Kaipaan Billiä. Kaipaan työtäni. Kaipaan kollegoitani. "Pidä minut ajan tasalla."

"Teen sen. Mutta nyt on kiire", sanoo Bill, jolla on

elämässään kutakuinkin koko ajan kiire. ”Minulla on tapaaminen toisella puolella kaupunkia.”

”Olet rakas”, sanon hänelle. ”Tulen kyllä pian takaisin.”

Lopetan puhelun, mutta en ole varma, puhuinko totta.

29

Lopetettuani keskustelun Billin kanssa vedän syvään henkeä ja tuijotan puhelintani. Yritän kerätä rohkeutta soittaakseni Dellalle. En tiedä, miksi olen vältellyt parasta ystävääni, sillä normaalisti juttelemme tai viestittelemme monta kertaa päivässä. Ehkä en vain kestä sitä, että joutuisin kertomaan hänelle aina vain huonompia uutisia. Olen itsekin kyllästynyt omaan surkeuteeni, enkä voi edes kuvitella, millaista tämä on ollut ystävälleni. Mutta niin tai näin, en ole kertonut hänelle tilanteestani, vaikka minun olisi pitänyt. Parhaat ystävykset uskoutuvat aina toisilleen. Olen vain siirtänyt soittoa tuonnemmaksi, koska tiedän hänen suuttuvan minulle.

Näpäytän hänen numeroaan. Della vastaa yhden hälytysäänen jälkeen.

”Missä helvetissä sinä olet?” on hänen kiukkuinen avausrepliikkinsä. ”Olen ollut suunniltani huolesta.”

”Olen pahoillani. Minun oli pakko päästä irtautumaan siitä kaikesta.”

”Etkä voinut kertoa sitä parhaalle kaverillesi?”

Pystyn kuvittelemaan, miten Della astelee edestakaisin toimistossaan, yllään musta, tyylikäs jakkupukunsa. Ystävättäreni on töissä menestyvässä varainhoitoyhtiössä – sellaisessa, jossa sekä työskennellään että juhlitaan rankasti. Hän viettää kuntosalillakin puolet ajastaan puhelimessa, ja useimpina iltoina hän on ulkona viihdyttämässä huippuvarakkaita asiakkaitaan. Della on ollut niin kiireinen, että meillä on ollut viime aikoina vaikeuksia tavata toisiamme – jopa ennen katoamistemppuani.

Mitä muuta voisin kertoa teille ystävästäni? Della on sitä ihmistyyppiä, joka elää tässä hetkessä. Hän ei piittaa pätkääkään huomisesta, ja ihailen sitä piirrettä hänessä. Minä huolestun aina kaikesta, mutta en usko hänen edes tietävän, mitä sana "huoli" tarkoittaa. Minä murehdin menneitä – milloin minun olisi pitänyt tehdä jotain paremmin, milloin puhua fiksummin, milloin yrittää kovemmin – Della puolestaan ei kadu mitään. Minä olen perfektionisti, kun taas Della maalaa leveällä pensselillä.

Ystäväni omistaa tyylikkään mustan urheiluauton, joka viettää suurimman osan ajastaan suojapeitteen alla autotallissa samaan aikaan kun hän huristelee taksilla ympäri kaupunkia. Hänellä on mittava kokoelma designerkäsilaukkuja ja -kenkiä, joita hän säilyttää ylimääräisen makuuhuoneensa yhteydessä olevassa tilavassa vaatehuoneessa. Hän tienaa omaisuuksia, mutta tuhlaa sitäkin enemmän. Hänen avara loft-asuntonsa on kuin suoraan jostain trendikkäästä amerikkalaisesta tv-sarjasta ja sijaitsee sopivasti muutaman maanalaisen pysäkin päässä minun kodistani. Myöskin työpaikkamme ovat vain muutaman kadun päässä toisistaan, joten pystymme käymään samalla kuntosalilla. Olemme ihmisinä täysin erilaiset, mutta nyt en tiedä, miten selviäisin ilman häntä.

"Kaikki tuntui vain kaatuvan päälleni", tunnustan. "En miettinyt sitä sen syvällisemmin. Otin vain laukkuni ja lähdin."

"Lähdit minne? Veljesi oli harmillisen vähäpuheinen."

”Olen Billin asuntolaivalla. Olen varmaan kertonut siitä sinulle. Hän on kunnostanut sitä iät ja ajat.”

”Siis Isle of Wightilla?”

”Niin.”

”Voi helvetti sinun kanssasi! Etkö olisi voinut lähteä Mauritiukselle tai jonnekin vastaavaan? Mutta siis Isle of Wightille?” Dellan ylenkatse kantautuu puhelimitse minulle saakka. ”Sinulla ei sitten ole tippaakaan mielikuvitusta!”

”Puolustuksekseni voin sanoa, etten ajatellut tai suunnitellut mitään. Tämä paikka oli vapaana ja suhteellisen lähellä. Mauritius olisi ollut hieman liian kaukana. Ei minusta olisi ollut siihen.” En olisi jaksanut hankkiutua lentokoneeseen enkä olisi kestänyt lentokentän vilskettä, mutta en voi selittää sitä Dellalle, joka viettää puolet elämästään singahdellen paikasta toiseen. Katselen edessäni aukeavaa merta, horisontissa näkyvää vahvaa linnoitusta ja Nedin laivaa, joka on ankkuroitu mukavasti naapuriini. ”Sitä paitsi täällä on oikein viihtyisää.”

”Voin tulla tapaamaan sinua vaikka saman tien. Heti huomenna. Voin tulla veneellä tai lentäen tai miten sinne parhaiten pääsee.”

”Ei sinun tarvitse. Minulla on kaikki hyvin. Oikeasti.”

”Voisimme kulauttaa alas pari pullollista viiniä ja tsekata saaren parhaat menomestat. Se olisi hauskaa.”

Kuulostaako pahalta, jos sanon, että en oikein kestäisi Dellaakaan täällä? Hän on liian eloisa, liian määräilevä. En halua mitään ”hauskaa”, varsinkin kun Dellan tapa pitää hauskaa on uuvuttava. Haluan rauhaa. Sitä paitsi en halua jakaa tätä hänen kanssaan. Tämä on vain minun juttuni.

”Voin ottaa mukaani hiekkalapion ja ämpärin”, hän kiusoittelee.

”Voitaisiinko jättää tämä nyt väliin? Haluan olla yksin, ja tarvitsen aikaa ajatella.”

”Älä jää hautomaan asioita itseksesi. Tiedän, että sinulla ja Chrisillä on ollut vähän vaikeaa, koska... no, tiedät kyllä.”

Vedän syvään henkeä ennen kuin sanon: ”Se juttu on edennyt kokonaan uudelle tasolle. Hän on käyttäytynyt tosi oudosti…”

”Eihän se ole mikään yllätys”, Della keskeyttää. ”Kun ottaa huomioon, mitä te *molemmat* olette käyneet läpi.”

”Hänellä on suhde”, tokaisen suoraan. ”Olen epäillyt sitä jo jonkin aikaa.”

Keskusteluun tulee tauko, mutta kuulen Dellan hengähtävän syvään. Lopulta hän puuskahtaa: ”No huh.”

”Niinpä.”

”Et ole puhunut minulle siitä mitään.”

”En ollut varma. Minusta vain tuntui siltä.”

”Ja nytkö olet varma? Onko sinulla todisteita?”

”No yhtä sun toista. Liian monia myöhäisillan kokouksia, puhelinkeskusteluita, jotka piti hoitaa yksin. Tiedät, mitä tarkoitan.”

”Ehkä olet vain ylitulkinnut asioita. Et ole vielä ihan oma itsesi.”

”Löysin hotellilaskun. Kahden hengen huoneesta. Chrisin piti olla neuvotteluissa sinä iltana, mutta hän olikin jossain mailien päässä sijaitsevassa lemmenpesässä. Otin hänet puhutteluun”, kerron Dellalle. ”Hän vakuutteli, että se oli vain jokin sekaannus, mutta näin, että hän valehteli.”

”Voi paska.”

Minua harmittaa, että en ole uskoutunut Dellalle jo aiemmin. Hän on pitänyt Chrisiä ja minua täydellisenä parina, joten tämä on hänellekin selvästi shokki.

”En pystynyt enää katsomaan häntä silmiin tai kuuntelemaan hänen räikeitä valheitaan.” Nyyhkäisen. ”Minun oli pakko päästä pois.”

”Onko sinulla mitään käsitystä siitä, kuka hän on?”

”Todennäköisesti joku töistä.” Joku nuorempi ja kauniimpi. Joku, joka ei ole näin vaativa, näin itkuinen. ”Siihen hänen aikansa nykyään meneekin. Luulen, että Meg on todennäköisin vaihtoehto.”

”Työvaimo? Voi Jo-jo. Luulin, että se oli vain vitsi.”

”Niin minäkin. Mutta nyt se vitsi ei naurata enää yhtään.” Chris tapasi puhua Megistä jatkuvasti, mutta nyt hän tuskin mainitsee tätä. Eikö se olekin selvä merkki? ”Ehkä helpoin tapa pitää yllä suhdetta on tehdä se avoimesti kaikkien silmien edessä. En koskaan kyseenalaistanut niitä työhön liittyviä illallisia ja yhteisiä työmatkoja. Nyt mietin vain, kuinka kauan sitä on kestänyt.”

”Voi vittu.”

Voimasanan jälkeen ystäväni puhkuu myötätuntoisesti, ja sillä hetkellä toivoisin, että hän olisi luonani. Hän olisi hoitanut koko jutun ihan eri tavalla. Hän olisi marssinut Chrisin toimistolle, ottanut Megin puhutteluun ja järjestänyt hirvittävän kohtauksen. Hän olisi esittänyt Chrisille uhkavaatimuksen. Minä en tehnyt mitään niistä. Della ei olisi myöskään jäänyt märehtimään asiaa tai piinannut itseään tällaisilla ajatuksilla. Hän olisi antanut Chrisin ja Megin kuulla kunniansa. Minä väistin tilanteen menemällä piiloon, ja samalla piilouduin kaikelta muultakin. Ehkä ansaitsenkin tulla petetyksi.

”Voi kun olisit kertonut minulle. Olisin voinut auttaa.”

”Niin, no, nyt se on myöhäistä. Lähdin pakoon sen sijaan että olisin käsitellyt asian, ja nyt olen ihanasti eristyksissä täällä Isle of Wightilla.”

”Mutta tulethan sinä taas pian kotiin?”

”Rehellisesti sanottuna en tiedä”, tunnustan. ”Tarvitsen hieman omaa tilaa, aikaa ajatella rauhassa asioita, ilman ympärillä vellovaa mielettömyyttä.” Ja minusta tuntuu, että olen jo päässyt irtaantumaan pahimmasta kurimuksesta, vaikka en olekaan löytänyt sitä rauhan tyyssijaa, jota tulin etsimään.

”Ehkä sinun sitten pitää jäädä sinne vielä joksikin aikaa. Me kaikki haluamme vain, että sinä olet onnellinen. Kyllähän sinä sen tiedät.”

”Luulen, ettei Chris tavoittele muuta kuin *omaa* onneaan. En taida sopia enää siihen yhtälöön.” Tekee kipeää sanoa se ääneen. Vielä vuosi sitten olimme niin iloisia, niin toiveikkaita, ja meillä oli hienoja suunnitelmia yhteisen tulevaisuutemme varalle. Pelottavaa, miten nopeasti se kaikki on haihtunut kuin tuhka tuulen.

”Olen täysin varma, että olet väärässä”, Della sanoo. ”Hän rakastaa sinua. Te molemmat olette kokeneet kovia.”

Niin olemmekin. Olemme käyneet läpi vaiheen, jolloin meidän olisi täytynyt pitää yhtä, niin kuin rakastavat pariskunnat tekevät. Eikö suhteen vahvuus testatakin juuri vaikeina aikoina? Kaikilla pareilla menee hyvin silloin, kun elämä hymyilee. Ratkaisevaa on se, mitä tapahtuu, kun karu totuus paljastuu ja koko maailma romahtaa. Silloin selviää, pystyttekö tukemaan toisianne vai käännättekö toisillenne selkänne.

Minun osaltani kaikki on nyt ohi, mutta jostain syystä en pysty jakamaan kokemustani Dellan kanssa. Aihe on liian rankka, ja minun olisi tietenkin suotavaa kertoa asiasta ensin Chrisille.

”Minun pitää mennä”, sanon. ”Päästän sinut jatkamaan töitäsi.”

”Minulla on ikävä sinua, Jodie. Onhan sinulla kaikki siellä hyvin? Muutoin tulen sinne heti paikalla.”

”Kaikki hyvin. Ihan oikeasti. Tulen pian takaisin.”

”Hyvä. Nähdään sitten ja rupatellaan kaikesta hyvän viinin äärellä.”

”Tehdään niin”, sanon. Kaipaan ystävääni.

”Ihanaa, kun soitit”, hän sanoo.

Lopetettuani puhelun minulla on outo tunne, jota en pysty määrittelemään. Della ei kuulostanut omalta innokkaalta itseltään. Ehkä hän oli vain hieman omissa ajatuksissaan, koska oli töissä. Tai sitten se oli jotain muuta.

30

En tiedä, tarvitsemmeko eväitä, mutta teen pari voileipää niistä ruokatarvikkeista, joita Marilyn on kantanut päivittäin jääkaappiini. Voisin ruokkia niillä kokonaisen komppanian, ehkä kaksikin. Käärin leivät folioon ja otan ne mukaani lähtiessäni Nedin laivalle. Hän on jo ulkona lastaamassa tavaroita autonsa takakonttiin.

Näytän hänelle leipäpakettejani. ”Otin mukaan lounasta. Sopivatko nämä? Marilyn ahtaa jääkaappini täyteen ruokaa joka päivä, joten ajattelin, että varastoa olisi hyvä alkaa tyhjentää.”

”Kaikki lahjoitukset otetaan kiitollisuudella vastaan”, hän sanoo. ”Ajattelin käydä ostamassa meille jotain matkan varrelta, mutta säästit minulta nyt sen vaivan.”

”Vilkaisin myös viinipulloa sillä silmällä, mutta sitten ajattelin, että ehkä ei kuitenkaan.”

”Moottorisahat ja viini eivät ole paras mahdollinen yhdistelmä”, hän varoittaa virnistäen. ”Parasta varmaan jättää väliin.”

”Eilisillan jälkeen en ole varma, juonko enää koskaan.”

”Se oli hyvä ilta”, Ned sanoo silmät tuikkien. ”Sinun pitää tulla toistekin. Tutustut bändiin kunnolla.”

”Se olisi kivaa.”

"Hyppää kyytiin", Ned sanoo ja avaa minulle matkustajanpuoleisen oven. "Anteeksi tämä sotku. Olisin siivonnut, jos olisin tiennyt, että saan vieraita. Toinen autoni on Porsche."

"Tämä näyttää ihan työautolta." Yritän olla diplomaattinen.

En tiedä, minkä merkkinen auto se on – ehkä Corsa? Mutta se on joka tapauksessa vanhaa mallia ja täysi romu. Sen korin jokainen osa on erilaista punaisen sävyä ja lommoilla. Sitä on selvästi käytetty puutavaran kuljetukseen, sillä sen sisällä tuoksuu pihka, metsä ja multa. Jalkatilassa on hiekkaa ja takapenkillä kasa vaatteita sekä voileipien käärepapereita.

Hän heittää pari muuta esinettä tavaratilaan, paukauttaa luukun kiinni ja istuutuu kuljettajan paikalle. Lähdemme matkaan vaihteet rahisten, ja otan penkilläni rennon asennon. Liikenne on tänään rauhallisempaa, ja matkaamme hitaasti sievien olkikattoisten talojen ja teekuppiloiden täyttämien turistikylien läpi.

Puolen tunnin kuluttua käännymme metsätielle, joka on suljettu metallipuomilla. Ned pysäyttää auton ja käy avaamassa puomin. Ajamme yhä syvemmälle metsään. Yläpuolellemme kaartuvat puut rehottavat kaikissa mahdollisissa vihreän sävyissä, ja aurinko pilkahtaa oksien lomasta silloin tällöin. Lopulta saavumme pienelle metsäaukiolle, Ned pysäköi auton, ja astumme ulos.

"Tervetuloa toimistooni", Ned sanoo heilauttaen kädellään kohti metsää, joka ympäröi meitä joka suunnalta.

"Aivan ihastuttava paikka." Aukion yhdellä reunalla on lukittava vaja sekä muutamia keskeneräisiä veistoksia. Vieressä on valtava tukkikasa, jossa on kapeampia oksia sekä paksuja, jykeviä puunrunkoja. Toisella puolella näkyy telttakankaalla peitetty katos, joka on ilmeisesti Nedin pääasiallinen työskentelytila. Katoksen alla on tukevatekoinen penkki ja puupinoja, ja maa on sahajauhojen peitossa. Mutta kaikista vaikuttavin näky ovat Nedin lukuisat veistokset, joita on esillä siellä täällä. Näen hienon kolme metriä korkean keijukuninkaan sekä velhon, jolla on päässään upea kruunu. Maassa istua nököttää myös jonkinlainen menninkäinen, jonka pitkät eteenpäin sojottavat jalat on tehty pahkuraisista puunoksista.

"Se on puun henki", Ned sanoo seurattuaan katsettani. "Suunnittelen kirjoittavani siitä kertovan satukirjan tai runoja, kunhan vain joskus saisin aikaiseksi."

"Se on upea. Se näyttää ihan siltä, kuin se voisi nousta seisomaan ja lähteä liikkeelle minä hetkenä hyvänsä. Sinun pitäisi lyöttäytyä Georgen seuraan. Hän kirjoittaa parhaillaan kirjaa."

"Niinkö?" Ned vaikutta kiinnostuneelta. "Täytyypä jututtaa häntä."

Aukion toisella puolella on lisää metsän haltijoita, joiden pitkien partojen lomaan on veistetty lehtiä ja kukkia. Seassa on myös pienempiä eläinveistoksia: mäyrä, jänis ja puutukilla istuva kuningaskalastaja.

Kaikista näyttävin teos on kuitenkin jättikokoinen tuoli, joka vaikuttaa melkein valmiilta. Se on noin kolme metriä korkea ja kuin suoraan jostain satulinnasta. "Tämä on aivan uskomaton."

"Jättiläistuolit ovat suosituimpia veistoksiani. En edes muista, kuinka moneen paikkaan olen niitä tehnyt. Ne sopivat hyvin metsämaisemaan. Tämä tuoli on enää loppuhiontaa vailla – se on inhokkityövaiheeni. Sitten se saa uuden kodin mantereella sijaitsevalta ulkoilualueelta", Ned kertoo. "Haluatko kokeilla sitä?"

"Tietysti." Ned auttaa minua kiipeämään tuolin sivulla olevia jalansijoja pitkin ylös, ja heilautan itseni istumaan tuolille.

Valtavankokoinen veistos kutistaa minut kääpiöksi, jalkani heilahtelevat ilmassa, ja tunnen muuttuneeni pikkulapseksi. "Tämä on aivan ihana."

Istun tuolilla ja suljen silmäni. Voisin helposti nukahtaa siihen. Ympäröivä metsä on hiljainen. Ainut ääni on läheltä kantautuva satunnainen linnunlaulu. Tällaisessa paikassa voisi unohtaa kaikki huolensa.

"Minun on parasta aloittaa työt", Ned sanoo keskeyttäen unelmointini.

Havahdun vastahakoisesti todellisuuteen, ja Ned ojentaa minulle kätensä auttaakseen minut alas.

Kun olen hyppäämässä alas viimeiseltä askelmalta, Ned tarttuu minua vyötäisiltä ja laskee minut mahan. Ilma tuntuu kipinöivän, ja mietin, johtuuko se kaikista ympärillämme olevista lumoavista esineistä.

"Kuinka sinä löysit tämän paikan?"

"Se oli tavallaan sattumaa. Taidekorkeakoulun jälkeen tein metsurintöitä saaren suurtiloilla ansaitakseni hieman käteistä, jotta voisin heittäytyä taiteilijaksi. Sain täältä lyhyen toimeksiannon ja juttelin maanomistajan kanssa. Hän on tosi reilu tyyppi, ja meillä synkkasi hyvin. Kun työkeikkani oli lopuillaan, sahasin poikki yhden tietyn oksan ja näin siinä heti hahmon – metsien vihreän miehen. En tiedä, mikä minuun meni, mutta kun työssä oli ruokatauko, otin esille sen puunpalan ja aloin veistää sitä. Koska muita työkaluja ei ollut, käytin moottorisahaa. Se tuntui heti jotenkin luontevalta tavalta työskennellä. Enkä ole katunut hetkeäkään."

"Niin oli selvästi ennalta määrätty."

Ned kohauttaa välinpitämättömästi olkiaan, ikään kuin hänen työtään voisi tehdä kuka tahansa. "Maanomistaja on antanut tämän paikan minulle vuokralle – hyvin halvalla. Autan häntä metsätöissä, ja saan pitää ne puut, jotka kaadamme. Molemmat hyötyvät yhteistyöstä."

"Sepä hienoa."

Äkkiä Ned näyttää ujolta, hän kokee ehkä paljastaneensa itsestään liikaa.

"Vajassa on pannu, jos haluat keittää teetä. Täällä on vain tavallista pussiteetä, ei mitään hienouksia."

"Haluatko kupillisen?"

Ned nyökkää ja lähtee avaamaan vajan ovea. Kun noudan voileivät autosta, Ned huikkaa minulle: "Tuotko takapenkiltä myös peiton ja tyynyn, niin voit asettua tuolla olevalle penkille." Hän osoittaa toista veistämäänsä istuinta.

Teen niin kuin hän sanoo ja asetan varjossa olevalle penkille värikkään peitteen, tyynyn ja eväät. Sitten menen vajaan, pyyhin höyläpenkiltä sahajauhot ja valmistan meille mukilliset teetä.

Kun vien hänelle juoman, kysyn: "Mitä sinulla on nyt työn alla?"

Hän astuu sivulle, jotta näen työn paremmin. "Tästä tulee merenneito, ja se on menossa Cowesissa sijaitsevan hienon kalaravintolan puutarhaan. Ravintola avataan sopivasti kesäkauden alussa."

Veistos näyttää laivan keulakuvalta. Merenneidon hahmo on jo muotoutumassa ja näyttää siltä kuin olisi pyrkimässä itsekseen ulos puusta. Neito on kohottanut katseensa kohti aurinkoa, mutta hänen kasvonpiirteensä ovat vielä viimeistelemättömät. Hahmon vartalo sulautuu puun kaarevaan juuriosaan, johon muodostuvan pyrstön suomuja Ned on juuri työstämässä. Työn alaosassa näkyy pieniä kaloja, enkä ymmärrä, kuinka pelkällä moottorisahalla voi saada aikaan niin pikkutarkkaa jälkeä.

”Se on kaunis jo tällaisenaan.”

”Siinä on vielä paljon tekemistä.” Ned sivelee leukaansa tarkastellessaan työtään kriittisellä silmällä. ”Työskentelen noin tunnin verran, ja sitten voimme pitää lounastauon. Sopiiko se sinulle?”

”Kyllä, oikein hyvin.”

”Sinun täytyy käyttää näitä.” Ned kaivelee työkalupakkiaan ja ottaa esiin suojalasit ja kuulosuojaimet. Nyrpistän nenääni. ”Usko minua. Olet vielä kiitollinen näistä. Sahatessa ilmaan sinkoilee pieniä puunpalasia, ja jos et käytä kuulosuojaimia, korvasi soivat monta päivää.”

Otan siis suojaimet käyttöön ja istuudun läheiselle penkille. Ned laittaa hansikkaat käteensä, vetää moottorisahan käyntiin ja laskee kypäränsä visiirin alas. Hän löytää pian rytminsä, ja minusta näyttää, kuin hän tanssisi. Hänen kehonsa liikkuu ja keinahtelee edestakaisin, ja sahan ääni lakkaa ärsyttämästä, se muistuttaa ennemminkin musiikkia. Työskentely ei ole pelkkää puun pilkkomista, suuri osa siitä on tarkkaa hienosäätöä. Muutamalla pienellä leikkauksella merenneidon pyrstö alkaa muotoutua ja kasvonpiirteet selkeytyä. On etuoikeus katsella Nedin työskentelyä ja seurata, miten hänen kätensä liikkuvat ja saavat tekeillä olevan veistoksen heräämään henkiin.

Ned hikoilee työskennellessään, mutta minulle tulee hieman vilu, sillä varjoisaan istuinpaikkaani osuu pieni tuulenvire. Niinpä vedän peiton ylleni, asetan tyynyn pääni alle ja otan penkillä mukavan asennon. Katsellessani Nedin keskittynyttä työskentelyä silmäni alkavat tuntua raskailta, ja ennen pitkää nukahdan.

31

Ned sammuttaa moottorisahansa, ja äkillinen hiljaisuus saa minut havahtumaan hereille. Räpyttelen silmiäni ja huomaan pitäväni yhä suojalaseja, jotka ovat painautuneet ihooni.

”Hei unikeko”, hän sanoo lempeästi. ”Olisiko jo ruoka-aika?”

”Saitko työsi jo valmiiksi?”

”No en”, hän sanoo. ”Sain kyllä paljon aikaan, mutta tehtävää on vielä paljon. Muotoilen sitä vielä hieman ja sitten se täytyy hioa. Se on aikaa vievää puuhaa.”

”Teetkö sen käsin?”

”Enimmäkseen kyllä, jos työssä on näin paljon yksityiskohtia. Se on likaista hommaa. Ennen pitkää olen ihan pölyn peitossa.”

Katselen, mitä hän on saanut aikaan minun nukkuessani.

”Se on upea.”

”Joo”, Ned myöntää. ”Ei hassumpi. Uskon että asiakkaani on tyytyväinen.”

”Aivan varmasti.”

”Jos on, niin saan ansaittua tällä ensi kesän oluet.” Hän vilkaisee taivaalle kerääntyviä pilviä. ”Nautimmeko lounaan ulkona vai haluatko siirtyä vajaan?”

Minulla ei ole takkia, mutta syön mieluummin taivasalla. Se on tervetullutta vaihtelua työpöydän ääressä nautituille eväsleiville. "Olisin mielelläni täällä ulkona, jos sinua ei haittaa, että omin tämän peiton."

"Kaikki ne naiset, joiden kanssa olen jakanut vuoteeni, ovat olleet peittovarkaita. Mistähän se oikein johtuu?"

Intiimi paljastus saa poskeni hieman punehtumaan. Kun ajattelen naisia, joilla on ollut ilo päästä Nedin vuoteeseen, tunnen outoa mustasukkaisuutta tai jotain sen tapaista. Olennainen kysymys kuuluukin: mistähän *se* oikein johtuu?

"Käyn keittämässä meille toiset kupilliset", Ned sanoo. "Pieni hetki."

Nedin poistuttua kiedon peiton ympärilleni. Kestää minuutin tai pari, että saan katseeni taas tarkennettua. Olin varmaan syvässä unessa, sillä oloni on tokkurainen ja tiedän tuskin missä olen. Koska teen valmistuminen kestää, nousen penkiltä ja menen tutkimaan merenneitoa lähempää. Sivelen kädelläni sen koristeellista pintaa. Puu tuntuu lämpimältä, miltei elävältä.

Olen yhä ihastelemassa veistosta, kun Ned palaa takaisin ja ojentaa minulle mukin. "Minkä nimen olet ajatellut antaa hänelle?"

"En ole päättänyt vielä."

"Minusta olisi hienoa, jos joku merenneito nimettäisiin minun mukaani, mutta Jodie ei taida kuulostaa kovin merenneitomaiselta."

"Ajattelin Nereidaa, se tarkoittaa kreikaksi merenneitoa."

"Kuulostaa kauniilta. Ehkä minun pitää vaihtaa nimeäni."

Ned nauraa. "Tuntuu turhan rajulta. Voisin tehdä jonkin sinulle sopivamman veistoksen. Ei siitä olisi ollenkaan vaivaa."

”Se olisi ihanaa.”

”Olemme sitten sujut, koska sinä toit eväät.”

”Minusta tuntuu, ettei pari juustovoileipää ole riittävä korvaus.”

”Ehkä me keksimme jotain muuta”, Ned sanoo.

Se kuulostaa ihan iskurepliikiltä, mutta Nedin sanomana se ei kuulosta rivolta. Punastun kuitenkin.

”Se oli lumoavaa katseltavaa.”

Ned nauraa. ”No, ainakin sait hyvin unen päästä kiinni.”

”Hiekkalinnaseikkailun vuoksi ehdimme nukkua viime yönä vain muutaman tunnin”, muistutan häntä. ”En tajunnut ollenkaan, kuinka väsynyt olin. Toivottavasti tämä tee saa minut virkoamaan.”

”Sahan ääni voi tosiaan vaivuttaa ihmisen transsiin”, Ned myöntää. ”Se on minusta hyvin meditatiivinen.”

”Haluaisin kokeilla sahaamista.”

”Se onnistuu kyllä, mutta sinun pitää pukea yllesi turvavarusteet.”

”Näiden lisäksi?” Minulla on yhä turvalasit pääni päälle nostettuna.

”Käytän aina viiltosuojattuja haalareita ja hanskoja. En työskentele koskaan ilman niitä. Et varmaankaan halua joutua onnettomuuteen näiden penteleiden kanssa. Tämä saha on pienempi ja helppokäyttöisempi kuin ne, joita käytetään puunkaadossa, mutta silti hengenvaarallinen. Jos osut oksakohtaan tai pudotat sahan, terä uppoaa sääreesi kuin pehmeään voihin.”

Irvistän. ”Ehkä on sitten parempi olla kokeilematta. En yleensäkään hallitse vaaratilanteita.”

”Voin opettaa sinua kädestä pitäen.” Ned kohottaa kulmiaan kutsuvasti. ”Minulla on ylimääräiset varusteet. Käyn nopeasti hakemassa ne.”

Minulle tulee rämäpäinen olo. Saanko enää koskaan toista samanlaista tilaisuutta? ”No, sait ylipuhuttua.”

32

Yritän olla miettimättä, miltä näytän Nedin varahaalareissa ja -hanskoissa, mutta näky saa meidät molemmat kikattamaan holtittomasti. Ned on hoikka, mutta housut ovat minulle silti väljät. Ja koska hän on myös pitkä, housujen lahkeet roikkuvat lysyssä nilkoissani.

”Lopeta”, sanon Nedille, kun saamme hillittyä naurunpuuskamme. ”Otan tämän hyvin vakavasti.”

”Hyvä. Koska moottorisahojen kanssa ei ole leikkimistä. Laita suojalasit silmillesi.”

Teen työtä käskettyä.

”Käynnistän sahan ja seison takanasi. Autan sinua pitelemään sitä. Teemme ensin vain suoria lovia.”

Ned ei tietenkään päästä minua kauniin merenneitonsa kimppuun. Kun puin ylleni hänen haalareitaan, hän valitsi kasasta paksun puupölkyn ja asetti sen telineeseen minua varten. Hän päräyttää sahan käyntiin. Tartun sahaan siitä kohdasta, jonka hän oli näyttänyt minulle, ja pitelen sitä ilmassa. Säikähdän voimakasta tärinää ja tarraan sahaan kiinni lujemmin. Ned painaa kätensä minun käsieni päälle ja ohjaa niitä kohti pölkkyä. Teen ensimmäisen loven, ja terä uppoaa puuhun pelottavalla voimalla. Työ näyttää paljon rennommalta, kun Ned on puikoissa. Hän pitää käsivarsiaan ympärilläni ja auttaa minua liikuttamaan sahaa. Käteni tärisevät, eikä terä mene olleenkaan sinne, minne pitäisi. Ned rauhoittaa minua, ja nojaan selkäni hänen rintaansa vasten, jotta tuntisin, kuinka hän siirtää painoaan. Yritän ohjata sahaa käsilläni, mutta huomaan, että siihen tarvittaisiin koko kehon liikettä. Olen iloinen, että minun on keskityttävä sahan hallintaan, sillä muuten Nedin läheisyys veisi kaiken huomioni, vaikka ei se ollenkaan epämiellyttävältä tunnukaan.

Kun olen saanut aikaan muutamia suoria uria, Ned ohjaa sahaa niin, että terä tekee kaarevan leikkauksen. Se on paljon vaikeampaa, sillä joudun sahaamaan poikkisyin, minkä vuoksi saha pyrkii ponnahtamaan ulospäin. Ned puristaa käsiäni lujempaa, ja työskentelemme yhdessä. Puhuminen on mahdotonta siinä metelissä, mutta minusta tuntuu, että kommunikoimme hyvin. Muutamasta epäonnistuneesta viillosta huolimatta olen onnistunut veistämään puusta sydämenmuotoisen kappaleen.

Kun työ on valmis, Ned sammuttaa sahan, ja sitä seuraava hiljaisuus tuntuu samaan aikaan sekä helpottavalta että yllättävältä. En haluaisi rikkoa hetkeä ja seison hänen käsivarsiensa ympäröimänä, työni tuloksia ihaillen.

”Ei huonompi suoritus aloittelijalta”, Ned kiusoittelee.

”Tulos on loistava, ja sinun on pakko myöntää se”, annan takaisin.

”Jep. Hieno suoritus”, hän myöntää. ”Haluaisitko ryhtyä oppilaakseni?”

”Kukapa tietää”, härnään häntä. ”Tämä on tosin paljon vaikeampaa kuin miltä se näyttää. Olet kyllä aivan uskomattoman taitava, se on pakko sanoa. Arvostan todella.”

”Nyt menee jo imartelun puolelle. Mutta olemmeko me nyt ansainneet lounaamme?” Hän siirtyy kauemmaksi minusta, ja alan heti kaivata hänen käsivarsiensa kosketusta. Ehdin jo tottua siihen.

Istuudumme penkille vieretysten, ja ojennan hänelle folioon pakatut voileivät.

"Taivaallista", hän sanoo. "Olet tehnyt hyvää työtä."

Hänen kasvoillaan on pehmeän levollinen ilme, ja huomaan katselevani häntä mielelläni. Syödessämme tuuli hiljenee ja aurinko pilkistää esiin pilven takaa. Kohotan kasvoni ylöspäin ja annan puiden oksien lomasta suodattuvien säteiden lämmittää poskiani.

En tiedä, onko syynä hyvä seura vaiko paikka, mutta olen onnellisempi kuin pitkiin aikoihin.

33

Ruokailtuamme Ned vie minut kävelylle metsään, josta hän noutaa puutavaransa. ”Teen tämän lenkin melkein joka päivä”, hän sanoo. ”Tarkistan, että puut ovat kunnossa ja tutkin niitä, jotka pitää ehkä kaataa. Jos ne ovat vanhoja ja vaarassa kaatua tai niissä on jokin tauti, kerron siitä maanomistajalle, ja me tavallisesti kaadamme ne yhdessä. Olen koko ajan selvillä metsän kunnosta.”

”Minusta näyttää, että metsä on pysynyt samanlaisena ainakin sata vuotta.”

”Niin se melkein onkin”, Ned sanoo. ”Täällä ei ole mitään yleisiä teitä, joten luonto on lähes koskematonta.”

Jostakin kuuluu koputtavaa ääntä. Ned laittaa kätensä olkapäilleni ja ohjaa minut edessä olevan puun luokse. ”Se on tikka”, hän sanoo. ”Melkein puun latvassa.”

Linnun höyhenpeite on kauniin mustavalkoinen, ja sen päälaella ja pyrstön alla näkyvät sille tyypilliset punaiset läiskät. Katsomme miten se naputtaa puuta. ”En ole koskaan aikaisemmin nähnyt tikkaa”, kuiskaan.

”Ne etsivät puun kuoressa eläviä hyönteisiä. Aika rankka tapa hankkia lounas.”

”Juustoleivät ovat paljon helpompi vaihtoehto.”

Seisomme hiljaa ja tarkkailemme lintua, kunnes se lennähtää tiehensä.

”Täällä on oraviakin, mutta ne ovat hyvin arkoja. Hyvällä tuurilla voimme kyllä nähdä vilauksen niistä.”

Ja niin tapahtuukin. Hetken päästä yksi orava pomppii polun poikki. Se on pieni verrattuna tavallisiin harmaaoraviin, ja sen pähkinänruskea väri tulee hyvin esiin metsän vehmaan vihreää maastoa vasten. Kun vedän henkeäni, se säntää vauhdilla lähimpään puuhun ja katoaa näkyvistä.

Jäämme katsomaan hetkeksi sen perään, mutta Ned sanoo: ”Se ei tule enää takaisin. Niitä näkee todella harvoin. Tämä oli todellinen onnenkantamoinen.”

Se todella oli. Jatkamme eteenpäin pitkin vihreitä varjoisia metsäpolkuja, kunnes vastaamme tulee raja-aita. ”Alue kuuluu National Trust -järjestön maihin. Tämä on hyvin erikoislaatuinen paikka.”

Kiipeämme matalan aidan yli ja saavumme laajalle niitylle, jolla kasvaa korkeaa nurmea ja villikukkia.

”Ne ovat vasta aloittelemassa kukintaansa”, Ned sanoo. ”Kesällä tämä paikka on täynnä kaikenlaisia kukkia ja perhosia. Meidän pitäisi tulla silloin uudestaan.”

Se kuulostaa houkuttelevalta. Poistumme niityltä ja saavumme joen suistoalueelle.

”Tämä on ikivanhaa suolapitoista marskimaata”, Ned sanoo osoittaen pieniä uomia, jotka täyttyvät vain nousuveden aikaan. ”Et ehkä usko, mutta tällä seudulla on rikas historia. Täällä on ollut merkittävä satama, alue on kokenut ruton ja ranskalaisten hyökkäykset, ja täällä on harjoitettu salakuljetusta – täällä on tapahtunut vaikka mitä.”

Maisema on karu mutta vaikuttava. Ned ja minä olemme ainoat ihmiset näköpiirissä, ja voisin mainiosti viettää siellä vaikka koko päivän.

”Meidän pitäisi palata takaisin.” Kuulostaa siltä, että Ned

on yhtä haluton lähtemään kuin minäkin. "Minun täytyy käydä vielä tapaamassa mahdollista toimeksiantajaa, joten on lopetettava veistohommat tältä päivältä."

"Kiitos siitä, että jaoit tämän kanssani", sanon. "Tämä on ollut tosi hauskaa."

"Minusta oli mukavaa, että lähdit mukaani. On hauska saada välillä seuraa. Vaikka sinä nukahditkin kesken kaiken", hän kiusoittelee. Katseemme kohtaavat, ja hän sanoo: "Tule toistekin, Jodie."

"Mielelläni."

Kun kävelemme niityn poikki kohti metsää, minun tekisi mieli ottaa Nediä kädestä kiinni, joten pidän käteni tiiviisti farkkujeni taskuissa, etteivät ne saa aikaan mitään vahinkoa.

34

Matka *Päivänpaisteeseen* on ohi liian nopeasti, ja Ned pysäyttää auton laiturin eteen.

”Kiitos vielä kerran”, sanon. ”Aivan mahtava reissu.” Koska en tiedä, mitä muuta voisin vielä sanoa, nousen autosta ja lähden kävelemään asuntolaivaa kohti.

”Nähdään aamulla joogaharjoituksissa”, Ned huikkaa jälkeeni.

Virnistän ja huudan olkani ylitse: ”En jättäisi sitä väliin mistään hinnasta!”

Saatan jopa tarkoittaa sitä.

Ned ajaa pois, ja heilautan hänelle kättäni kömpelösti. Sitten astun sisälle *Päivänpaisteeseen.* Marilyn on jättänyt sinne käyntikorttinsa: yleispuhdistusaineen ja kiillotussuihkeen hajun, joka kilpailee meren tuoksun kanssa. Pöydällä on iloinen viesti.

Toivottavasti sinulla on ollut kiva päivä. Nähdään huomenna. George halusi jättää kirjansa mieluummin tänne kuin Idalle. Vaikuttaa roisilta! M.

Hän on alleviivannut sanan ”roisi” kolmeen kertaan ja lisännyt perään myös emojirivin: sydämen, hymiön ja kukan.

Ja toden totta, Georgen siististi koneella kirjoittamat liuskat lepäävät pöydällä. *Villi sydän.* Hymyilen itsekseni ja selailen ensimmäisiä sivuja toivoen, ettei teksti ole liian rohkeaa, sillä silloin en voisi enää katsoa Georgea silmiin.

Ollakseni rehellinen minulla ei ole minkäänlaisia suunnitelmia loppupäivän varalle, joten käsikirjoitus on tervetullut lahja. Olin luullut, että viihtyisin itsekseni, mutta se oli osoittautunut harhaluuloksi.

Asetun mukavaan asentoon yläkannen lepotuolille ja alan lukea Georgen romaania. En tiedä, mitä odottaa, mutta pian olen sisällä tarinassa, sanat vievät minut mennessään, ja luen tekstiä ahmien. George taitaa olla paljon syvällisempi kuin päällepäin voisi luulla. Toivon, että hänen kirjansa julkaistaan.

Vähän myöhemmin kuulen auton hurinaa ja näen, että Ned on palannut takaisin. Vilkaisen kelloani, ja huomaan lukeneeni Georgen kirjaa kaksi tuntia. En tiedä paljoa kustannusalasta, mutta sanoisin, että Georgella on lahjoja. Minulla oli ollut vaikeuksia saada mitään aikaiseksi, mutta Georgen kirja tempasi minut mukaansa niin, että unohdin kokonaan ajankulun.

Minulla on vilu, ja päätän keittää kupillisen kahvia. Ei sillä, että olisin varta vasten urkkinut, mutta huomaan Nedin liikuskelevan veneessään ja mietin, pitäisikö minun tarjota kupillinen hänellekin. Tiedän, että olen vienyt hänen aikaansa jo paljon tänään, mutta hänen seurassaan on niin helppoa olla, ja huomaan, ettei oma seurani enää riitä minulle. Ehkä voisin valmistaa hänelle illallisen.

Jahkaillessani asiaa huomaan, että paikalle saapuu toinen auto, josta nousee ulos Ida. Hän vilkaisee *Päivänpaisteen* suuntaan, koputtaa Nedin ovelle ja jää odottamaan. Ja jostain ihmeen syystä vetäydyn näkymättömiin ikkunasta. En halua Idan luulevan, että olen naapurin kyttääjä, joka vakoilee, keitä Nedillä käy kylässä, vaikka sitähän minä juuri olen tekemässä. Voisin tarjota heille kummallekin illallisen, mutta uumoilen, ettei Ida erityisemmin riemastuisi siitä. Olen varma, että hän haluaa pitää Nedin itsellään. Hän on pukeutunut taas tyylilleen uskollisiin värikkäisiin, hieman hassuihin vaatteisiin, mutta yleisvaikutelma on elegantimpi kuin tähän saakka. Hänellä on hyvin lyhyt leninki, jossa on ruiskaunokinsinisiä kukkia, sekä yli polven yltävät kermanväriset mokkasaapikkaat ja haalistunut farkkutakki. Hänen pitkä tumma tukkansa on auki, ja hänellä on päässään cowboy-hattu. Hänen säärensä ovat hoikat ja päivettyneet. Kadehdin hänen rentoa, persoonallista tyyliään.

Tirkistellessäni yhä salaa ikkunasta Ned avaa oven, Ida kallistaa päätänsä taaksepäin ja nauraa. Ehkä heillä on tänä iltana treffit. En pidä siitä ajatuksesta. Olin alkanut ajatella, että Nedillä ja minulla on aivan erityinen yhteys, mutta ehkä olin väärässä. Ehkä hänellä on vain taito saada kaikki tuntemaan itsensä ainoaksi ihmiseksi maailmassa. Ned laittaa kätensä Idan olkapäille ja vetää tätä lähemmäksi itseään ohjatessaan tämän sisälle laivaan. Vatsassani velloo inhottava tunne. Ida ei näytä olevan lähdössä ihan pian.

No, minua on varoitettu Nedistä. Ehkä minun on viisasta kuunnella niitä neuvoja.

35

En pysty enää palaamaan Georgen kirjan pariin, joten vietän taas yhden illan itsekseni television äärellä. Avaan summamutikassa jonkin kanavan ja katselen ohjelmaa hajamielisenä, yrittäen olla miettimättä, mitä naapurilaivassa mahtaa olla tekeillä. Vaikka eihän se minulle kuulu. Ei todellakaan.

Minun pitäisi hankkia itselleni harrastus – jokin kaiken nielevä ajanviete. Olen alkanut pikkuhiljaa ymmärtää, että elämässäni pitäisi olla muutakin kuin työ. Kuntosalitreenien lisäksi minulla ei ole mitään. Käyn töissä, syön, nukun ja toistan saman uudelleen. Mutta nyt Ned on saanut minut innostumaan jostain luovasta tekemisestä. Mitä se voisi olla? Harrastin hieman maalausta niihin aikoihin, kun opiskelin muotoilua taidekorkeakoulussa, mutta olin pelkkä amatööri, enkä ole tarttunut siveltimeen vuosikausiin. Ehkä voisin alkaa virkata tai neuloa – eikös se ole trendikästä nykyään?

Sitten mieleeni juolahtaa, että jos hallitsisin ne taidot, olisin voinut virkata tai neuloa söpöjä pieniä vauvanvaatteita, ja se ajatus syöksee minut taas pimeyteen. Suljen silmäni ja työnnän mielestäni kuvat, jotka vainoavat minua yötä päivää.

Minun on varmaan aika kertoa koko totuus, sillä en voi jatkaa enää näin. Te varmaan arvaattekin jo, että menetin lapseni. Olette ehkä jo tähän mennessä päätelleet, että karkumatkani taustalla piilee muutakin kuin sivupoluille harhautunut aviomies. Sen asian olisin vielä pystynyt selättämään. Mutta sitten tuli se viimeinen niitti. Tai kuten Marilyn varmasti sanoisi, "viimeinen neula".

Olen pahoillani, että olen pitänyt teidät pimennossa, mutta en ole tähän mennessä pystynyt vielä pukemaan tunteitani sanoiksi. Jo kuukausia ystäväni ja kollegani ovat katselleet minua säälien, enkä kestänyt sitä enää. Minusta tuntui, että jopa tuiki tuntemattomat ihmiset tuijottivat minua ja tiesivät tuskani. Olen ollut läheisilleni painajaismaista seuraa. Oivallan sen nyt. Kaikkein ystävällisimmätkin ihmiset kyllästyvät nopeasti minun kaltaiseeni pillittävään surkimukseen. Veikkaan teidänkin ajattelevan, että sellaista sattuu ja että minun pitäisi vain päästä asiasta yli. Aika monet ovat kertoneet, että heilläkin oli yksi, kaksi tai kolmekin keskenmenoa, ennen kuin he kokivat täysimittaisen raskauden – ikään kuin sen kuuleminen jotenkin helpottaisi oloani.

Se ei ollut mikä tahansa keskenmeno. Se oli *minun* keskenmenoni. Se oli lapsi, jonka vuoksi olimme joutuneet taistelemaan.

Kun Chris ja minä olimme kolmi–nelikymppisiä, halusimme huvitella. Matkustelimme ympäriinsä, teimme kaikkea mahdollista ja nautimme täysillä elämän tarjoamista iloista. Minä olin meistä kovapalkkaisempi, mutta myös Chris ansaitsi hyvin. Raha ei siis ollut mikään ongelma. Emme koskaan miettineet lasten hankkimista emmekä halunneet pienten jalkojen töminän keskeyttävän tekemisiämme. Meillä oli to-del-la hauskaa.

Mutta sitten neljänkympin virstanpylväs alkoi häämöttää, ja niin kliseiseltä kuin tämä kuulostaakin, aloin vilkuilla kaihoten jokaisia ohitse kulkevia lastenrattaita. Oli kuin päässäni olisi käännetty jotain katkaisinta, ja yhtäkkiä halusinkin tuntea rintaani vasten pehmeää, untuvaista ihoa, en pelkkää Chrisin lihaksikasta yläkroppaa. Chris oli kauhuissaan, kun otin vauvateeman ensi kertaa puheeksi. Sellainen ei ollut koskaan ollut suunnitelmissamme, eikä hän nähnyt mitään syytä sille, miksi tilanteen olisi pitänyt muuttua.

Mutta kun olin saanut sen ajatuksen päähäni, en päässyt siitä enää irti, ja mitä enemmän asiasta puhuin, sitä enemmän miehenikin alkoi lämmetä idealle. Ajatus lapsesta täytti jokaisen soluni. Tosin en usko, että otimme ruusunpunaisissa unelmissamme lainkaan huomioon käytännön kysymyksiä. Ajattelimme vain, kuinka paljon iloa lapsi toisi elämäämme ja mitä kaikkea hienoa me voisimme hänelle tarjota. Emme antaneet arkisten lastenhoito-ongelmien pilata haavekuvaamme. Ajattelimme, että vanhemmuus olisi pelkkää onnea ja kävelyretkiä puistossa. Emme ajatelleet unettomia öitä tai seuraelämämme loppumista. Koliikki tai vesirokko eivät käyneet edes mielessämme. Kaikki olisi vain niin ihanaa.

Oletimme, että lapsen alulle saattaminen hoituisi meiltä leikiten. Olihan se sellainen asia, jonka Chris ja minä hallitsimme hyvin. Se oli ollut myös yksi syy sille, miksi en koskaan pitänyt Megiä todellisena uhkana. Seksielämämme kukoisti. Työviikon aikana saatoimme olla kuin kaksi laivaa, jotka ohittavat toisensa yössä, mutta kun sitten pääsimme yhdessä sänkyyn, otimme siitä kaiken ilon irti.

Siksi oletimme, että meidän tarvitsisi vain ajatella lapsen saamista, niin vauva jo tulla tupsahtaisi jostakin. Kumpikaan meistä ei osannut aavistaa, miten kovan työn takana raskaaksi tuleminen voisi olla. Luulen, että maininta ”sperman alhaisesta siittiöpitoisuudesta” oli hirveä kolaus Chrisille ja hänen egolleen.

Hän oli aina onnistunut kaikessa mihin oli ryhtynyt, mutta nyt tämä tehtävä, joka kosketti hänen syvintä miehisyyttään, olikin sellainen, johon hän ei pystynyt. Ehkä se oli suhteemme akilleenkantapää. Murensiko se hänen itsetuntoaan enemmän kuin olin tajunnutkaan? Jos ollaan rehellisiä, en oikeastaan tiennyt, miltä hänestä tuntui, sillä emme koskaan puhuneet asiasta vakavasti. Vaikuttaa siltä, ettemme puhuneet paljoakaan sellaisista asioista, joilla olisi ollut oikeasti merkitystä.

Kaksi raastavaa koeputkihedelmöitystä eivät tuottaneet tulosta, mutta kolmannella kerralla osuimme kultasuoneen. Kun vihdoin onnistuimme, kaikki aikaisempi ahdistus – murehtiminen, lääkitys, injektiot, kustannukset – oli kuin silmänräpäyksessä poispyyhitty. Olin raskaana – kuin ihmeen kaupalla raskaana – kun olin jo ollut luopumaisillani toivosta saada joskus oma lapsi syliini. Sillä hetkellä Chris ja minä olimme maailman onnellisimmat ihmiset. Ihan varmasti olimme. Millainen tulevaisuus meidän pienellä perheellämme olisikaan! Koin olevani siunattu, sillä olin neljänkymmenenkahden ja pelkäsin, että en enää saisi uutta mahdollisuutta.

Tein tietenkin kaikkeni suojellakseni sisälläni kasvavaa uutta elämää. Söin oikeanlaista ruokaa, luin oikeanlaisia kirjoja enkä jättänyt yhtään lääkärikäyntiä väliin. Tein lukemattomia muistiinpanoja siitä, mitä minulle sanottiin, jotta en vain tekisi mitään väärin. Olisin maailman täydellisin äiti. Ahkeroin töissä. Aina maanisuuteen asti. Ehkä minun olisi pitänyt hidastaa tahtia, mutta vointini oli erinomainen. Olin varsinainen voimanpesä, pursusin energiaa ja kummastelin sisälläni kasvavaa ihmettä. Minä kukoistin. Olin kuin maaemo. Raskaus sopi minulle. Kaikki sanoivat niin.

Mutta kävi ilmi, että olin liian toiveikas, liian itseriittoinen, liian ylimielinen, liian varma siitä, että kaikki menisi hyvin.

Chris oli paljon tavanomaista huomaavaisempi, mutta hänellä oli edelleen myöhäisiä iltamenoja. Työtahtia ei ilmeisesti ollut tarvetta hidastaa vain siitä syystä, että vaimo oli raskaana. Työmatkat Megin kanssa jatkuivat. Chris oli jatkuvasti Birminghamissa, Belfastissa, Belgiassa – kokouksissa, joihin hänen oli välttämätöntä osallistua. Ajattelin hänen ahkeroivan sen vuoksi, että hän voisi ottaa vähän rennommin lapsen synnyttyä, joten en moittinut häntä. Miksi olisin? Elin omassa pienessä kuplassani.

Tyhjensimme ylimääräisen huoneemme, jota olimme käyttäneet yleisenä varastona, ja maalasimme sen itse. Normaalisti olisimme palkanneet remonttimiehen, mutta halusimme tehdä tämän työn itse, yhdessä. Käytyämme läpi valtavat määrät värikarttoja päädyimme hentoon sitruunankeltaiseen ja vaaleanharmaaseen. Huoneessa ei olisi mitään pinkkiä. Tyttäreni olisi reipas ja rohkea, ei mikään keijukaisprinsessa tai barbinukke. Hänestä tulisi putkiasentaja, konserttipianisti tai pääministeri. Mutta ennen kaikkea hänestä tulisi onnellinen. Ja rakastettu. Meitä nauratti se, miten huonosti kittaus ja maalaus meiltä sujuivat, mutta olimme sentään yrittäneet. Maalia roiskui pitkin valtavia äitiyshaalareitani, joissa vatsallani olisi aikanaan tilaa kasvaa, mutta se ei haitannut minua tippaakaan. Pinnasängyn ja lastenvaunujen valinta aiheutti minulle valtavasti päänvaivaa. Halusin että lapseni tuntisi olonsa turvalliseksi, rakastetuksi ja hemmotelluksi. Maltoin tuskin odottaa, että hän näkisi sen kaiken.

Kaikki maailmassani oli ihanaa.

36

Kun kivut iskivät odottamatta ja aivan liian varhain, Chris kiidätti minut sairaalaan. Istuimme kalpeina autossa, kun kaikki liikennevalot vaihtuivat punaisiksi ja taistelimme aikaa vastaan. Tunsin, miten lapseni elämä hiipui pois, enkä mahtanut sille mitään.

Lapseni, minun kaunis pienokaiseni, joka oli liian hauras jatkaakseen elämäänsä, oli kuollessaan lähes kahdenkymmenen viikon ikäinen. Minun silmissäni hän oli jo täydellinen pieni ihminen, joka ei vain selviytynyt tähän maailmaan. En ollut tiennyt, että kenenkään olisi mahdollista kokea niin suurta tuskaa.

Kaikki sanovat, että raskauden kaksitoista ensimmäistä viikkoa ovat kaikkein riskialtteimmat. Oletin, että ohitettuani sen rajapyykin kaikki sujuisi leikiten, ja minulla olisi pian sylissäni terve, ponteva pienokainen. Vain muutaman viikon kuluttua lapseni olisi ollut jo elinkelpoinen ja hänellä olisi ollut mahdollisuudet jäädä henkiin. Mutta raskauteni yllättävä päättyminen, toiveitteni romahtaminen, määriteltiin pelkäksi ”myöhäiseksi keskenmenoksi”. Miten kylmältä se kuulostaakaan. Tiedän, että terveydenhuollon ammattilaiset tarvitsevat omat terminsä, mutta jotkut niistä kuulostavat liian karuilta, liian julmilta. Kun minulle kerrottiin, ettei vauvan sydänääniä enää kuulunut, minusta tuntui, että omakin sydämeni pysähtyi siihen paikkaan, eikä se ole sen jälkeen enää kunnolla käynnistynyt. Sen tilalla on vain ammottava tyhjyys.

Lapsen menettäminen sillä tavoin on yksi traumaattisimmista kokemuksista, mitä voin kuvitella. Olin liian turta, liian tuskainen ymmärtääkseni, mitä oikeastaan tapahtui. Vajotessani omaan pimeyteeni Chris huolehti kaikesta. Hänen oli pakko, sillä minä olin täysin lamaantunut. Vaikutti siltä kuin aivoni olisivat lakanneet toimimasta, jotta en pystysi tuntemaan mitään.

Jos lapseni olisi elänyt hieman pitempään, hänet olisi määritelty kuolleena syntyneeksi lapseksi, olisimme voineet antaa hänelle nimen, hän olisi saanut kuolintodistuksen ja kunnolliset hautajaiset. Hänet olisi haudattu johonkin sellaiseen paikkaan, jossa olisimme voineet myöhemmin vierailla. Meillä olisi olemassa jokin dokumentti siitä, että hän on joskus ollut luonamme, vaikka vain lyhyenkin aikaa. Nyt minulla ei ole mitään, minkä perusteella voisin sanoa, onko häntä ollut edes olemassa.

Meille kerrottiin, ettei tapahtuneelle välttämättä ole mitään syytä, että näin tapahtuu hirveän usein. Olin kuitenkin vakuuttunut siitä, että olimme tehneet jotain väärin, että meiltä oli jäänyt huomaamatta jokin tärkeä yksityiskohta, joka olisi pelastanut lapsemme. Yksi hoitajista sanoi, että "iäkkäänä äitinä" minulla oli suurempi keskenmenoriski, mikä vain pahensi asiaa.

Kun pääsimme pois sairaalasta, meitä neuvottiin odottamaan, kunnes olisimme "henkisesti valmiita" yrittämään uudelleen. Mutta milloin se hetki koittaisi? Kuukauden päästä, vuoden päästä, ei milloinkaan? Kun kamppailin tuskani ja menetykseni kanssa, Chris oli kuin mitään ei olisi tapahtunut. Hän lähti seuraavana päivänä töihin ja jätti minut yksin kotiin. Aikaa kului, ja minulla oli yhä vaikeaa, mutta Chris viipyi edelleen töissä myöhään ja oli poissa kotoa yhä useammin. Minusta tuntui, että kaikki tuijottivat minua ja tiesivät vaistomaisesti, että olin menettänyt lapseni. Minusta oli epämiellyttävää, kun ihmiset arastelivat seurassani tai hymyilivät minulle säälivästi. Töissä istuin vain pöytäni ääressä enkä voinut olla itkemättä. Suruni oli kuin avoin, verta vuotava haava.

Kotona Chris ja minä katselimme toisiamme ilmeettöminä ja ihmettelimme, mitä meille oli tapahtunut. Jäljellä oli vain tyhjä lastenhuone ja käyttämättä jäänyt pinnasänky. Pelkkä muisto vauvasta, jota kutsuimme Pampulaksi. Tämä on se asia, josta en ole päässyt vielä yli. Kaikki muut ovat menneet elämässään eteenpäin, mutta se, että en saanut lasta syliini, tuntuu fyysisenä kipuna käsissäni vieläkin.

En voi kertoa teille nyt enempää. En pysty.

37

Kun herään seuraavana aamuna, mieleni on yhä apea. Päätän kuitenkin, että minun on *pakko* yrittää olla positiivisempi. Tiedätte nyt tuskani syyn ja määrän, mutta siinä velloominen ei tee hyvää kenellekään, kaikkein vähiten minulle itselleni. En halua, että tämä on se, mitä lapsestani jää perinnöksi maailmalle – pelkkä ontto, tyhjä äidin kuori. Minun on päästävä ulos tästä pimeydestä.

Pienestä on hyvä aloittaa. Ned pyysi minua joogaamaan kanssaan, ja pakotan itseni lähtemään liikkeelle. Kurkistan pyöreästä laivanikkunasta ja näen, että päivä on kirkas ja aurinkoinen. Sen on pakko olla hyvä merkki, eikö?

Pystyn tähän. Jooga voisi olla vastaus kaikkeen. Siispä puen ylleni verkkarit ja norkoilen keittiössä nähdäkseni, olisiko Ned lähdössä rannalle. Valmistan itselleni kupin kahvia ja paahtoleipäviipaleen, ja pidän koko ajan silmällä *Merituulta*.

Kun Ned lopulta astuu ulos, mukana on myös Ida, joka on siis mitä ilmeisimmin viettänyt yön Nedin kanssa. En ymmärrä, mikä siinä minua pännii, mutta pakko myöntää, että kyllä se pännii. On vaikea pitää yllä positiivista mielialaa. Minun pitäisi olla iloinen heidän puolestaan. Ida on selvästi enemmän kuin ihastunut Nediin, ja jos hyvin käy, Ned tuntee samoin. Yksipuolinen rakkaus on perseestä. Minunhan se pitäisi tietää.

Ida kietoo kätensä Nedin ympärille ennen lähtöään, ja tekee sen itse asiassa hyvin näyttävästi. Ned nojaa ovenkarmiin ja seuraa Idaa katseellaan tämän astellessa reippaana laskusiltaa pitkin kohti autoaan. Kun auto huristelee pois, Ned palaa sisälle. Samalla hetkellä Marilynin virtaviivainen vaniljakastikkeen värinen menopeli pörähtää tai pikemminkin jyrähtää paikalle. Auto pysähtyy jarrut kirskahtaen *Päivänpaisteen* eteen.

Avaan oven. "Hei, Marilyn." Hänen asunsa on jälleen niin räikeä, että minun tekisi mieli pistää silmilleni aurinkolasit. Hänen housunsa ovat samanväriset kuin hänen autonsa, ja turkoosia t-paitaa somistavat helmet, jotka pompahtelevat pirteinä hänen rinnuksellaan.

"Huomenta, muru!" hän kujertaa.

Kuten tavallista, hänellä on toisessa kädessään laukku täynnä siivoustarvikkeita ja toisessa kassi kukkuroillaan ruokaa.

"Jestas sentään", hän aloittaa lipuessaan sisään. "Näytät ihan maasi myyneeltä. Mistäs nyt kiikastaa?"

Sen kuullessani purskahdan itkuun.

"No niin, no niin", Marilyn pudottaa siivoustarvikkeet ja ruokaostokset lattialle. "Onko jotain sattunut?"

Ennen kuin ehdin torjumaan Marilynin, hän on jo kietonut käsivartensa ympärilleni ja painanut minut rintaansa – ja helmiään – vasten. Nyyhkytän. En voi muuta kuin antautua hänen lohdutettavakseen. Hän keinuttaa minua edestakaisin kuin pikkulasta, taputtaa selkääni, silittää hiuksiani.

"Voit kertoa minulle kaiken", hän sanoo. "Minulle mikään inhimillinen ei ole vierasta."

Se kuulostaa vähän liioittelulta, mutta Marilynin kohdalla se saattaa jopa pitää paikkansa. Hän on kultaisissa kiilapohjaisissa sandaaleissaankin viisas ihminen. Menetettyäni lapsen kävin kerran keskustelemassa ammattiauttajan kanssa. Terapeutti oli tiukkailmeinen nainen, jolla ei tuntunut olevan sydäntä lainkaan. Käynti sai minut vain entistä masentuneemmaksi.

Kylmäkiskoinen terapeutti sanoi, että minun pitäisi puhua asiasta. Niin, kyllä, mutta kenen kanssa? Seuraavien kuukausien aikana Chris ja minä pystyimme tuskin vaihtamaan sanaakaan keskenämme. Emme kestäneet edes katsoa toisiamme silmiin. Aloin vain itkeä, kun hän katsoi minua vuodattamatta itse ainuttakaan kyyneltä, ikään kuin olisin ollut hänelle täysin vieras ihminen. Ehkä minä olinkin, mutta eikö kuka tahansa normaali ihminen itkisi, jos olisi menettänyt kauan kaivatun lapsensa? Syytin häntä, ja hän mitä ilmeisimmin syytti minua. Pääsin juuri ja juuri ylös sängystä aamuisin. Chris vietti kaksitoista, kolmetoista, jopa neljätoista tuntia päivässä työpaikalla. Tai siltä minusta ainakin tuntui.

Olin käynyt raskauden alussa synnytysvalmennuksessa, koska olin innokas oppimaan uutta, mutta nyt kaikki siellä käyneet äidit olivat joko synnyttäneet tai olivat ihan viimeisillään. Olin ainut, joka oli lähtenyt sairaalasta yksin, ilman vauvaa. Äidit lähettivät minulle surunvalittelukortin, jonka jokainen oli allekirjoittanut. Päättelin siitä, että he olivat käyneet yhdessä kahvilla. Se oli ollut tapaaminen, johon minua ei ollut kutsuttu, koska sellainen olisi ollut liian kiusallista, liian traumaattista, liian hirveää. He eivät pystyneet kohtaamaan minua ja minun tyhjää syliäni. En olisi kyllä mennytkään, vaikka olisi pyydetty. Koska minulla ei ollut vauvaa, en kuulunut heidän kerhoonsa.

Marilyn ohjaa minut istumaan keittiönpöydän ääreen. Sitten hän istuutuu viereeni pitäen yhä kädestäni kiinni ja kehottaa: ”Kakista ulos vain.”

Se saa minut hymyilemään kyynelten läpi, ja onnistun saamaan aikaiseksi räkäkuplan. Marilyn ottaa esille puhtaan, taitellun nenäliinan, avaa sen valmiiksi ja tarjoaa minulle. Niistän nenäni.

"Olen pahoillani."

"Ei haittaa", hän rauhoittelee. "Kunnon itku ei ole koskaan pahitteeksi."

"Enhän minä nykyään muuta teekään", sanon hänelle.

"Sitten sinulla on siihen varmaan hyvä syy", Marilyn sanoo. "Tässä ei taida olla kyse pelkästään siitä aviomiehestäsi. Kyllä sen näkee. Se on jotain syvempää."

"Menetin vauvani", sanon vaisusti.

Salailu on hyödytöntä. Sydämeni ja mieleni ovat niin täynnä tuskaa, etten voi pitää sitä enää sisälläni.

38

”Voi sentään”, Marilyn huokaisee osaaottavasti.

”Siitä on muutama kuukausi.” Olisin voinut kertoa, kuinka monta päivää ja tuntia sitten se tarkalleen ottaen tapahtui, mutta se olisi ollut liian surullista. Voin vain sanoa, että Chris ja minä vietimme elämämme ankeimman joulun. Tarkoituksenamme oli ollut juhlistaa joulua suuren maailman tyyliin, koska viettäisimme sen viimeistä kertaa pariskuntana. Saimme toki olla kahdestaan, mutta emme ihan sillä tavalla kuin olimme suunnitelleet. Emme käyneet ulkona, emme edes koristelleet kuusta. Hankkimamme lahjat jäivät avaamatta. Ostin tarvikkeet jouluateriaa varten, mutta heitin ne lopulta roskiin. Uusi vuosi, jonka olisi pitänyt olla meille niin ihmeellinen ja jännittävä, ei luvannut yhtään parempaa.

”En vain millään pääse sen yli.”

”Et varmastikaan.” Marilyn taputtaa käsivarttani. ”Lapsen menetys on yksi hirveimmistä asioista, mitä ihmiselle voi tapahtua. Onko se mikään ihme, jos tunnet olevasi riekaleina?”

Se on hyvä kysymys.

”Parantuminen ja sureminen vievät oman aikansa”, hän jatkaa. ”Kuulostaa siltä, että olet yrittänyt polttaa kynääsi molemmista päistä.”

”Niin minä varmaan olenkin”, hymyilen hänelle kyynelten läpi. ”Niin juuri olen tehnyt.”

”Olisit sinä voinut hullumpaakin keksiä kuin tulla Isle of Wightille keräämään voimia. Tämä on Jumalan omaa maata.”

”Luulin, että niin sanotaan Yorkshirestä.”

”Siitäkin”, Marilyn myöntää vähätellen. ”Oletan, että tästä on koitunut hankaluuksia sinun ja miehesi välille?”

”Kyllä. Chris ei selvästikään ole ottanut tätä samoin kuin minä. Oikeastaan koko juttu ei ole tuntunut hänestä paljon miltään.” En pysty kertomaan Marilynille, että Chris itse asiassa meni töihin heti seuraavana päivänä, kun hänen vaimonsa oli saanut keskenmenon, kun hän oli menettänyt lapsensa. Millainen mies tekee niin? Kuinka hän saattoi jättää minut yksin, kun pystyin hädin tuskin siirtämään jalkaa toisen eteen?

”Miehet ovat toivottomia, mitä tunteisiin tulee”, Marilyn toteaa. ”He käsittelevät niitä eri tavalla, mutta se ei tarkoita, etteivätkö he tuntisi täsmälleen samoin.”

Chris oli meistä se, jonka piti kertoa tapahtuneesta sukulaisille ja ystävillemme. En pystynyt kohtaamaan ketään. En tiedä, tuntuiko se hänestä pahemmalta kuin mitä hän sanoi. Silloinkaan kumpikaan meistä ei puhunut tunteistaan.

”Emme edes antaneet lapselle nimeä”, tunnustan. ”Olisin kutsunut häntä Charlotteksi äitini mukaan. Chris ei koskaan tavannut äitiäni, joten hän ei ollut siitä nimestä niin vakuuttunut. Hän olisi kutsunut tytärtä Bethiksi ilman mitään erityistä syytä, emmekä koskaan päässeet yksimielisyyteen asiasta. Minulla ei ole lapsesta valokuvaa eikä muutakaan muistoa, ainoastaan ensimmäisestä ultraäänestä saatu tuloste.”

”Et sinä siitä asiasta koskaan kokonaan yli pääsekään”, Marilyn sanoo. ”Mutta opit elämään sen kanssa. Minun poikani on ollut poissa kaksitoista vuotta. Hän oli minun silmäkeräni, ja juttelen hänen kanssaan vieläkin joka päivä. Ehkä hän ei enää astu sisään kotiovestani, mutta hän asuu yhä sydämessäni ja tulee aina asumaan."

"En varmaan koskaan lakkaa miettimästä, millainen hänestä olisi tullut."

"Et niin. Näet jotakin kivaa, ja ajattelet heti, kuinka hän olisikaan siitä pitänyt. Mietit, missä hän asuisi ja miltä hän näyttäisi."

"Sen vuoksi lakkasin katsomasta peileihin, sillä mietin aina, olisiko hän näyttänyt aikuisena minulta."

"Usko minua, ajan myötä se ei enää tee niin kipeää."

Painan pääni alas. "En usko, että selviän tästä ikinä."

"Kyllä selviät. Kaikki on vasta alussa. Ja voit vielä saada toisen lapsen", Marilyn sanoo toiveikkaana.

"Olen väärällä puolella neljänkympin rajapyykkiä, Marilyn. Se on fakta. Tätä lasta varten tarvittiin kolme koeputkihedelmöitystä, ja nyt minulla ei ole enää miestäkään."

"Onko teidän juttunne lopullisesti ohi?"

"Olen aika varma, että hänellä on toinen."

Marilyn puristaa huulensa yhteen. "Sitä on vaikea antaa anteeksi, mutta ehkä hänkään ei ole ollut ihan kohdillaan."

"Pitäisikö minun sinun mielestäsi antaa hänelle vielä mahdollisuus?"

"Riippuu siitä, haluaako hän sitä itse." Marilyn kohauttaa olkiaan. "Jos hän kieltää sen jatkuvasti tai syyttää sinua, anna hänen mennä. Jos hän taas tunnustaa kaiken ja pyytää sinua antamaan anteeksi, voit miettiä, onko jotain vielä tehtävissä."

Peitän kasvot käsilläni. "En pysty edes juttelemaan hänen kanssaan tällä hetkellä, saati sitten miettimään, haluaisinko korjata suhteemme."

”Lapsista on sekä iloa että murhetta”, hän sanoo. ”Jos sinulla on perhe, saat varautua vielä paljon pahempaankin kuin tämä. Se, miten vaikeudet ratkaistaan, kertoo onko vanhemmilla yhteistä tulevaisuutta.”

”Olet onnekas, kun sait niin monta lasta.”

”Onnekas?” Marilyn nauraa. ”En suunnitellut hankkivani tällaista katrasta. Olisin halunnut tehdä muutakin elämässäni, mutta riitti, että mieheni otti housut jalastaan, niin olin heti paksuna.”

Purskahdan nauruun. ”Ei kai se nyt ihan niin mene, Marilyn.”

”Ei vai?”

Sitten me molemmat alamme käkättää.

”Onpa mukava kuulla sinun nauravan”, Marilyn sanoo. ”Nauru parantaa haavat.”

”Aika”, minä korjaan. ”Aika parantaa haavat.”

”Aika ja nauru.”

Hän on todennäköisesti oikeassa.

”Olen omistanut koko elämäni lapsilleni”, hän lisää. ”Sinulla on ollut myös oma, upea urasi.”

”En ole varma, onko se parasta maailmassa. Totta puhuen Chris ja minä emme oikein koskaan varautuneet siihen, miten lapsi muuttaisi elämäämme.” Kyllä, ostimme toki kauniita tavaroita ja maalasimme lastenhuoneen pastellinsävyillä, mutta meillä ei ollut mitään käsitystä siitä, millainen vaikutus lapsella olisi meihin. Oletimme, että lapsi solahtaisi sujuvasti elämäntyyliimme. Miten typerää. Yrittikö lapsi kertoa meille, että emme olleet valmiita vanhemmuuteen? Sairaalassa ei pystytty antamaan mitään syytä keskenmenolle. Synkimpinä hetkinäni pohdin, kykenikö lapsi jotenkin aistimaan, että emme olleet sopivia vanhempia hänelle. En tiedä.

Jutellessamme kuulen Nedin oven kolahtavan, ja katselemme, miten hän suunnistaa kohti rantaa. Muistaakohan Ned, että hän pyysi minua joogaamaan kanssaan? Jos hän muistaa, hänen luulisi vilkaisevan tännepäin. Tavallaan toivoisin sitä. Mutta hän ei vilkaise.

Se yliluonnollisista kyvyistäni.

"Sinun pitäisi lähteä hänen mukaansa." Marilyn on selvästi parempi lukemaan ajatuksia. "Eikös sinun ollut tarkoitus antaa sille joogajutulle mahdollisuus?"

"Ei tänään. Olen henkisesti aivan puhki." Hymyilen hänelle.

"Minulla on sinulle lahja." Marilyn menee penkomaan laukkujaan. Hetken päästä hän asettaa eteeni pienen ostoskassin. "Ta-daa."

Katson häntä ihmeissäni. "Mikä tämä on?"

"Avaa, niin näet!"

Otan lahjan esille kääreistä.

"Vau", sanon hämmentyneenä. "Vau."

"Tiesin, että pitäisit niistä", Marilyn sanoo ylpeänä.

"Vau." Käsissäni on hopealle kimaltelevat leggingsit ja neonpinkki urheilutoppi. "Vau." En todellakaan keksi niistä muuta sanottavaa.

"Ne ovat juuri oikeat asusteet joogahetkiisi." Marilyn näyttää paljon innostuneemmalta kuin minä.

"En tiedä, olenko aloittamassa sitä harrastusta vielä", sanon varovasti.

"Kyllä sinä olet", Marilyn sanoo. Hän ei selvästikään halua kuulla vastaväitteitä. "Ned ei tiedä, mikä häneen iski, kun ilmestyt rannalle noissa vetimissä."

Siitä asiasta voimme varmaan olla yhtä mieltä.

"Olet niin ajattelevainen, Marilyn." Se on totta, vaikka

näyttäisinkin siltä kuin yrittäisin jäljitellä varhaisvuosien Jane Fondaa.

”Käy sovittamassa niitä”, Marilyn yllyttää. ”Haluan nähdä, miltä ne näyttävät ylläsi.”

En mahda hänelle mitään, vai mitä? Mutta en voi olla hymyilemättä katsellessani hopealle kimmeltäviä leggingsejä.

”No niin”, Marilyn sanoo tyytyväisenä. ”Näytät jo paljon paremmalta.”

”Kiitos tästä juttutuokiosta. Se tuli tarpeeseen.” Olen ollut kuin painekattila, joka on kerännyt sisälleen höyryä ja on ollut valmis räjähtämään minä hetkenä hyvänsä.

”Eipä kiittämistä. Jutellaan vastakin, jos siltä tuntuu.” Marilyn nousee seisomaan ja moiskauttaa äänekkään suukon päälaelleni. ”Kyllä sinä vielä tästä tokenet. Tunnen sen luissani.” Sitten hän nostaa loput ostoksista tiskipöydälle. ”Ainut tutkintoni on Elämän korkeakoulusta, mutta kyllä siitäkin on joskus apua.”

”Varmasti on.” Marilyn puhuu kuin papupata, mutta hän on myös hyvä kuuntelija, mistä olen hänelle kiitollinen.

Hän askaroi pirteänä vedenkeittimen kanssa ja lastaa lisää ruokaa jääkaappiin. Jos joskus palaan kotiin Isle of Wightilta, olen kymmenen kiloa pulskempi ja minun täytyy lisätä kuntosalikäyntejä. Mitähän Shoreditchin LifeStyle-salin tuttavani sanoisivat uudesta treeniasustani?

”Näin Idan lähtevän Nedin veneestä tänä aamuna”, Marilyn huikkaa olkansa ylitse.

”Niin minäkin.”

”Hän näytti hieman voipuneelta. Toivottavasti he eivät olleet niissä puuhissa, missä luulen heidän olleen.” Marilyn pudistaa päätään tuohtuneena. ”Tyttöparka on aina ollut vähän tervassa häneen.”

"Niinpä, sen olen minäkin huomannut." Riittää, kun näkee, miten hän katsoo Nediä. Olen myös hieman huolissani siitä, että minäkin saatan olla vähän "tervassa" Nediin.

"Harmi, sillä olisi mukava, jos he molemmat asettuisivat aloilleen. Ida ehkä ajattelee, että Ned on hänelle oikea saalis mutta en ole varma, onko se tunne molemminpuolinen." Hän vilkaisee minua syrjäsilmällä. "Nedillä taitaa olla toinen kala kiikarissa."

Saattaa hyvinkin olla, mutta se ei kuitenkaan estänyt häntä viettämästä yötä Idan kanssa.

39

Juteltuani Marilynin kanssa oloni on positiivinen ja energinen, eikä sopivasti ajoitetuista kahdesta kahvikupposesta ja viineristäkään ollut haittaa. Sain kiittää niistäkin Marilyniä, jota kutsun tästä lähtien Pyhäksi Marilyniksi. Vaikka hänelläkin on ollut monenlaisia murheita, hänellä on todella kultainen sydän. Minun pitäisi pyrkiä samaan. Minusta tuntuu, että hän ymmärtää minua paremmin kuin kukaan muu.

Sää on kaunis. Aurinko paistaa pilvettömältä taivaalta, ja meri kimmeltää kuin sen ylle olisi siroteltu timantteja. Marilynin ansiosta jääkaappini on täynnä ruokaa, missään ei näy pölyhiukkastakaan ja minulla on uudet treenihousut ja hieman toivoa paremmasta tulevaisuudesta. Saisin olla kiitollinen. En aio jäädä murjottamaan. Kävelen kaupungille tai rannalle. Myöhemmin saatan jopa lukea eteenpäin Georgen käsikirjoitusta. Voin jo paljon paremmin.

Marilyn rymistelee imurin kanssa ja säestää työntekoaan laulamalla täysin palkein kappaletta ”A Million Dreams” elokuvasta *The Greatest Showman*. Vähän ennen kuin hän on valmis, ilmestyn yläkertaan uudessa jooga-asussani. Pyörähdän ympäri.

”Mitä sanot?”

”Hyvänen aika”, Marilyn sanoo. ”Sinähän näytät aivan prinsessalta. Pidätkö niistä?”

”Ne ovat ihanat.” Se saattaa olla hieman liioittelua, mutta leggingsit itse asiassa sopivat minulle oikein hyvin, ja vaikka toppi ei peitä paljoakaan ja sen pääntie on avarampi kuin minulla yleensä, se sopii mainiosti tuleviin joogasessioihin, joihin ehkä osallistun, ehkä en.

Annan Marilynille ison halauksen.

”Mistä hyvästä tuo tuli?”

”Halusin kiittää sinua siitä, että olet sinä.”

”Minulle tuottaa vaikeuksia olla kukaan muukaan. Oletko lähdössä joogaamaan?”

”Luulen, että se vene meni jo”, sanon. ”Merenrantaan liittyvä sanaleikki on tarkoituksellinen. Ajattelin pistäytyä kahvilassa. Olen lukenut Georgen kirjaa ja pidän siitä todella. Ehkä tapaan hänet siellä ja saan kerrottua sen hänelle.”

”Kuulostaa hyvältä”, Marilyn sanoo. ”Päivä on ihana.”

Niin on. Sitä ei käy kieltäminen.

Vaihdan ylleni tavalliset vaatteeni ja päällimmäiseksi pirteän takkini. Jos Marilyn jatkaa tähän tyyliin, vaatekaapissani ei ole kohta enää mitään harmaata tai mustaa. Lähtiessäni *Päivänpaiseesta* annan Marilynille suukon poskelle ja astelen sitten kohti rantaa, sydän hivenen keveämpänä.

40

Kävelylenkki Rantamajaan on virkistävä. Viileä, puuskittainen merituuli työntää minua eteenpäin.

George seisoo korokkeellaan, ja hänellä on tavallistakin enemmän vaikeuksia seistä hiljaa.

”Hei, George.”

”Hei, Jodie. Miten menee? Minulla on ollut hirveä aamu. Tuulen vuoksi liikkeellä ei ole juuri ketään, ja kun sitten yksi asiakas ilmestyi, hänen cockapoonsa ruikki minun jalalleni.”

”Voi ei.” Yritän olla nauramatta. ”Hirveää.”

”Tähän työhön liittyvä riski.” George kuulostaa hyvin murheelliselta. ”Koiran emännällä oli kosteuspyyhkeitä, joten hän puhdisti jäljet. Hän oli hyvin pahoillaan ja laittoi viisi puntaa lippaaseeni. Mutta ei se ollut kovin hauskaa.”

”Sinä olet ilmeisesti onnistunut erinomaisesti työssäsi, jos se yhtään lohduttaa.”

”Haisenko pissalta?”

”En minä ainakaan huomaa mitään.” En tosin halua nuuskia sen lähemmin. ”Haluatko jättää hetkeksi paikkasi ja lähteä kanssani kahville?” George katsoo surkeana lippaassa olevaa vitosta.

”Minä tarjoan.”

”Luulen, ettei kukaan kaipaa minua täällä vähään aikaan”,

George sanoo ja hyppää alas korokkeeltaan. Hän ottaa mukaan rahalippaansa ja jalustansa ja liittyy seuraani.

"Oikaistaanko rannan kautta?" George nyökkää. "Voin kantaa sinun jalustaasi, sillä tarvitset ehkä yhden vapaan käden pitelemään hattuasi."

Hän ojentaa jalustansa minulle, ja pistän sen kainalooni. Laskeudumme rannalle lähimpiä portaita pitkin ja lähdemme kävelemään kahvilaa kohti.

"Olen pitänyt kirjastasi hirveästi", kerron hänelle. "Niin monia juonenkäänteitä. Se on loistava."

Jopa hänen metallinvärisen meikkikerroksensa läpi näkee, että hän on mielissään. "Ihan tosi?"

"Kyllä. Oletko lähettänyt sitä vielä kellekään agentille?"

"Minulla on listalla kuusi nimeä. Lähetän heille vielä tänään kolme lukua ja tiivistelmän. Sitä he ovat pyytäneet. Minua jännittää", hän myöntää. "Jokin osa minussa ei haluaisi heidän lukevan sitä, jos he vaikka eivät pidäkään siitä. Jos se tulee bumerangina takaisin, minun täytyy pistää urasuunnitelmani uusiksi."

"Ajattele positiivisesti", sanon. "Kirjasi saattaa olla juuri sitä, mitä he ovat kaivanneet."

"Toivottavasti olet oikeassa. On hirveää, jos on lähtenyt johonkin koko sydämellään ja sitten saakin pakit."

"Tiedän." Paremmin kuin George arvaakaan. "Mutta elämä menee eteenpäin. Jos et onnistu ensimmäisellä kerralla, voit yrittää uudestaan." Sitä neuvoa minun pitäisi itsekin muistaa noudattaa.

George hymyilee ja sanoo sitten: "Hupsista, meikkini ei saisi rakoilla."

Nauramme yhdessä, mikä vain pahentaa asiaa. George peittää käsillä kasvonsa yrittäen olla ilmehtimättä meidän hekotellessamme edelleen.

Saapuessamme kahvilaan olemme jo rauhoittuneet. Paikalla on vain muutama asiakas, ja Ida nojaa lysähtäneenä tiskiin. Kun hän kuulee meidän saapuvan, hän nostaa päätään käsistään ja avaa vaivalloisesti toisen silmänsä. Hän näyttää kalpealta ja siltä kuin olisi saanut paljon viiniä mutta vain hyvin vähän unta. Hänellä on yhä yllään eilisiltaiset vaatteensa.

"Menikö illalla myöhään?" kysyn, vaikka minun ei pitäisi. En halua Idan luulevan, että vakoilen Nediä. Varsinkaan, koska teen juuri niin.

"Ennemminkin varhaiseen aamuun", hän sanoo unisena. "Naapurillasi on minuun *niin* huono vaikutus."

"Mukava kuulla, että teillä oli hauskaa."

"Meidän olisi pitänyt pyytää sinua seuraamme", hän sanoo herttaisesti. "En ajatellut yhtään."

Millä hän antaa ymmärtää, että Nedkään ei ajatellut. Mutta se on ihan ok. Ei se minua haittaa.

Ida haukottelee. "Tavallinen cappuccino, George?"

"Kyllä, kiitos."

"Juotteko täällä vai otatteko mukaan?"

"Jäämme tänne", hän sanoo.

"Entä sinulle, Jodie?"

"Otan saman. Ja laitatko mukaan pari kaurakeksiä, kiitos."

Ida ponnistautuu seisomaan ja näyttää hakevan voimia pysyäkseen kuosissa. Hän valmistaa juomamme meidän katsellessamme ja kavahtaa kahvikoneen pitämää ääntä. Hän ojentaa tarjottimen, jolla ovat juomamme ja kaurakeksit.

"Kiitos." Asetumme yhdessä suosikkipöytääni.

On hauskaa katsella Georgen ruokailua, sillä näen välillä vilauksen hänen valkoisista hampaistaan ja vaaleanpunaisesta kielestään, jotka ovat ristiriidassa hänen pronssinväristen kasvojensa kanssa.

Hän pyyhkäisee varovasti keksinmurun huuliltaan. "En halua sotkea meikkiäni. Ihmiset huomauttavat herkästi, jos jokin kohta ei täsmää."

Tyhjennettyään kuppinsa hän taittelee keksin suojapaperin, työntää sen kuppiin ja laittaa kannen paikoilleen. Lopuksi hän asettaa kupin tarjottimelle. Hän liikehtii yhtä järjestelmällisesti kuin patsaana ollessaan. "Kiitos. Parasta ruveta taas hommiin. Taidan pistää näyttämön pystyyn tänne."

George ottaa jalustansa ja menee seisomaan rannalle avautuvan portin viereen.

"Onnea kirjaprojektiin", huudan hänen peräänsä. "Pidetään peukkuja."

Juon kahvini loppuun, otan tarjottimeni ja vien sen tiskille. Ida on laskenut taas päänsä käsiensä varaan.

"Kiitos."

Ida nostaa päätään ja avaa vastahakoisesti toisen silmänsä. "Eipä kestä."

Hänen päänsä painuu jälleen alas, joten laitan tarjottimen lähimmälle pöydälle. Ida ei ole parhaimmillaankaan hirveän puhelias, mutta nyt hän ei ole ollenkaan juttutuulella.

Kun lähden kahvilasta, George on jo patsasmoodissaan. Hän nyökkää minulle ja ottaa sitten asennon. Lähden kävelemään kohti *Päivänpaistetta* ja mietin, mitä tekemistä keksisin itselleni tänään, mutta ensimmäistä kertaa se ajatus ei saa minua kauhun valtaan.

41

Päästyäni asuntolaivalleni näen Nedin lähestyvän rantapolkua pitkin ja suuntaavan kohti *Merituulta*, ja jostain kumman syystä sydämeni tuntuu jättävän yhden lyönnin väliin. Hän nostaa kätensä tervehtiäkseen minua, ja vilkutan hänelle takaisin. Jään odottamaan. Hänellä on yllään väljät shortsit ja valkoinen hihaton toppi. Hänen paljaat jalkansa ovat hiekan peitossa.

”Hei.” Hänen mutkaton hymynsä levenee. ”Mitä kuuluu?”

”Hyvää”, vastaan, ja saatan jopa tarkoittaa sitä.

Hän osoittaa peukalollaan rantaa kohti. ”Eikös sinun pitänyt tulla minun kanssani rannalle?”

En voi kertoa hänelle, että juuri sitä olin suunnitellutkin, mutta muutin mieltäni, kun näin hänen tulevan ulos veneestään Idan kanssa.

”Katso nyt tätä!” Ned kohottaa kätensä taivasta kohden. ”Jäit paitsi ihanasta aamusta.”

”Huomenna sitten”, lupaan. Ja saatan olla tosissani senkin suhteen. Minun täytyy testata kimaltelevia leggingsejäni, tai Marilyn antaa minun kuulla kunniani. ”Paitsi jos sataa kuin saavista kaatamalla. Tai nousee kunnon myrsky.”

Hän silmäilee takkiani ja lenkkareitani. ”Näyttää siltä, että olet ollut pitemmällä lenkillä.”

"En oikeastaan", myönnän. "Tapasin rantakadulla kävellessäni Georgen. Menimme kahvilaan ja rupattelimme siellä hetken."

"Patsaana oleminen ei ole oikein hänen ominta alaansa", Ned toteaa.

"Ei niin." Olen huomannut saman. "Hän lähettää romaaninsa tänään eteenpäin. Toivottavasti häntä onnistaa sillä rintamalla paremmin."

"Oliko Ida kunnossa? Hän otti eilen illalla kunnon lärvit."

"Näytti olevan aika heikossa hapessa."

"Pitäisi lähettää hänelle tekstiviesti. Hän ei todellakaan ollut kunnossa. Se nainen pystyy juomaan minut pöydän alle." Ned vilkaisee kelloaan. "Mitä sinä olet suunnitellut loppupäiväksi?"

"En mitään erikoisempaa."

"Minulla on asiakastapaaminen saaren toisella puolella. Ehdin juuri ja juuri käydä suihkussa ja vaihtaa vaatteet, mutta sitten täytyy mennä. Voit lähteä mukaan, jos haluat. Näkisit vähän saaren muita osia, se olisi vähän sellainen turistikierros sinulle. Voimme napata matkalla jotain lounaaksi." Näytän varmaan epäröivältä, koska hän lisää: "Olisi kiva saada seuraa."

"Jos minusta ei tosiaan ole vaivaa."

"Joudun jättämään sinut puoleksi tunniksi kahvilaan siksi ajaksi, kun tapaan mahdolliset uudet asiakkaat, mutta jos se ei haittaa sinua, olet tervetullut."

Minun on myönnettävä, että ajatus loppupäivästä Nedin seurassa tuntuu kiehtovalta. Olen hyvällä tuulella, ja retki kuulostaa hauskalta. "Lähden oikein mielelläni."

"Minulla menee kymmenen minuuttia", Ned sanoo. "Tule sisälle odottamaan."

Seuraan häntä *Merituuleen*. Kun hän menee makuuhuoneen läpi kylpyhuoneeseen, maleksin olohuoneessa ja tutkin tarkemmin hänen matkoilta keräämiään aarteita. Rottinkihyllykön yhdellä tasolla on kokoelma marionetteja, niiden alapuolella myrskylyhty ja makaavaa Buddhaa esittävä patsas. Ylimmällä hyllyllä on pinossa kuparisia rukousmaljoja sekä lasinen ananas, jossa lukee *Aloha Hawaii!*. Enkä *todellakaan* vilkuile siihen suuntaan, missä Ned on ehkä vaihtamassa vaatteitaan. En kestäisi nähdä enää vilaustakaan hänen timmistä yläkropastaan.

Kuulen, miten vesihana sulkeutuu, ja Ned ilmaantuu ulos suihkusta hetken päästä kuten oli luvannut. Astuessaan olohuoneeseen hän vetää valkoista t-paitaa kostean tukkansa yli, ja pakotan itseni katsomaan toisaalle. Hänen kroppansa on ilo silmälle, ja tunnen liikahduksen syvällä sisälläni. Reaktioni osoittaa, että hormonini ovat vielä täysin sekaisin, ajattelen.

Hän paukauttaa kätensä yhteen ja koppaa mukaansa portfoliokansion ja autonavaimet. ”Valmiina lähtöön?”

Nyökkään myöntymisen merkiksi.

”Nyt näet, mitä Isle of Wightilla on tarjottavanaan!”

Seuraan häntä autolle, ja hän avaa minulle oven. Ned heittää kansionsa takapenkille, jolla lojuu sekalaisia vaatteita sekä edeltävältä retkeltämme jääneet tyhjät voileipäkääreet. Hän asettuu kuljettajan penkille. ”Anteeksi tämä sotku. Lamborghinini on viimeisen päälle siisti.”

Minua naurattaa. ”Viimeksi se oli Porsche.”

”Ai, niinkö?” hän sanoo. ”Taitaa olla aika tunnustaa, ettei minulla oikeasti ole autotallin täydeltä huippuunsa viritettyjä urheiluautoja.”

”Niin vähän arvelinkin.” Käännyn häneen päin ja hymyilen. ”En voisi kuvitella sinua Porschen kyytiin. Tai Lamborghinin.” Meillä on monia asiakkaita, jotka ajavat sellaisilla autoilla, ja he kuuluvat aivan omaan rotuunsa. Ned on erilainen. ”Minusta näyttää, että sinä olet vähän vaatimattomamman elämäntavan ystävä.”

”Oikein päätelty”, hän myötäilee. ”Silmät eivät valehtele.”

Mutta onko se todella niin? Tietääkö hän, että näin Idan poistuvan hänen luotaan varhain tänä aamuna? Yrittääkö hän vihjata, että hänen elämänsä ei ole ihan sellaista kuin hän antaa ymmärtää? En ole huomannut, että hän olisi lähettänyt vielä viestiä Idalle. Vaikka mitäpä se minulle kuuluu. En pysty vaikuttamaan häneen millään tavalla. Hän on vapaa sielu.

”Olen kiitollinen, kun pääsen tutkimaan saarta”, sanon hänelle. ”Tosi kilttiä sinulta.”

Hän käynnistää moottorin ja pistää vaihteen päälle – se ei suju ihan vaivatta ja saa aikaan kirskahtavan äänen – ja lähdemme matkaan.

”Ajamme Alum Bay -lahdelle”, Ned kertoo. ”Jos hyvin käy, minulta tilataan sinne veistos. Otin mukaan luonnoksia ja valokuvia vuosien varrella tekemistäni vastaavanlaisista töistä. Jos saan tämän toimeksiannon, se olisi aika iso juttu.”

”Pidetään peukkuja.”

”Jep.” Sitten Ned laittaa radion päälle, ja otan mukavamman asennon istuimellani. Juontajan rupattelu ja kaunis maisema saavat minut rentoutumaan. Meillä on edessämme noin tunnin ajomatka. Isle of Wight ei ole suuren suuri, ja kapeita ovat sen tietkin, eikä niitä ole monta. Ajamme suoraan saaren poikki, ja enimmäkseen näemme luonnonkaunista maaseutua ja viehättäviä kyliä.

Auto tuntuu lämpimältä ja mukavalta. Ikkunoiden takaa paistava aurinko saa minut uneliaaksi, ja Nedin seura on rauhoittavaa. Meillä ei ole mitään tarvetta rupatella koko aikaa, ja ennen kuin huomaankaan, olen unessa.

42

Auto pysähtyy, ja havahdun hereille. Äkillinen kirkas auringonpaiste saa minut räpyttelemään silmiäni. Edessämme kimaltelee meri, ja olemme pysäköineet auton pienen teemapuiston parkkipaikalle.

”Perillä ollaan”, Ned sanoo. ”Tervetuloa Needlesiin.”

Ryhdistäydyn istuimellani, ja nousemme autosta. Tämäkin paikka on kuin suoraan kuusikymmentäluvulta, mutta ei huonossa mielessä.

”Haluatko kahvin, että piristyt vähän?”

”Loistava idea.”

”Pitääkö minun ottaa henkilökohtaisesti se, että nukahdat jatkuvasti seurassani?”

”Olen pahoillani”, sanon. ”En tiedä, mistä se johtuu.” Ehkä se on osa toipumisprosessiani. Aivoni haluavat käyttää hyväkseen jokaisen mahdollisuuden lepoon. ”Ota se kohteliaisuutena ja osoituksena siitä, kuinka rentouttavana pidän seuraasi.”

”Mukavaa, että sinusta tuntuu siltä”, hän sanoo ja saa minut punastumaan.

Ned ohjaa minut lähimpään – ja mahdollisesti paikan ainoaan – kahvilaan ja antaa kansionsa minulle siksi aikaa, kun lähtee jonottamaan minulle cappuccinoa. Istuudun ikkunapöytään, josta aukeaa näkymä teemapuiston keskustielle. Näen vanhanaikaisen karkkikaupan, pakolliset peliautomaatit, karusellin ja kauppoja, joissa myydään merenrantakräsää. Missään ei näy paljoa asiakkaita, mutta veikkaan, että kesällä paikka on tungokseen asti täynnä.

Ned tuo juomani. "Tilasin sinulle kahvin tuplavahvuudella", hän sanoo. "Minulla ei mene varmaankaan kauan, mutta annan sinulle puhelinnumeroni siltä varalta, että haluat lähteä kuljeskelemaan. Esittelen sinulle nähtävyydet kunnolla, kun palaan."

"Onnea matkaan", saan sanottua. Olen vieläkin vähän tokkurassa.

"Kiitos."

Ned rientää tiehensä kansio kainalossaan, ja minä alan siemailla tuplavahvaa kahviani, joka toden totta saa minut vähitellen virkoamaan. Tuijotan tyhjyyteen ja nautin siitä, että saan olla hiljaa. Meri-ilman ja kahvin tuoksu sulautuvat toisiinsa. Lokit näyttävät täällä koviksilta, jotka rehvastelevat jalkakäytävällä ruokapaloja etsiskellen.

Vilkaisen puhelintani ja huomaan, että Chris on soittanut taas kymmenkunta kertaa. Soittoja tulee nyt aikaisempaa harvemmin, mutta viestien äänensävy on yhtä raastava kuin ennenkin. En pysty kuuntelemaan niitä. En ainakaan tänään, kun oloni on niin paljon vahvempi.

Mietin ensimmäistä kertaa, mitä hän mahtaa tehdä ja mitä hän oikein ajattelee. Onko hän kertonut Megille lähdöstäni? Kaipaako hän minua todella? Vai onko äkillinen, odottamaton lähtöni vain saanut hänet panikoimaan? Pidin avioliittoamme hyvänä – se oli vahva ja vakaa. Emme olleet koskaan mitään yltiöromanttisia kyyhkyläisiä emmekä roikkuneet toisissamme kiinni kuin siamilaiset kaksoset, mutta suhde toimi, tai niin minä ainakin luulin. On aikamoinen järkytys huomata, kuinka nopeasti kaikki romahti.

Kun Ned palaa takaisin puolen tunnin päästä, olen yhä mietteissäni, enkä ole päässyt puusta pitkään. Ned istuutuu minua vastapäätä. ”Miten meni?”

”No”, hän aloittaa itsevarman kuuloisena, ”luulen, että he pitivät ideastani. Itse asiassa he olivat suorastaan innostuneita. Olen yhdeksänkymmentäprosenttisen varma, että he tarttuvat tarjoukseeni.”

”Hienoa! Voinko vähän vilkaista niitä ehdotuksiasi?”

”Teos esittäisi aalloilla hyppiviä delfiinejä.” Hän vetää kansiostaan esille paperin ja levittää sen eteeni pöydälle. ”Ta-daa.”

Katselen taidokasta lyijykynäpiirrosta. ”Se on upea.”

”Sitä mieltä hekin tuntuivat olevan. Minulla on jo suullinen sopimus. Nyt pitää vain odottaa lopullista vahvistusta ja tietysti kirjallista sopimusta.” Ned huokaisee helpotuksesta, tai siltä se minusta kuulostaa. ”Inhoan tätä osaa työssäni.”

”Sinä tarvitsisit agentin, joka tekisi sen puolestasi.”

”Se olisi hyvä idea, sitten kun ansaitsen tarpeeksi. Olen saanut vähitellen kartutettua tulojani sen verran, että ne kattavat elinkustannukseni, ja tästä toimeksiannosta on kyllä paljon apua. Saan tästä vielä hyvät rahat. Mikä tarkoittaa, että voimme pitää täällä hauskaa, ja minä tarjoan. Nyt ei tarvitse kitsastella.”

”Mitä tarjous pitää sisällään?”

”En kerro etukäteen, ettet ratkea jännityksestä. Odota vain, mitä tuleman pitää.”

Juon loput kahvistani. ”Kuulostaa lupaavalta.”

”Varaudu ihmeisiin ja yllätyksiin”, hän sanoo, ja seuraan häntä ulos.

43

”Tämä oli lapsena lempipaikkani”, Ned sanoo puhuen vilkkaasti. ”Ajattelin, että Skyride oli jännittävintä, mitä elämässäni on tapahtunut. Ja niin se varmaan olikin.”

Hän tarttuu minua käsivarresta ja ohjaa minut köysiradan luokse, jota voisi kuvata parhaiten sana *vintage*. Yläpuolellamme kulkee sateenkaarenvärisiä hissi-istuimia, joista pilkistää esiin matkustajien sääriä. Hissi ei todellakaan ole teknisesti viimeistä huutoa. Se näyttää olevan perusmallia ja peräisin 1970-luvulta.

”Ajattelin, että menisimme tällä alas rannalle ja näyttäisin siellä sinulle sen paikan, johon veistokseni tulee. Sopiiko? Ethän pelkää korkeita paikkoja?”

Juuri nyt en pelkää mitään. ”En. Mennään vain.”

Ned maksaa pääsylippumme, ja astumme sisään portista. Tunnen jännityksen kasvavan odottaessamme kärsivällisesti vuoroamme. Kun yksi tuoleista tulee kohdallemme, hyppäämme kyytiin, ja Ned vetää turvakaiteen alas. Istumme lähekkäin, ja Ned asettaa kätensä suojelevasti selkänojalle. Olen iloinen, että hän tekee niin, sillä hissimme singahtaa vavahtaen ulos huvipuistoalueelta ja etenee nyt korkealla puiden latvusten välissä. Minusta tuntuu, että yltäisin koskettamaan niiden lehtiä. Sitten jätämme metsikön ja matkaamme kallionjyrkänteen yli. Tuuli viuhuu ympärillämme, ja sääremme roikkuvat korkealla rannan yläpuolella.

"Alum Bay on kuuluisa värikkäästä hiekastaan", Ned kertoo minulle, kun matkaamme nytkähdellen alaspäin.

Lahtea reunustavat kalliojyrkänteet muodostuvat monivärisistä hiekkakivikerroksista – näen tummanpunaista, ruskeaa, grafiitinharmaata, sahramin- ja sitruunankeltaista – ja se kaikki on hyvin kaunista. Ymmärrän, miksi tämä on niin suosittu turistikohde.

"Tämä on varmaan yksi saaren kauneimmista paikoista. Lisäksi täältä näkee hyvin Needlesin." Hän osoittaa sormellaan lahden poikki. Näen tutun rivistön kirkkaanvalkoisia kalkkikivilohkareita. Tuuli ja merivesi ovat vuosien saatossa kuluttaneet ne turkoosinvärisestä merestä törröttäväksi pylväiköksi. Muodostelman loppupäässä seisoo hilpeä, punavalkoraidallinen majakka.

Kun saavumme alas rannalle, Ned auttaa minua astumaan ulos hissistä. Sitten lähdemme kävelemään vieretysten pitkin rantaa, jota reunustavat loistavat, moniväriset kalliot. Käsivartemme hipaisevat toisiaan kävellessämme.

"Mikäli minulle näytetään vihreää valoa, veistoksen sijaintipaikka olisi kutakuinkin tässä", Ned sanoo ja osoittaa tiettyä kohtaa maastossa. Näen, että hän on todella ylpeä saavutuksestaan, ja miksi ei olisi? Hän on oikeasti lahjakas, ja mitä useampi henkilö pääsee näkemään hänen työnsä tulokset, sen hienompaa.

"Jos tekisimme veneretken, saisimme paremman kuvan lahdesta ja näkisimme Needlesin lähempää. Kiinnostaisiko?"

"Kyllä." Päivä on säkenöivän kirkas ja aurinkoinen, olen merenrannalla ja minusta tuntuu, että olisin valmis vaikka maailmanvalloitukseen.

Laiturissa on valittavana kahdenlaisia veneitä: huippunopea rib-vene tai rauhallisempi huvijahti.

"Haluatko nopean menopelin?" Ned kysyy.

"Kyllä, kiitos." Tähän päivään sopii jännitys, tänään kokeillaan uusia asioita. Joten nousemme rib-veneeseen, puemme yllemme pelastusliivit ja kiinnitämme turvavyöt. Koska turistisesonki ei ole vielä alkanut, mukana on vain pari muuta matkustajaa, ja meistä tuntuu kuin olisimme yksityisellä retkellä. Kun istumme kaikki paikoillamme, vene pärähtää käyntiin, ja tarraan kiinni penkkiini veneen suunnistaessa kohti ulappaa. Merituuli maistuu suolaiselta huulillani, ja kasvoilleni osuvat pärskeet kohottavat mielialani pilviin. Kiidämme veden poikki riemastuttavaa vauhtia, ja vatsani muljahtelee veneen pomppiessa aallonharjalta toiselle.

Ned vilkaisee minua. "Kaikki hyvin?"

"Loistavasti!" huudan vastaukseksi.

Pian vene hiljentää vauhtia ja lähestymme vedestä kohoavaa kallioseinämää, jonka päällä nököttävät merilinnut muistuttavat patsaita. Kierrämme vieläkin rauhallisempaan tahtiin Needlesin kalkkikivipilarit ja majakan, ja opas esittelee meille rannan petollisilla vesillä haaksirikkoutuneiden, historiallisesti merkittävien laivanhylkyjen sijaintipaikat. Sitten palaamme takaisin rannalle.

Nedin auttaessa minut alas veneestä tunnen hänen lämpimät kätensä vyötäisilläni. Poskeni punoittavat ja käyn lievästi ylikierroksilla, ja tunnen taas maan jalkojeni alla. Kun köysiradan hissituoli nostaa meidät kallionjyrkänteen yli, huomaan istuvani niin lähellä Nediä, että reitemme painautuvat toisiaan vasten. Hänen käsivartensa on taas rennosti takanani ja koskettaa olkapäitäni. Jos nojaisin vain hieman taaksepäin, olisin melkein hänen sylissään. Yritän istua suorassa.

Palaamme taas puunlatvoja hipoen kallion laella olevalle pysäkille. Kun köysirata hiljentää vauhtia päästääkseen meidät kyydistä, Ned tarttuu kädestäni auttaakseen minut alas.

"Se oli mahtavaa", sanon.

"Kestätkö vielä pikkuisen lisää jännitystä?"

"Tietysti." Luulen, että me molemmat olemme hieman pyörällä päästämme.

Lähdemme teemapuiston keskusaukiolle pelaamaan peliautomaateilla. Odotamme ikuisuuden, että vanha pelikone luovuttaisi meille kolikkonsa, mutta turhaan. Muutaman yrityksen jälkeen Ned onnistuu nappaamaan minulle toisesta laitteesta vaaleanpunaisen nallekarhun. Olen melko varma, että hänen tähtäimessään oli violetti dinosaurus, mutta se väisti yritykset viimeiseen asti.

Nalle sinkoutuu ulos kourusta, ja Ned ojentaa sen minulle ylpeänä. "Tähän ei ihan kuka tahansa pystyisikään."

Painan pienen vaaleanpunaisen nallen rintaani vasten ja silitän sitä. Se on siirappimaisen imelä, mutta saa sydämeni särkemään. "Se on ihana." Suukotan nallen päälakea. "Teit minuun vaikutuksen."

Ned nauraa. "Sitä minä tavoittelinkin."

Sitten Ned vie minut hiekkapuotiin. Kaupassa on rivikaupalla puisia laatikoita, joissa on Alum Bayn kallioilta kerättyjä erivärisiä hiekkalaatuja. Valitsemme sopivat lasipullot ja alamme täyttää niitä.

"Tämä keksittiin jo viktoriaanisella ajalla, joten jatkamme tässä esi-isiemme ikiaikaista perintöä", Ned sanoo teennäisen juhlavalla äänenpainolla, mikä saa minut kikattamaan. "Ilmeisesti kuningatar Viktoriallakin oli tällainen takanreunuksellaan."

"Voisin vaikka vannoa, että hän valitsi merenneidon

muotoisen pullon." Oikeastaan harmittelen, etten tullut itsekin valinneeksi sellaista.

Pidän siitä, miten Ned täyttää pullonsa: hän tekee sen täysin summamutikassa. Hiekka valuu mihin sattuu, ja värit sekoittuvat toisiinsa pullon pohjalla.

"Mehän voisimme vaihtaa pulloja keskenämme", ehdotan Nedille. "Annan tämän sinulle lahjaksi, ja minä voin puolestani viedä sinun pullosi Billin laivaan säilytettäväksi. Niin meille jää tästä päivästä pysyvä muisto."

Hän katsoo minuun. En osaa tulkita hänen ilmettään, mutta hänen silmänsä pehmenevät ja hän hymyilee minulle. Väistän hänen katsettaan ja keskityn uudelleen hiekkaraitoihini. Teen sen paljon hallitummin kuin Ned ja lusikoin hiekkaa pulloon otsa kurtussa. Yritän olla pudottamatta hiekanjyvääkään sivu suun, ja ravistan pulloa aina välissä varmistaakseni, että kerros on suorassa ennen kuin lisään uuden värin. Siitä tulee ennemminkin klassinen kuin moderni taideteos.

Kun olemme saaneet työmme valmiiksi ja maksaneet niistä, vaihdamme pullot keskenämme. Nedin raidat kiemurtelevat sinne tänne, minun raitani ovat millimetrin tarkasti suorassa. "Tästä tulee minun aarteeni", sanon. "Tämä on ollut ihana päivä."

"Loppuhuipentuma on vielä edessäpäin", hän ilmoittaa. "Tule."

Seuraan Nediä pikaruokapaikkaan, mistä hän tilaa meille kalaa ja ranskalaisia. Annoksemme kääritään sanomalehteen mukaan otettaviksi. Palaamme ruokiemme kanssa kalliolle ja etsimme sopivan penkin, josta on näköala merelle. Perunat ovat kuumia ja polttavat sormiani. Kala on tuoretta ja siinä on rapea, kullankeltainen paistopinta. Se tuoksuu mereltä.

En oikeastaan haluaisi ajatella aviomiestäni – enkä varsinkaan nyt, kun minulla on niin hauskaa – mutta en voi olla ihmettelemättä, miksi Chris ja minä emme koskaan viettäneet tällaisia päiviä. Emme ehtineet juuri koskaan ottaa rennosti, sillä aikamme oli aina kortilla. Vietimme laatuaikaa ainoastaan lomamatkoilla, ja silloin matkustimme eksoottisiin, ylellisiin kohteisiin, joissa makoilimme aurinkotuoleissa päivät pitkät ja annoimme tarjoilijoiden kantaa meille drinkkimme. Olisiko Chris halunnut istua tuulisella kalliolla ja syödä sanomalehteen käärittyä kalaa ja ranskanperunoita? Epäilenpä. En usko, että hän olisi nauttinut siitä. Rehellisyyden nimissä on sanottava, etten ole varma, olisiko sellainen ollut minunkaan toivomuslistallani, mutta tänään olen nauttinut joka minuutista.

Päätämme ulkoilmassa nautitun ateriamme hiljaisuuden vallitessa – se ei ole kiusallista vaitioloa vaan rauhallista, tuttavallista hiljaisuutta. Kun olemme tutustuneet kaikkiin Needlesin teemapuiston tarjoamiin viihdykkeisiin, palaamme autollemme. Nukun koko kotimatkan ja herään vasta, kun Ned pysäyttää auton *Päivänpaisteen* eteen.

”Kotona taas”, hän sanoo.

Minä haukottelen ja totean: ”Sinä olet varmasti tosi tasainen kuski.”

”Tai sinä olet hyvin väsynyt kyyditettävä.”

”Rentoutunut olisi parempi sana. Enkä ole tottunut tällaiseen määrään raitista ilmaa.” Tai herkulliseen hiilihydraattitankkaukseen kalan ja ranskalaisten merkeissä. ”Tänään pitää päästä ajoissa nukkumaan.”

Me kumpikin nousemme autosta.

”Kiitos tästä päivästä, Ned. Tämä on ollut todella mahtavaa. Juuri sitä, mitä tarvitsinkin.”

Ned astuu eteenpäin. "Minullakin on ollut hauskaa. Kiitos, että lähdit mukaan." Hän koskettaa suutani huulillaan, ihan kevyesti.

Ja haluan enemmän. Kyllä te sen tiedätte. Minä tiedän sen. Ja luulen, että Nedkin tietää.

Mutta ennen kuin ehdin antaa tunteelle vallan, astun kauemmaksi ja sanon: "Nyt täytyy mennä."

Minusta Ned näyttää hieman pettyneeltä. Ehkä hän toivoi, että olisimme jatkaneet vielä iltaa. Mutta mihin se olisi johtanut? Saman päivän aamuna Ida oli astunut ulos Nedin veneestä. En ole unohtanut sitä.

En kaipaa tällaisia hankaluuksia elämääni. Joten vaikka tunnenkin vatsanpohjassani kauan sitten unohdetun kaipauksen enkä haluaisi muuta kuin kaatua sängylle ja tuntea hänen vahvat käsivartensa ympärilläni, kerään kaiken tahdonvoimani ja sanon napakasti: "Hyvää yötä, Ned."

Ennen kuin hän ehtii vastaamaan ja ennen kuin ehdin muuttaa mieltäni, käännyn kannoillani ja suunnistan *Päivänpaisteen* turvalliseen huomaan.

44

Nukun yöni sikeästi ensimmäistä kertaa moneen kuukauteen. Makaan nyt hereillä ja nautin mukavasta sängystä, eikä minulla ole mitään kiirettä nousta ylös. Tunnen yhä Nedin huulet omiani vasten. Se tunne valtasi koko olemukseni, sitä ei käy kieltäminen. Hänen täyttämänsä hiekkapullo on yöpöydälläni yhdessä vaaleanpunaisen nallekarhun kanssa, ja hymyilen joka kerta nähdessäni ne. Ilta päättyi ehkä nopeammin kuin Ned olisi halunnut – nopeammin kuin minäkään olisin halunnut – mutta päivä oli ollut hyvä. Oikein hyvä.

Käperryn syvemmälle pehmeään sänkyyn, ja liikkuessani unen ja valveen rajamailla Marilyn saapuu.

”Hu-huu”, hän kujertaa.

Enää hänen äänensä ei saa minua kiristelemään hampaitani. Hymyilen ja huomaan suorastaan odottavani hänen päivittäisiä vierailujaan. Minun täytyy muistaa kiittää Billiä siitä, että hän ei suostunut luopumaan Marilynin palveluksista.

Käyn nopeasti suihkussa, ja kun näen auringon tulvivan sisään veneen pyöreistä ikkunoista, ajattelen, että voisin lähteä Nedin seuraksi rannalle joogaamaan. Epäröityäni vain ihan pienen hetken puen ylleni tiukat hopealeggingsit ja hieman liian paljastavan neonpinkin topin. Tehän tiedätte, että välttelen peilejä, enkä todellakaan halua nähdä, miltä näytän näissä vetimissä. Toivottavasti Nedillä on aurinkolasit silmillään.

Suunnistan kohti keittiötä, harppoen kaksi porrasta kerrallaan.

"Huomenta, muru", Marilyn huikkaa saapuessani huoneeseen. Hänen hymynsä levenee, kun hän huomaa asuni. "No niin, sitä ollaan niin pirtsakkana tänään."

"Jos näen Nedin lähtevän, voisin lähteä joogaamaan hänen kanssaan rannalle."

"Ja asukin on kohdallaan."

"Oletko sitä mieltä?" Kiskon toppiani alaspäin toivoen, että se olisi hieman peittävämpi.

"No kyllä. Se poika ei tiedä, mikä häneen iskee. Hän on kuin hyytelöä sinun käsissäsi."

"Meillä oli eilen mukava päivä ulkona. Ned on niin hauska."

"Niin onkin", Marilyn myöntää. "Jos olisin kaksikymmentä vuotta nuorempi, tai sanotaan reilusti kolmekymmentä, hän saisi pitää varansa."

Minua naurattaa. "Miesparka ei mahtaisi sinulle mitään." Marilyn on edelleen hyvin viehättävä ja hallitsee näyttävän pukeutumisen.

Tänään hänellä on yllään keltaiset leggingsit – ne on selvästi ostettu samasta kaupasta kuin minunkin – sekä fuksianpunaiset korkokengät ja samaa sävyä oleva väljä kukikas paita. Hänen rinnallaan roikkuu monenlaisia kaulakoruja, ja hänen lukuisat rannerenkaansa helähtelevät joka kerta, kun hän vähänkin liikahtaa. Hänen korvakorunsa muistuttavat kristallikruunuja. Minusta Marilyn menee täysin hukkaan siivoojana, hänen pitäisi olla jossain paljon hohdokkaammassa ammatissa.

Hän huomaa minun katselevan asuaan ja sanoo: "Mehän olemme kuin kaksoset."

Myönnän, että oma tyylini on muuttunut merkittävästi tutustuttuani häneen.

”Näytät ihastuttavalta”, hän toteaa, tarkoittaen sitä mitä sanoo. ”Nuo vaatteet paljastavat seksikkäät linjasi, joita yrität koko ajan piilotella. Sinä et saisi pitää kynttilääsi lapion alla. Katsopa nyt tuohon peiliin.” Hän nyökkää eteisen peiliä kohti.

”Luotan sinun sanaasi.” Jos näen oman kuvani, en ehkä ikinä uskaltaudu ulos.

Marilyn toruu minua, mutta jatkaa touhotustaan. ”Toin sinulle vähän illallista.” Hän osoittaa lieden vieressä olevaa pataa. ”Gulassia. Kunnon sapuskaa. Tarvitset lihaa luittesi päälle.”

Vilkaisen padassa olevaa ruokaa. ”Tuoksuu ihanalta.” Siinä näyttäisi kuitenkin olevan syötävää noin viidelletoista nälkäiselle. Marilyn on varsinainen ruoantuputtaja.

”Olisit ollut minusta ylpeä eilen”, kerron. ”Ned ja minä ostimme eilen rannalla kalaa ja ranskalaisia, ja minä söin kaiken viimeistä palaa myöten.”

”Se oli oikein.” Hän iskee minulle silmää. ”Se pistää veden kiertämään.”

En korjaa häntä edes ajatuksissani. Olen jo hyväksynyt sen, että Marilynillä on oma tapansa puhua.

Hän tarttuu vanhaan tuttuun pölyriepuunsa ja kiillotussuihkeeseen. ”Tänään en ennätä rupatella. Täytyy pistää töpinäksi. Kolme tytärtäni tulee käymään ja tuo mukanaan myös ihanat lapsenlapseni. Se tulee olemaan täyttä hullunmyllyä, mutta ei haittaa. Nousin neljältä aamulla leipomaan sokerikakkua ja laittamaan gulassia.”

”Todella ystävällistä sinulta.” Voisin jopa kutsua Nedin luokseni auttamaan gulassin syömisessä – ruokamäärän perusteella vaikka kolmena seuraavana iltana.

"Tulisit käymään meillä." Marilyn sanoo sen harkitun huolettomasti. "Perheeni haluaisi varmasti tutustua sinuun."

"Kyllä, se olisi mukavaa. Mutta ei ihan vielä." Huokaisen. "Ollakseni rehellinen, en usko, että kestäisin sitä. Olen varma, että teillä on ihana koti ja se tuntuu olevan täynnä rakkautta. En vain ole varma, pystynkö olemaan sellaisen lapsikatraan keskellä."

"Se mikä ei tapa, vahvistaa."

"Niinpä."

"Keskimmäiselläni on kädet täynnä työtä kolmen alle viisivuotiaan kanssa. Hän pyöräytti heidät aivan peräjälkeen. Ja nuorimmalla lapsenlapsellani on CP-vamma. Hän on suloinen, mutta tarvitsee paljon huomiota."

Alan miettiä, että suunnittelin aina vain yhden lapsen hankkimista, mutta jopa se näyttää mahdottomalta unelmalta. Mieleeni ei koskaan juolahtanut, että lapsia saattaisi tulla kokonainen pesue. Mutta Marilynin tapa hyväksyä kaikki se, mitä elämä on hänen eteensä heittänyt, kohentaa hieman minunkin mielialaani.

Joskus mietin, selviäisinkö tästä kaikesta edes hengissä, ja se oli ennen kuin mieheni lähti toisen naisen matkaan. Oli päiviä, kun ajattelin oikeasti, että minun olisi parempi heittäytyä metrojunan eteen. Jotkut päivät olivat sellaisia, etten tiedä mikä minua esti tekemästä niin. Nyt olen alkanut nähdä jo pieniä valonpilkahduksia. En ehkä saa enää lasta, mutta voin vielä saada hyvän ja tyydyttävän elämän.

"Tuossa se Ned nyt menee rannalle päin." Marilyn nyökkää ikkunaa kohti. "Alahan laputtaa. Pidä hauskaa. Mutta varo, ettei Ned houkuttele sinua johonkin sääret ristissä niskan takana -asentoon."

Katson häntä pitkään. "Marilyn, sellainen ei ole oikeasti

suunnitelmissani." Hän heilauttaa pölyrättiään minua kohti ja nauraa kaakattaa. "Alahan mennä, senkin rääväsuu. Minä puhuin joogasta! Mitä ihmettä sinä oikein ajattelit? Rivo nainen."

Marilyn kävelee ohitseni ja pyörittelee silmiään mennessään.

Siispä sujautan lenkkarit jalkaani ja lähden kävelemään rantaa kohti. Samalla puhelimeni soi. Se on Bill.

"Hei."

"Hei, pikkusisko. Onko nyt hyvä hetki jutella?"

"Yhtä hyvä kuin kaikki muutkin." Pysähdyn hetkeksi nojaamaan rantavallia vasten. "Sää on vuodenaikaan nähden lämmin, ja olen menossa rannalle."

"Nyt saat minut kateelliseksi. Tulen käymään siellä vielä jossain vaiheessa, minä lupaan. Mutta juuri nyt minulla on pari työjuttua, joista haluaisin keskustella kanssasi."

"Okei." Kun hän juttelee minulle ja vastailen hänen kysymyksiinsä, huomaan kuinka ikävä minulla on ollut häntä. Kaipaan hänen jatkuvaa, hiljaista huolenpitoaan, jota en ole ilmeisesti osannut vuosien saatossa tarpeeksi arvostaa.

Kun hän lopettaa työasioista puhumisen, sanon: "Olet minulle rakas. Kyllähän sinä sen tiedät."

"Mistä hyvästä tuo nyt tuli? Onko jatkuva yksinolo pehmittänyt sinun pääsi?"

Nauran. "Ei! En varmaan ole koskaan ollut yhtä järjissäni."

"Pärjäätkö?"

"Kyllä", vastaan hänelle. "Yllättävän hyvin."

Hän huokaisee ennen kuin vastaa. "En haluaisi puhkaista kuplaasi, mutta tapasin Chrisin. Törmäsin häneen ravintolassa eilen illalla."

"Oliko hän yksin?" Tuntuu kurjalta kysyä sitä.

”Hän oli jonkun miehen seurassa. Ei naisia.” Bill on hetken hiljaa. ”Tiedän, ettei tämä asia minulle kuulu, mutta hän on suunniltaan huolesta.”

”Niin varmaan.” Se oli sarkasmia. ”Ethän kertonut hänelle, missä minä olen?”

”En, en. Sanoin vain, että olet turvassa ja tarvitset aikaa levätäksesi.”

Se on kyllä ihan totta. Mutta jopa maininta aviomiehestäni saa mieleni horjumaan. Oloni saattaa olla hieman vakaampi, sekä fyysisesti että psyykkisesti, mutta ymmärrän, että en ole vielä valmis kohtaamaan oikeaa elämää. ”En pysty vielä käsittelemään sitä asiaa, Bill.”

”Tiedän. En halua hoputtaa sinua. Ole siellä niin kauan kuin tarve vaatii. Sen takiahan sinä sinne saarelle karkasit. Meneehän sinulla kuitenkin hyvin?”

”Täällä on ihanaa. Olen tosi iloinen, että hankit loma-asuntosi täältä.”

”Ja minä olen iloinen, että joku tosiaan käyttää sitä.” Kuulen toimiston oven kolahtavan. ”Pakko mennä. Taksini odottaa ulkona. Soitellaan huomenna.”

”Soitellaan”, sanon, ja kun hän lopettaa puhelun, muistan taas, miten veljeäni rakastan.

Mitä minä voisin tehdä? Kaipaan Billiä hirveästi, mutta en ole vielä valmis palaamaan takaisin, ja mitä pitempään olen täällä, sitä vaikeampi minun on lähteä.

45

Ned on jo aloittanut joogaharjoituksensa, kun saavun rannalle. Hänellä on yllään mustat väljät shortsit, eikä juurikaan muuta.

”Hei”, sanon hänelle. ”Täältä saapuu kaikista laiskin oppilaasi.”

Ned pysähtyy kesken liikesarjan ja on pudottaa silmät päästään minut nähdessään. Hänen katseensa saa minut punastumaan.

”Marilyn osti nämä minulle”, selittelen asuvalintaani.

”Näytät upealta”, Ned sanoo tuijottaen edelleen. Asuni tekee häneen selvästi suuremman vaikutuksen kuin tyypilliset vaatteeni. ”Luulin, että haluat nukkua pitempään, koska meillä oli eilen niin vauhdikas päivä.”

”Se ei onnistu niin kauan kuin Marilyn on maisemissa. Hän haluaa herätä kyyhkynlaulun aikaan.”

Ned katsoo minua ihmeissään.

”Kukon”, korjaan. ”Kukonlaulun aikaan.” Hyvänen aika, Marilynin maneerit ovat tarttuneet jo minuunkin.

”Ai. Oletko valmis joogaamaan?”

”Valmis, mutta en missään hirmuvireessä.”

”Aloitetaan sitten kevyesti”, hän sanoo. ”Ota vain minusta mallia.”

Potkaisen käskemättä kengät jalastani ja teen hänen perässään varovasti muutamia venytyksiä. Olemme rantavallin takana tuulensuojassa. Aallot ovat tänään pienempiä ja hyväilevät rantaa lempeästi. Aurinko on korkealla ja lämmittää jo mukavasti. Tosin Nediä kylmyys ei tunnu koskaan häiritsevän.

Tunnen itseni jäykäksi ja kankeaksi aloittaessani taivutukset ja venytykset, mutta Ned on kärsivällinen, ja luulen, että suoritamme vain neljänneksen siitä, mitä hän tavallisesti tekee. Olen nykyään niin jännittynyt, lihakseni ovat niin kireinä, etten pysty edes seisomaan paikallani ilman kipuja.

"Joka paikkaan sattuu", valitan Nedille. "Olen varma, että olin ennen notkeampi. Pidin itseäni kohtuullisen hyväkuntoisena. Kävin melkein joka päivä lounasaikaan kuntosalilla parhaan ystäväni Dellan kanssa."

"Keho heijastelee emotionaalista taakkaa", Ned sanoo. "En tiedä yksityiskohtia, mutta sinusta näkee, että olet käynyt läpi monenlaista." Silmäni täyttyvät kyynelistä, ja hän lisää nopeasti: "Tekniikalla ei ole mitään merkitystä. Otetaan tämä vain huvitteluna. Tässä on kyse liikunnasta, hauskanpidosta ja siitä, että olet sinut itsesi kanssa. Katsotaan, osaatko seisoa käsilläsi."

Purskahdan nauruun. "Olen seissyt käsilläni viimeksi seitsemänvuotiaana."

"Sitten sinun on korkea aika kokeilla uudestaan." Ned nousee vaivatta käsilleen, ottaa muutaman askelen ja laskeutuu sitten takaisin jaloilleen.

"Diivailija."

"Kokeile", hän sanoo. "Jos kaadut, hiekka on pehmeää. Olen valmiina ottamaan kiinni."

Puren hermostuneena huultani. "En uskalla."

”Pystyt mihin vain. Lupaan, etten anna sinun kaatua. Tärkeintä tässä on luottamus.”

”Luottamus on juuri se asia, jonka olen menettänyt lähes kokonaan”, sanon arvoituksellisesti.

”Ajattele, että tämä on ensimmäinen askel sen takaisin saamiseksi.”

Epäröin. Minun tekisi mieli yrittää, mutta olen täysin poissa mukavuusalueeltani. ”En tiedä, miten se tehdään.”

”Kumarru eteen ja aseta kädet maahan – tarvitset hieman vauhtia – ja sitten heilautat jalkasi ylös vuoron perään.”

”Saat sen kuulostamaan niin helpolta.”

”Siinä toteutuu hengen voitto aineesta. Yritä nyt edes.”

Jahkailen vielä, mutta sitten, vastoin parempaa tietoani, kumarrun ja painan käteni viileään hiekkaan. Rintani pyrkivät pullahtamaan esiin niukasta neonpinkistä topista.

”Pidä vatsa tiukkana”, hän ohjeistaa. ”Potkaise jalat ilmaan.”

Onnistun heilauttamaan toisen kimaltelevan sääreni ylös, mutta sitten horjahdan. Ned saa minusta kiinni. Päädyn kuitenkin makaamaan hiekalle ja nauran. ”Se oli säälittävä yritys.”

”Ei, sinä melkein onnistuit.” Ned katsoo minua totisena ja kannustaa: ”Yritä uudestaan.”

”Minulla ei välttämättä ole enää energiaa toiseen yritykseen.”

”Älä nyt jänistä”, hän sanoo. ”Yritä vielä.”

Nousen ylös ja kumarrun taas eteenpäin. Painan käteni tukevammin hiekkaan ja yritän jännittää jokaisen lihakseni.

”Ponnista jaloilla”, Ned huutaa.

Heilautan sääreni ylös, ja yhtäkkiä tunnen olevani ilmassa, ja sitten Ned tarttuu kiinni nilkoistani ja pitää minua pystyssä.

”Juuri noin”, hän huutaa. ”Pidä vatsa tiukkana! Älä päästä keskikohtaa notkolle.”

”Minä onnistuin!” Huudan voitonriemuisena. ”Minä pystyin siihen!”

Sitten ilmeisesti päästän keskikohdan notkahtamaan tai luotan liikaa taitoihini, sillä alan yhtäkkiä horjua. Ned yrittää urhoollisesti pelastaa minut ennen kuin kaadun maahan. Sen sijaan romahdammekin molemmat päistikkaa hiekalle. Ned kaatuu päälleni, ja nauramme yhdessä.

”Onnittelut!” hän sanoo. ”Sinä teit sen.”

”Mutta vain lyhyesti.” Minun on vaikea ottaa vastaan kehuja, mutta olen aika ylpeä käsilläseisonnastani, vaikka se kestikin vain nanosekunnin ja rasitus sai minut hengästymään.

”Tästä on hyvä jatkaa”, Ned sanoo pyyhkien hiekkaa rinnaltaan, ja tulen yhtäkkiä tietoiseksi siitä, että hän makaa puolialastomana päälläni. Tunnen veren syöksähtävän kasvoilleni, vaikka olen varma, että ne ovat kirkkaanpunaiset jo käsilläseisonnasta. Jäämme hetkeksi paikoillemme, kumpikaan meistä ei ilmeisesti haluaisi siirtyä pois.

”Se oli hauskaa”, sanon.

”Pärjäsit hienosti. Luulen, että olet ansainnut tukevan aamiaisen. Mitä sanot? Oletko syönyt jo tänään?”

”En.”

”Kävelläänkö Idan kahvilaan?”

”Se olisi ihanaa.”

Hän nousee päältäni, tarjoaa sitten minulle kätensä ja auttaa minut ylös. Kun kävelemme yhdessä rantaa pitkin, toivoisin että hän pitäisi edelleen kädestäni kiinni.

46

Asetumme kahvilassa muurin vieressä olevaan "kantapöytääni", joka on aika hyvin suojassa merituulelta. Vaikka olen käynyt paikassa vasta pari kertaa, pöytä tuntuu jo omalta, ja auta armias sitä, joka olisi vallannut sen. Minun täytyisi häätää hänet tiehensä. Koska on lämmintä ja aurinkoista, kahvilassa on yhtäkkiä enemmän asiakkaita, ja luulen, että viikkojen edetessä ja turistikauden lähestyessä tahti vain kiihtyy.

Ida ei näytä taaskaan kovin ilahtuneelta siitä, että olen Nedin seurassa. Hän on korjaamassa astioita toisesta pöydästä ja luo minuun paheksuvan silmäyksen. Ned ei tietenkään huomaa mitään. Ida katsoo arvioiden myös värikästä jooga-asuani, ja vaikka olenkin alkanut pitää kimaltelevista hopealeggingseistäni, toivon, että minulla olisi ollut villatakki, jonka olisin voinut heittää pienen toppini päälle. Kun Ida saapuu ottamaan tilauksemme, hänen hymynsä on jo palautunut normaaliksi.

"Hei", hän sanoo. "Tehän näytätte iloisilta."

"Aloitimme päivän rantajoogalla, joten miksi emme olisi?" Ned vastaa.

"Kyllä teidän kelpaa." Hän näyttää Nedille surkeaa naamaa. "Minä olen ollut täällä kahdeksasta saakka."

"Ja asiakkaita on riittänyt?"

"Juu. Kohta on taas täysi härdelli."

”Pääsetkö silti vielä ensi viikonlopun kevätfestivaaleille? Sinähän pidät niistä.”

”Jos saan jonkun tuuraamaan kahvilaan. Minulla on ollut vaikeuksia saada ketään. Mutta on se tietty kalenterissa.”

Ilmeeni paljastaa, etten ymmärrä, mistä he puhuvat, joten Ned lisää: ”Se on yksi suosituimmista tapahtumista saarella ja vetää puoleensa vanhempaa väkeä. Sitä voisi sanoa festareitten mersuksi. Mistään ei löydä yhtä hyviä vessoja.”

Se saa minut hymyilemään. ”Voiko tapahtuma enää parempia suositteluja saada?”

”Se on tärkeää”, Ida sanoo. ”Älä ikinä aliarvioi saniteettipalvelujen merkitystä festareilla.”

Ned nauraa. ”Sinunkin pitää tulla. Sanoit, ettet ole ollut koskaan festareilla. Tilaisuutesi on koittanut.”

”Taidan olla liian vanha aloittamaan sitä harrastusta”, nauran.

”Koskaan ei ole liian myöhäistä. Tästä olisi hyvä aloittaa. Tämä tapahtuma vetoaa kypsempään kansanosaan.”

”Vanhaan!”

”Aikuiseen”, Ned korjaa. ”Paikka on täynnä hyvin käyttäytyviä ihmisiä, ja sieltä saa hyvää katuruokaa. Minulla on ylimääräinen pääsylippu. Eikös sinun telttaasi mahdu vielä yksi ylimääräinen yöpyjä, Ida?”

Ida näyttää olevan kahden vaiheilla: myöntyäkö ja ottaa sitä kautta vastaan ei-toivottu vieras, vai valehdella, ettei tilaa ole. ”Kyllä, tietty.”

Hän ei olisi voinut kuulostaa vähemmän innostuneelta.

”En ole varma, onko se ihan minun juttuni”, sanon diplomaattisesti, vaikka tarjous kuulostaakin houkuttelevalta.

”Siellä on pari tunnettua esiintyjää tänä vuonna”, Ned lisää. ”En muista nimiä, mutta ainakin olin kuullut heistä.”

”Amatööri”, Ida mutisee.

”Tapahtumasta on minulle hyötyä, sillä saan sieltä kasaan sievoisen summan jo ennen kuin varsinainen festarikausi alkaa. Saan täytettyä rahakirstuni talven jälkeen. Bändimme soittaa siellä, ja minulla on veistonäytöksiä. Myyn siellä töitäni ja tavallisesti saan myös muutamia uusia tilauksia.”

”Eikö telttailu ole tähän aikaan vuodesta vähän liian kylmää puuhaa?”

”Sää on aina suosinut meitä. Joskus on ollut lämmintä kuin keskikesällä. Täällä ei synny myöskään Glastonburyn festareitten kaltaista mutavelliä. Tai ei ainakaan niin pahaa.”

Pakko tunnustaa, että en ole vielä koskaan uskaltautunut festareille. Viihdyn paremmin viiden tähden hotelleissa, eivätkä festarit olisi missään nimessä olleet Chrisin juttu – hänelle kaiken pitää olla luksusta. Jo pelkkä ajatus teltassa yöpymisestä olisi saanut hänet näppylöille. Mutta käsilläseisonta sai varmaankin veren pakkautumaan päähäni, sillä telttailu alkoi yhtäkkiä kiinnostaa minua.

Ned hymyilee Idalle säteilevästi. ”Eihän sinua haittaa jakaa telttaasi?”

Taas sama dilemma: me kumpikin haluaisimme kieltäytyä, mutta toisaalta emme haluaisi kuulostaa töykeiltä. En haluaisi kiusata Idaa, mutta haluaisin silti kokea festarit, vaikka vain kerran elämässäni, ja sitten voisin viivata sen yli toivomuslistaltani. Vaikka ei se rehellisesti sanottuna koskaan millään listallani ole ollutkaan.

Sanon kaiken uhalla: ”Se olisi hienoa. Jos sinulle siis sopii?”

Ida vetää syvään henkeä. ”Okei.”

”Hienoa”, Ned sanoo. ”Kuulostaa siltä, että pääsemme yhdessä tien päälle.”

”Mitä minun pitää ottaa mukaani? Minulla ei ole makuupussia tai mitään vastaavaa.”

”Älä huoli. Se järjestyy kyllä. Bändin jäsenet ovat kaikki pesunkestäviä telttailijoita. Heiltä löytyy varmasti varavarusteita. Mutta yritä selvitä niin vähällä pakkaamisella kuin mahdollista.”

Rannalta saapuu pariskunta, joka istuutuu pöytään. Ida tervehtii heitä ja ottaa esiin lehtiönsä. ”Mitä saisi olla?”

Me tilaamme annoksemme – Nedille munakokkelia paahtoleivällä ja minulle lettuja – ja Ida siirtyy seuraavaan pöytään.

”Viihdyt siellä varmasti”, Ned sanoo. ”Minä lupaan.”

Ja yllätykseksi huomaan, että vatsanpohjassani kipristelee jo jännitys.

47

Vietän loppupäivän puuhastellen niitä näitä. Luen myös Georgen kirjaa eteenpäin ja pidän siitä todella. Toivon hartaasti, että hän saa positiivisen vastauksen.

Illemmalla istun veneen yläkannella tervetulleen valkoviinilasillisen kera ja katselen alati muuttuvaa maisemaa. Vuorovesi vetäytyy ääneti ja rauhallisesti etäämmälle. Merilinnut rauhoittuvat ennen pimeän tuloa, ja *Päivänpaiste* huokaisee sen rungon etsiessä uutta asentoa vedessä. Kullanväriset ja vadelmanpunaiset pilvenhaituvat saavat taivaan hehkumaan kuin tulessa, ja näkymä heijastuu sataman tyynestä vedestä. Mieleeni juolahtaa taas, että haluaisin ehkä maalata tuon maiseman.

Aloitellessani toista lasillista olen ehtinyt jo rentoutumaan, ja soitan Dellalle. En ole jutellut hänen kanssaan moneen päivään, ja hän kuulostaa hieman töksähtävältä vastatessaan puhelimeen.

”Terve.”

”Onko nyt huono hetki?”

”Ei, ei ollenkaan.”

”Oletko kotona?”

”Juu.”

Se ei ole ollenkaan hänen tapaistaan. ”Ajattelin, että olet ehkä vielä töissä tai matkalla baariin. Kiva kuulla, että saat viettää kokonaisen illan itseksesi." Kuvittelen hänen lepäilevän sohvalla harmaassa kashmirpyjamassaan. Della on ainut tuntemani ihminen, joka pukeutuu kashmiriin myös kotioloissa.

Ystävättäreni kotikin on tavattoman trendikäs – siellä on karheaa tiiliseinää, hiotut lautalattiat ja teollisuustyyliset kalusteet. Myönnän auttaneeni häntä sisustustöissä, minkä vuoksi ehkä asunnosta niin pidänkin. Se soveltuu myös hyvin vieraiden viihdyttämiseen, sillä keittiö on valtava ja sinne mahtuu kymmenen hengen ruokapöytä. Eipä sillä, että Della viihtyisi kovin pitkään kotona. Hän muistuttaa siltä osin hieman Chrisiä, sillä hän käy mieluummin ravintoloissa kuin käyttää aikaansa ruoanlaittoon. Asunto on niin avara, että puhelimessa hänen äänessään kuulu aina pieni kaiku.

"Ehditkö vaihtaa hieman kuulumisia? Emme ole jutelleet pitkään aikaan kunnolla."

"Tietty. Nyt on täydellinen hetki. Mitä sinulle kuuluu?" hän kysyy, mutta kuulostaa etäiseltä. Ehkä hän on vieläkin vihainen siitä, että häivyin tällä tavoin Isle of Wightille.

"Hyvää", vastaan. "Voin jo paljon paremmin. Luulen, että meri-ilma sopii minulle."

Hän on hetken hiljaa ja kysyy sitten: "Mitä sinä olet oikein puuhastellut siellä?"

"Olen kävellyt rannalla, lueskellut, katsellut iltapäivän tv-lähetyksiä – ja nähnyt paljon mainoksia inkontinenssisuojista ja eläkevakuutuksista."

"Todella mielenkiintoista." Jälleen ikävä kommentti.

"Minusta täällä on oikein mukavaa. Olen jopa harrastanut hieman joogaa." Mieleeni muistuu käsilläseisontayritykseni ja kaatumiseni Nedin seurassa, ja alan hymyillä. "Onnistuin seisomaan käsilläni. Ainakin melkein."

”Voi luoja”, hän sanoo. ”Se tästä vielä puuttuikin. Mutta kannattaisikohan sinun tehdä sellaista niin pian sen…”

Hänen ei tarvitse jatkaa lausettaan, me kumpikin tiedämme, mitä hän tarkoittaa.

”Liian myöhäistä miettiä sitä nyt”, myönnän. Olen kuitenkin varma, että kaikki on kunnossa – ainakin fyysisesti. Mutta eikö olekin hyvä asia, että en tullut edes ajatelleeksi sitä?

”Hupsista”, Della sanoo.

En tiedä, mistä se johtuu, mutta Della kuulostaa poissaolevalta. ”Onko kaikki ok?”

”Kyllä, tietenkin. Miksei olisi?”

”Meneekö töissä kaikki hyvin?”

”Helvetinmoinen kiire, mutta muuten sitä samaa.”

”Taisin lupautua lähtemään yksille festareille tänään”, tunnustan. ”Voitko kuvitella? Minä telttailemassa.”

”Oletko varmasti vain Isle of Wightilla? Kuulostaa siltä, kuin olisit joutunut avaruusolioiden sieppaamaksi. Joogaa? Festivaalit? *Telttailua*?”

”Ehkä olen löytänyt uuden minäni.” Pakko myöntää, että olen ollut koko iltapäivän hirveän innostunut.

”Taidan pitää vanhasta biletys- ja kuntosalikaveristani enemmän. Kenen kanssa sinä olet menossa sinne? Ethän sinä voi festareille yksinäsi lähteä?”

”Pari paikallista tuttavaa kutsui minut. Olen ystävystynyt naapuriveneen omistajan ja rantakahvilan pitäjän kanssa.”

Sitten kuulen taustalta miehen äänen, ja vaikka Della todennäköisesti suojaa puhelinta kädellään, kuulen hänen kuiskaavan: ”Lopetan kohta.”

Olen loukkaantunut. Tämän takia hän siis kuulostaa haluttomalta juttelemaan. ”Onko sinulla siellä joku? En tajunnut ollenkaan. Olisit heti sanonut. Voin soittaa huomenna uudestaan.”

"Ei täällä ketään ole", hän vastaa liiankin terävästi.

Mutta tiedän, että on. Della on jonkun miehen kanssa, vaikka ei myönnä sitä. Se ei ole ollenkaan hänen tapaistaan. Minulle tulee outo olo. Ehkä hänen käytöksensä johtuu siitä, että en ole ollut täysin avoin hänelle omasta tilanteestani, ja nyt hän maksaa sen minulle takaisin tällä tavoin. Della saattaisi hyvinkin toimia niin, niin ihana kuin onkin.

"No, minun täytyy muutenkin mennä", sanon nopeasti. "Marilyn on jättänyt minulle ruokaa, ja se on uunissa."

"Kyllä joittenkin kelpaa." Sekin kuulosti aika töykeältä.

"Soitanko sinulle huomenna?" kysyn kokeeksi. Mietin, onko Della ehkä sittenkin vielä töissä, mutta ei halua myöntää sitä, ja mies on joku hänen työkavereistaan. Tai ehkä hän on löytänyt baarista itselleen seuralaisen? Tai vielä todennäköisemmin löytänyt Tinderistä deitin. Ilta on vielä hieman nuori siihen, mutta Dellasta ei ikinä tiedä. Olisihan hän voinut sanoa minulle, jos keskeytin jotakin. Me kerromme tavallisesti toisillemme kaiken, tai niin meillä ainakin oli tapana. Onko hän mustasukkainen, koska pidän hauskaa ilman häntä?

Sitten uskon kuulevani taas jonkun äänen, enkä voi antaa asian olla. "Kyllä siellä *on* joku."

"Eikä ole", Della inttää. "Ääni tulee telkasta. Älä ole vainoharhainen."

Ehkä hän on oikeassa. Ylitulkitsen asioita. Vanhoista haavoista jää ikuiset arvet. "Anna anteeksi. Olen ollut idiootti."

"Niinpä. Mutta olet silti rakas."

"Sori. Nyt minulla on tyhmä olo."

"Unohda koko juttu. Mutta hei, nyt pitää mennä. Minulla on vähän tekemistä. Soitan sinulle myöhemmin", Della sanoo.

"Huomennako?"

”Jep. Heippa.”

Ja sen sanottuaan paras ystäväni lopettaa puhelun. En tiedä miksi, mutta minulla on levoton olo koko loppuillan.

48

Makaan valveilla pikkutunneille saakka, ja mietin puhelua Dellan kanssa. Hän on ilmeisesti suuttunut minulle pahemmin kuin luulinkaan. Se ei ole kyllä hänen tapaistaan. Oletin, että hän olisi iloinen kuullessaan, että minulla menee hyvin, mutta niin ei ilmeisesti ole. Ehkä hänestä on typerää, että en pysty kohtaamaan ongelmiani kuin aikuinen ihminen. Della näkee kaiken aina mustavalkoisena. Hänellä on ollut onnekas elämä, kaikki on mennyt hyvin, eikä hänellä ole ollut samanlaisia vastoinkäymisiä kuin minulla. Ikävä kyllä parhaalla ystävälläni ei näytä olevan juurikaan empatiakykyä. Tavallisesti pidän hänen suorasukaisesta, päällekäyvästä tyylistään, mutta en silloin, kun olen itse vastaanottavana osapuolena.

Kun kuulen Marilynin huutavan ”Hu-huu!”, pomppaan sängystä ja riennän ottamaan hänet vastaan. Tervehdys kuulostaa tänään erityisen pirteältä, ikään kuin hän aavistaisi alakuloni.

Tänään hän on sonnustautunut tulipunaiseen haalariin ja hopeanvärisiin koruihin. Hän tuoksuu kuin parfyymitehdas räjähdyksen jäljiltä. Nykyään jo tavaramerkiksi muodostunut ostoskassi päätyy työtasolle. Minun on alettava käymään päivittäin juoksulenkillä saadakseni kulutettua kaikki ne kalorit, jotka Marilyn yrittää ahtaa minuun.

”Gulassi oli ihanaa”, sanon hänelle. ”Laitoin tähteet pakkaseen.” Odottamaan sitä hetkeä, kun saan kymmenen yllätysvierasta. ”Ja tiskasin sinun patasi.”

”Ei sinun olisi pitänyt”, hän toruu minua. ”Se on minun työtäni. Minä olen täällä huolehtimassa sinusta.”

”Ja sen olet tehnytkin oikein hyvin”, sanon. ”Arvostan sitä.” Vaikka hänen kalkatuksensa saa edelleen korvani soimaan, olen alkanut odottaa hänen tapaamistaan.

”Näytät vähän apaattiselta tänään.”

”Minulla oli eilen illalla kummallinen puhelinkeskustelu parhaan ystäväni kanssa. Vaikka ei siinä varmaankaan mitään ihmeellistä ollut. Olen vain yliherkkä. Minusta tuntui kuin hän olisi halunnut päästä minusta eroon puhelimessa.”

Marilyn kohottaa kulmiaan. ”Voisiko se olla kateutta? Ehkä ystäväsikin haluaisi päästä lomailemaan merenrannalle.”

”Taidat olla oikeassa. Ajattelin samaa.”

”Voisit kutsua hänet tänne viikonlopuksi. Seura tekisi sinulle hyvää.”

”Se ei käy tulevana viikonloppuna. Tai niin ainakin luulen. Ned ja Ida pyysivät minua kevätfestivaaleille”, selitän hänelle. ”Toivottavasti se on sinusta ok. Della nimittäin luulee, että olen seonnut. Mutta jos festareille meno on sinustakin huono ajatus, en ehkä lähdekään.”

”Voi, mene ihmeessä. Siellä on kivaa”, hän kannustaa. ”Se on upea paikka metsän keskellä. Siellä on tavallisesti loistavia bändejä ja kaikenlaisia hassuja esityksiä. En ole käynyt siellä vuosiin, sillä olen ollut joka kerta lapsenvahtina. Joku lapsistani on aina mukana. Luulen, että kahdella tytöistäni on sinne liput tänäkin vuonna.”

”Olen huolissani.”

”Sinä olet aina huolissasi”, Marilyn huomauttaa.

”Tiedän. Minua hermostuttaa, mutta tiedätkö mitä, Marilyn, olen itse asiassa myös aika onnellinen. Ja sitten poden syyllisyyttä siitä.”

Hän vilkaisee minua syrjäsilmällä. ”On ihan ok, että alat elää taas elämääsi.”

”Mutta missä vaiheessa? Kuinka kauan minun pitää surra? Minusta tuntuu, että siihen menee ainakin sata vuotta.”

”Eikä siinäkään ole mitään väärää. Suru on aina kanssasi, mutta sen ei tarvitse määrittää koko elämääsi. Joskus, kun olen konsertissa tai syömässä ulkona, ajattelen: 'Voi, minun Declanini pitäisi tästä', ja olen surullinen, ettei hän ole enää jakamassa niitä hetkiä kanssani. Se on ihan luonnollista. Mutta elämä on elämistä varten. Sinulla on edelleen lupa pitää hauskaa, ja nythän sinulla olisi täydellinen tilaisuus laittaa huulillesi kirkkainta huulipunaa ja kastaa nenäsi veteen.”

”Ehkä mieluummin varpaat.”

”Kyllä, nekin. Kun sen aika tulee, kasta koko kroppasi veteen”, hän neuvoo. ”Saatat jopa pitää siitä.”

49

Mietin viikonloppuun saakka, olenko päätymässä oikeaan ratkaisun. Mutta sitten teen, kuten Marilyn ehdotti: levitän huulilleni kirkkainta huulipunaani ja vedän pariin kertaan syvään henkeä. Itse asiassa minulla ei ollut kirkkaanväristä huulipunaa, joten ostin paikallisesta kosmetiikkapuodista sävyä, joka olisi saanut Marilyninkin ylpeäksi. Punaisinta punaista, mitä olen koskaan käyttänyt.

Vatsani on solmussa odotuksesta ja jännityksestä, minkä vuoksi en koskenutkaan aamiaiseeni. Älkää kertoko sitä Marilynille. Hän saapui aikaisin aamulla saattelemaan minut matkaan, kiitokset siitä hänelle, ja touhottaa nyt ympärilläni.

”Onko sinulla villapaita ja takki? Illalla saattaa olla kylmä.”

”Kyllä on.” Olen myös tarkistanut säätiedotuksen, ja näyttää siltä, että festarisää tulee olemaan loistava.

”Äläkä unohda makuupussiasi”, Marilyn muistuttaa minua tarpeettomasti.

Päätin, että en haluaisikaan lainata makuupussia, joten tein pari klikkausta nettikaupassa, ja makuupussi toimitettiin minulle eilen.

Marilyn stressaa yhtä paljon kuin minäkin. ”Onko sinulla hammastahna? Hammasharja? Saippuaa? Deodoranttia? Vara-alushousut?”

"Vastaus jokaiseen kohtaan on *kyllä.*"

Ned pistäytyi kertomassa minulle viikonlopun järjestelyistä, mutta sen lisäksi en ole nähnyt häntä tällä viikolla juuri lainkaan. En ole myöskään käynyt joogaamassa hänen kanssaan. En tiedä, onko hän herännyt tavallista aikaisemmin vai onko hänellä ollut kiireitä, mutta olen kuullut hänen työstävän veistoksiaan laivan perällä. Siitä aiheutuva melu on tuntunut minusta ennemminkin rauhoittavalta kuin ärsyttävältä. Vaikka en näkisikään häntä, minusta on mukava tietää, että hän on lähellä.

Nyt näen ikkunasta hänen astelevan pitkin laskusiltaa, ja sitten hän koputtaa ovelleni. Hän näyttää olevan valmiina festivaaleihin: hänellä on katkaistut khakihousut ja musta t-paita. Oikeastaan hän on kyllä aina valmis festareille. Hänen ruskea tukkansa on tavanomaiseen tapaansa sekaisin, ja hänen kasvoillaan näkyy enemmänkin kuin pelkkä aavistus viiksistä ja parransängestä, mikä sopii hänelle.

Kun avaan oven, Ned viittaa kädellään lommoista autoaan kohti. "Vaununne odottavat, madam."

Auto on ääriään myöten täynnä tavaraa, ja ihmettelen, löytyykö siitä edes tilaa minulle. Onneksi minulla on vain yksi laukku ja tuliterä makuupussini.

"Valmiina rokkaamaan?" hän kysyy.

"Minua hirvittää", myönnän.

"Pidät siitä varmasti", Ned vakuuttaa minulle. "Kaivamme esiin sinussa piilevän hippitytön."

"Pidä minulle peukkuja, Marilyn", sanon tarttuessani tavaroihini ja suunnistaessani ovea kohti.

Hän juoksee perääni ja halaa minua lujasti. "Olethan varovainen", hän sanoo. "Älä syö kakkuja, joissa on *outoja juttuja.*"

"Yritän olla syömättä."

”Katso hänen peräänsä.” Marilyn heristää sormeaan Nedille. ”Sinun on parasta tuoda hänet takaisin yhtenä kappaleena. Jos et, niin joudut tekemisiin minun kanssani.”

”Kohtelen häntä kuin prinsessaa.”

Ned ottaa laukkuni, ja kävelemme autoa kohti. Onneksi etupenkki on tyhjä, joten istun sille ja työnnän makuupussini jalkatilaan.

Takapenkiltä kuuluu ”Hei”, mikä saa minut pompahtamaan ilmaan säikähdyksestä. Ida kyyhöttää takakulmassa laukkujen ja laatikoiden ympäröimänä. Tunnistan Nedin kitaran muodon, ja oletan hänen moottorisahansakin olevan jossain auton perällä. ”Onneksi et ottanut paljoa matkatavaroita.”

”Niinpä.”

”Tässä ei ole edes puolet Nedin romppeista. Yksi bändin pojista ottaa puupölkyt pakettiautoonsa. Ned saa myytyä paljon töitään tänä viikonloppuna.”

”Pärjäätkö varmasti siellä? Voimme vaihtaa paikkoja, jos haluat.”

”Tiedän paikkani”, Ida sanoo hieman pisteliäästi. ”Sitä paitsi meillä on vain puolen tunnin matka. Hyvällä tuurilla en ehdi saada kramppia siinä ajassa.”

”Istun takapenkillä paluumatkan. Lupaan.”

”Sovittu. Saamme nauttia pian lisää intiimistä läheisyydestä. Telttani on nimittäin hyvin pieni”, hän kertoo. ”Toivottavasti et kuorsaa.”

”Tietääkseni en, mutta en todennäköisesti nuku silmäystäkään.”

”Ei sinun tarvitsekaan. Festivaalit jatkuvat tavallaan läpi yön. Siellä on paljon tekemistä.”

”Kiitos, että otat minut telttaasi, Ida.”

"En tiedä, oliko minulla paljon vaihtoehtoja", hän sanoo. "Mutta me pidämme hauskaa. Parin viinipullollisen jälkeen olemme jo ylimmät ystävykset."

"Toivottavasti."

Kun Ned on saanut ujutettua laukkuni takakonttiin, mikä vaatii äänistä päätellen paljon uudelleenjärjestelyjä, hän istahtaa kuljettajan paikalle. "Valmiina matkaan, leidit?"

Jännitys nipistää vatsaani. "Täysin valmiita."

Ned koskettaa polveani, enkä uskalla vilkaista taakseni nähdäkseni, huomasiko Ida sen. "Älä jännitä", Ned sanoo. "Ota rennosti. Nauti matkasta."

Marilyn seisoo laskusillan päässä, heiluttaa pölyhuiskuaan ja pyyhkäisee kyyneleen silmäkulmastaan. Voisi luulla, että olen lähdössä vuoden mittaiselle maailmanympärysmatkalle. Hän lähettää minulle lentosuukon, ja heilutan hänelle kättäni.

"Lähde jo", komennan Nediä, "sillä muuten Marilyn juoksee peräämme ja kiskoo minut ulos autosta."

Lähdemme siis matkaan ja köröttelemme pitkin saaren pikkuteitä. En ole ihan varma, minne olemme menossa, enkä oikeastaan haluakaan tietää. Menen, minne virta minut vie. Se on mottoni tänä viikonloppuna. Minne ajammekin, maisema näyttää vihreältä ja miellyttävältä, ja vaikka en olekaan valvonut myöhään edellisiltana, silmäni alkavat tuntua taas raskailta. Sen on pakko johtua Nedin ajotyylistä. Tällä kertaa taistelen pysyäkseni hereillä. En halua Idan näkevän, kun kuolaan unissani.

Päädymme pian autojonoon, joka matelee kohti festivaalien leirintäaluetta. Vilskettä riittää. Tuhannet ihmiset ovat tulleet viettämään viikonloppua samaan paikkaan. Henkilökunta selvästi tunnistaa Nedin, sillä hän pääsee portista läpi pelkällä kädenheilautuksella ilman, että häneltä kysytään edes lippua. Pysäköimme auton ja aloitamme ikävän työn, eli puramme kuormamme ja alamme raahata tavaroita telttapaikallemme.

Myönnän, että tässä vaiheessa mukava, viihtyisä hotelli tuntuisi paljon paremmalta vaihtoehdolta.

50

Ida venyttelee, kun nousemme autosta. ”Luojan kiitos, ettei matka ollut tämän pitempi”, hän mutisee.

Aivan ensimmäiseksi minun on kerrottava teille, että Ida näyttää upealta. Hän on vienyt festarityylin huippuunsa. Hän on heittänyt sievän farkkumekkonsa päälle värikkään, isoäidin neliöistä virkatun neuletakin, jonka helma hipoo hänen kirkkaanpinkkejä Doc Marten -saappaitaan. Hänen tummissa hiuksissaan on nauhoja, jotka edustavat kaikkia mahdollisia pinkin sävyjä, ja ylimpänä keikkuu rento, kermanvärinen lierihattu. Idan poskipäitä somistavat kimaltelevat kasvokoristeet, jotka kaartuvat hänen kulmakarvojensa yläpuolelle. Vaikka hänellä on oma yksilöllinen tyylinsä, hänen asusteensa sulautuvat hyvin muiden röyhelöpuseroiden, kiiltävien saappaiden ja kukallisten hiuspantojen joukkoon. Minä sen sijaan näytän siltä, kuin olisin aloittelemassa työpäivää toimistolla, ja pistän ikävällä tavalla silmään.

Ned lastaa auton takakontissa olleisiin pieniin työntökärryihin niin paljon tavaraa kuin mahdollista, ja Ida ja minä yritämme kantaa käsissämme sen minkä jaksamme. Näytämme siltä, kuin olisimme aikeissa leiriytyä kahdeksi viikoksi yhden yön sijaan. Raahaamme tavaramme loivaa rinnettä ylöspäin kentän toiselle puolelle, missä meille varatun telttapaikan pitäisi olla. Pienen etsiskelyn jälkeen löydämme oikean kohdan. Aikamme sohittuamme ja kiroiltuamme onnistumme saamaan telttamme pystyyn. Ned palaa autolle hakemaan toista kuormaa.

Kun pysähdyn ihastelemaan saavutustamme, Ida heittää pari tyynyä maahan telttojemme eteen. Nedin palattua takaisin hän avaa pullon valmiiksi viilennettyä valkoviiniä.

”Mikäpä tässä, aloitetaan vain juhlat saman tien”, Ned sanoo kaataessaan viiniä muovilaseihin. Sitten hän avaa itselleen oluen.

Kohotamme maljoja.

”Teillä on jo kokemusta tästä”, huomautan.

”On tosiaan tullut käytyä festareilla jo jokunen kerta”, Ned myöntää. ”Minulla tahtoo mennä koko kesä näissä merkeissä.”

”Niin minullakin ennen”, Ida sanoo. ”Enimmäkseen Nedin vanavedessä.”

He vaihtavat tuttavallisia katseita, ja hetken koen olevani kolmas pyörä. Tai kolmas poljin, jos olisin Marilyn. On selvää, että Idalla ja Nedillä on pitkä yhteinen menneisyys.

”Siitä lähtien, kun minulla on ollut kahvilani, tämä on ollut paljon vaikeampaa. Oli siinä ja siinä, pääsinkö lähtemään tänä vuonna ollenkaan. Joka tapauksessa poden syyllisyyttä siitä, että vietän viikonlopun täällä. Tämä on hankalampaa kuin jonkin hiton vauvan kanssa.”

Se saa minut säpsähtämään, piikki osuu suoraan sydämeeni, mutta en usko, että Ida ja Ned huomasivat mitään. Jos minulla olisi vauva, en taatusti olisi täällä. Otan kulauksen viiniä kootakseni itseni.

”Kuka sinua tuuraa?” Ned kysyy.

”Ystäväni Fern tuli apuun. Hän on palannut juuri Lontoosta ja etsii töitä. Toivottavasti hän on maisemissa koko kesän. Muuten joudun laittamaan työpaikkailmoituksen sosiaaliseen mediaan."

Pienen päättömän hetken harkitsen tarjoutuvani vapaaehtoiseksi kahvila-apulaiseksi lomakauden ajaksi. Mutta en ole varma, ihastuisiko Ida ajatuksesta, ja tiedän, että Bill sekoaisi. Veljeni esittää rauhallisempaa kuin onkaan, mutta tiedän, että hän tarvitsisi minut epätoivoisesti takaisin toimistolle. Olemme hyvä tiimi, ja minun pitäisi palata hänen luokseen heti kun pystyn. Ja vointini on tällä hetkellä hyvä. En tiedä, johtuuko se siitä, että en tee muuta kuin lorvailen päivät pääksytysten. Ihmettelen, kestäisinkö enää ollenkaan normaalielämän rasituksia. En tiedä. Ehkä on liian aikaista sanoa. Hormonini tuntuvat heittelevän minua edelleen sinne tänne, ja saatan purskahtaa itkuun pienimmästäkin syystä.

"Laitan hänelle viestin viiden minuutin välein", Ida jatkaa, "mikä saa hänet varmaan hyppimään seinille. Hän on työskennellyt ravintolapäällikkönä Lontoossa, todellisessa huippupaikassa. Olen varma, että hän selviytyy muutamasta lämpimästä juustoleivästä. Tosin kahvikone on hieman omapäinen – enimmäkseen se on ilkeä paskiainen."

Sen sanottuaan hän alkaa taas kirjoittaa uutta viestiä ystävälleen.

Asetumme istumaan tyynyille ja katselemme ohitse lipuvaa ihmisvirtaa, joka on värikäs kuin papukaijaparvi. Jono kiemurtelee teltoista kohti festivaalikenttää, ja kaikki vaikuttavat hyväntuulisilta. Se tuntuu samalla tavalla rauhoittavalta kuin rantaan vyöryvien aaltojen katselu.

Ned kysyy: "Haluatteko juoda tuon pullon loppuun, ennen kuin kävelemme festarialueelle? Minun täytyy vaihtaa pari sanaa järjestäjien kanssa ja selvittää, minne asetun."

"Selvä", Ida sanoo ja kulauttaa alas kuppinsa sisällön.

Olen vielä noviisi, joten sanon: "En tiedä, mikä täällä on tapana, joten teen niin kuin käsketään."

Kun olemme tyhjentäneet pullon Nedin vaatimattomalla avustuksella, vaellamme leirintäalueen poikki, kunnes saavumme varsinaiselle festivaalialueelle. Kuten Marilyn sanoi, ympäristö on viehättävä, mutta en ollut silti arvannut paikan olevan niin ihastuttava.

Pian sisäänkäynnin jälkeen näemme valtavan puuta esittävän veistoksen, joka on koristeltu pienillä valoilla ja värikkäillä tuulihyrrillä.

"Yksi minun töistäni", Ned sanoo. "Täällä on muitakin. Ne sopivat hyvin metsämaisemaan, ja järjestäjät tuntuvat ostavan niitä mielellään."

"Haluaisin nähdä niitä enemmänkin."

"Ehdimme kyllä", Ned sanoo. "Meillä on yllin kyllin aikaa."

Pääalueella, joka muistuttaa puistomaista nurmikenttää, on kymmeniä ruokakojuja, joista saa kaikkea, mitä kuvitella saattaa. Olin odottanut tavanomaisia hampurilaisia ja ranskalaisia, mutta tarjolla on persialaista ruokaa, kiinalaisia nuudeleita, currya, tuunattua juustomakaronilaatikkoa ja monenlaisia vegaanisia vaihtoehtoja. Ohessa on monenlaisia baareja: asuntovaunu, josta tarjoillaan erilaisia drinkkejä, ja punainen lontoolaisbussi, josta myydään Pimm'sin hedelmäcocktaileja. Ostamme ruoka-annokset ja hedelmäcocktailit ja asetumme raidalliselle piknikpenkille syömään.

Alueella on kolme esiintymislavaa, joista yhdellä on jo bändi soittamassa. Puiston täyttävät rouheaan tyyliin soitetut räväkät rockkappaleet. Tunnelma on kepeä, hilpeä ja rento.

"Tuossa on festivaalitoimisto." Ned osoittaa virallisemman näköistä telttaa. "Minun pitäisi käväistä siellä. Voinko jättää teidät hetkeksi kahden?"

”Tietysti”, sanon. ”Nähdään myöhemmin.”

”Soitan, kun olen valmis, ja voimme mennä sitten jonnekin drinkille. Sinun pitäisi käydä Lost Woods -osastolla”, hän neuvoo minua. ”Siellä on kaikenlaisia jänniä juttuja. Mutta kiertele ensin omaan tahtiin ja katso, mitä tulee vastaan.”

”Kiitos neuvoista. Nähdään sitten.”

Ned lähtee omille teilleen, ja minä lähden kuljeskelemaan Idan kanssa kasvavan ihmisvirran mukana. Pysähdymme katselemaan tulennielijöitä, jonglöörejä, jättikokoisilla pyörillä taiteilevia miehiä, korkeilla puujaloilla käveleviä ihmisiä ja festivaalivieraita, jotka testaavat nuorallakävelytaitojaan.

”Täällä on aivan oma tunnelmansa”, Ida sanoo. ”Kaikki on sallittua. Voit relata. Se mitä tapahtuu festareilla, saa jäädäkin festareille.”

”Pidetään mielessä.” Luulen, että tulemme keskenämme toimeen jo paremmin, mutta se saattaa johtua muutamasta viinilasillisesta ja hyvästä ginistä.

Ida sytyttää jointin ja imaisee siitä. ”Aloita tästä.”

Nostan käteni ylös. ”Kiitos, mutta en...”

”Ota nyt vain.” Hän tyrkyttää sätkää minulle, joten imaisen siitä vastentahtoisesti yhden kerran. Yritän antaa sen hänelle takaisin.

”Uudestaan”, hän vaatii. ”Vedä syvempään.”

Teen kuten hän käskee.

”Jatketaan myöhemmin”, hän sanoo ja ottaa vielä yhdet henkoset.

Odotan, että jotakin tapahtuisi, mutta en huomaa mitään erikoista.

Sitten ohitseni tepastelee riikinkukko, joka on levittänyt pyrstönsä auki, ja toivon, että se on todellinen.

”Puissa on myös papukaijoja”, Ida sanoo, kun huomaa minun ihastelevan riikinkukkoa. Olen helpottunut, ettei se ollut harhanäky.

Ihmettelemme edelleen kaikkea vastaantulevaa ja imaisemme välillä sätkästä, mikä tuntuukin rentouttavan oloani. Kun Ida pysähtyy juttelemaan jonkun tuttavansa kanssa, päätän, että meidän on aika erota.

”Haluan tehdä yhden jutun”, sanon hänelle. ”Jätän teidät hetkeksi kahdestaan, ja etsin sinut käsiini myöhemmin, jos sopii?”

”Selvä”, Ida sanoo. ”Pidä hauskaa.”

Jos loppuosa festivaaleista on yhtään samaa kuin mitä olen toistaiseksi nähnyt, viihdyn varmasti.

51

Kun Ida syventyy keskusteluun tuttavansa kanssa, lähden vaeltelemaan päämäärättömästi eteenpäin ja nautin vain tunnelmasta. Sitten saavun alueelle, jossa myydään kaikenlaista tyypillistä festivaalitavaraa. Sitä juuri kaipasinkin. Kaikissa kojuissa myydään hulmuavia kukkakuvioisia tai solmuvärjättyjä vaatteita sekä hattuja, hiuspantoja ja helmikoristeltuja sandaaleja. Tarjolla on saronkeja, haaremihousuja, ponchoja ja kaikenkokoisia ja -muotoisia enkelinsiipiä. Päätän satsata hieman festarilookiini.

Kuljen kojulta toiselle ja sovittelen sydämeni kyllyydestä erilaisia mekkoja, hameita, remmisandaaleja, leveälierisiä hattuja ja kirjailtuja jakkuja. Jos joku väittää, etteikö shoppailu olisi erinomaista terapiaa, älkää uskoko häntä. Viimeisessä kojussa pujahdan sovitusverhon taakse ja puen kaikki ostamani vaatteet ylleni. Katson peiliin, ja tuskin tunnistan itseäni. Kuvan nainen näyttää vieraalta, mutta taidan pitää hänen ulkoasustaan. Hän näyttää nuorelta ja huolettomalta. Olin valinnut vaaleansinisen kukkakirjaillun batistimekon. Se on lyhyt, ehkä vähän liiankin lyhyt, sillä sen helma ulottuu vain puoliväliin reittäni. Siinä on kapeat olkaimet, ja sen alaosa muodostuu useammasta valkoisen brodyyripitsin reunustamasta kerroksesta. Olin ostanut myös helmikoristeiset remmisandaalit, joissa on sinisiä ja vaaleanpunaisia paljetteja, ja haalistuneen, vintage-mallisen farkkutakin. Olen varma, että se nuorentaa minua kymmenellä vuodella. Saattaa tietenkin olla, että parilla viinilasillisella on vaikutusta arviointikykyyni, mutta en piittaa.

Sitten löydän kasvomaalaajan kojun, jossa annan taiteilijan maalata poskilleni kimaltelevia päivänkakkaroita, ja viimeistelen vielä tyylini kukkakoristeisella hiuspannalla. Olen päässyt nyt kokonaan irti toimistotyöntekijän lookistani ja näytän täysiveriseltä festarikävijältä. Uudessa kevytmielisyydenpuuskassani sullon entiset vaatteeni muovikassiin. Jos olisin vielä vähän rohkeampi, heittäisin kassin lähimpään roskikseen. Se ei olisi ehkä ollenkaan huono ajatus, sillä pidän uutta tyyliäni aika onnistuneena.

Kun mietin, mihin suunnistaisin seuraavaksi, Ned soittaa. "Olen Woodland-baarissa. Haluaisitko tulla tänne? Sinua odottaa täällä viileä ja värikäs cocktail."

"Olen jo matkalla", sanon hänelle.

Lähden kulkemaan metsään päin. Askeleeni on keväinen, ja poskiani koristavat kukkaset. Tunnen olevani kevyt, vapaa ja yhtä värikäs kuin aiemmin näkemäni riikinkukko. En muistanutkaan, millaiselta olo voi tuntua. En ole ollut pitkään aikaan näin onnellinen, en edes raskauttani edeltävinä aikoina. Ehkä minun pitäisi suosia värikkäitä kukkakuoseja jatkossakin.

Metsä näyttää uskomattomalta. Puut on koristeltu hassuilla neulegraffiteilla – oksiin on kiinnitetty kukkia, mandaloita ja tupsuja. Edempänä näkyy puita, jotka on koristeltu soittimin – puissa roikkuu trumpetteja, kitaroita, huiluja ja rumpuja, joita ihmiset käyvät soittamassa ohi kulkiessaan.

Woodland-baari sijaitsee pienellä metsäaukiolla. Se on koristeltu luonnonkukkaköynnöksin ja näyttävin paperikukkasin.

Nuotiopaikkoja reunustavat puupenkit, ja vieressä on halkoja valmiina odottamassa illan viilenemistä. Baari itsessään sijaitsee katoksen alla. Siellä on paljon asiakkaita, ja pujottelen heidän välistään kohti baaritiskiä. Ned on puolivälissä oluttaan. Hän nostaa katseensa ja vilkaisee uudestaan minut nähdessään.

Kävelen näyttävin askelin hänen luokseen, käännähdän hänen edessään ja annan mekonhelman pyörähtää ympärilläni. "Löysin sisäisen hippini. Mitäs pidät?"

Hän silmäilee minua päästä varpaisiin, mikä saa minut punastumaan.

"Vau." Ned näyttää olevan aidosti yllättynyt muodonmuutoksestani, ja hän jää tuijottamaan minua.

"Sano jotain. Onko tämä liian nuorekas? Liian jotakin?"

"Se on täydellinen", hän sanoo lopulta. "Näytät upealta!"

Helpotuksen aalto kulkee lävitseni. "Oikeastiko?"

"Näytät uskomattomalta", hän sanoo. "Tee se pyörähdysjuttu vielä uudestaan."

Käännyn ympäri, ja voitte vapaasti sanoa minua kevytmieliseksi, mutta pidän tavasta, jolla Ned katsoo minua. Kun olen saanut pyörähtelyni päätökseen, pysähdyn hänen eteensä, ja silmämme kohtaavat.

"Olet kaunis", hän sanoo pehmeästi.

Juuri silloin Ida ryntää paikalle ja istahtaa Nedin viereiselle jakkaralle, ja hetki on ohi.

Ida heittää hattunsa tiskille. "Voi helvetti", hän huokaisee. "Tämä paikka on ihan *älytön.* Tunnen täällä *kaikki.* Anna minulle juotavaa ennen kuin kuolen."

Ned irrottaa vastahakoisesti katseensa minusta, mutta hänen silmänsä kertovat, että asiamme on vielä kesken. Hän kääntyy Idaan päin. "Mitä sinä haluaisit?"

”Rommia”, hän sanoo. ”Onko täällä jotain, missä on rommia? Ja päivänvarjo.”

”Entä sinulle, Jodie?”

Tutkin cocktaillistaa, joka on kirjoitettu liidulla tauluun, mutta en pysty keskittymään. Mietin vain, miten Ned katsoi minua, ja haluaisin niin kovasti kokea sen uudestaan. ”Ihan sama. Valitse sinä.”

Silloin Ida näyttää huomaavan läsnäoloni ja säpsähtää hieman. Hän räpyttelee silmiään ikään kuin ei uskoisi näkemäänsä. ”Perhana, mitä sinulle on tapahtunut?”

”Kävin vähän shoppailemassa.”

”Siltä näyttää. Vau. Alat päästä festaritunnelmaan.”

Olen taas hieman vaivautunut. ”Parasta yrittää sulautua massaan.”

”Niin sitä pitää”, hän toteaa, mutta hän kuulostaa hieman harmistuneelta. ”Näytät upealta.”

Ned tilaa meille kaikille drinkit ja ojentaa lasit meille niiden saavuttua. ”Mojitonne, leidit.”

Siemailen kirpeää, raikasta juomaani. Nautin rommin potkusta, limettimehusta ja viilentävästä mintusta. ”Hyvää. Kiitos.”

”Mukavaa, että valintani osui oikeaan.”

”En voi viipyä pitkään”, Ida sanoo. ”Pitää käydä vielä monessa paikassa ja tavata paljon ihmisiä.”

Hän vaikuttaa rauhattomalta, kuin lapselta, joka käy ylikierroksilla.

”Minulla on ensimmäinen näytökseni tunnin päästä Village Greenissä”, Ned sanoo. ”Bändi soittaa myös Peacock-lavalla tänä iltana.”

”Se on hyvä sauma”, Ida sanoo. ”Siitä tulee varmasti suksee.”

”Tuletko vetämään pari numeroa meidän kansamme?” Ned kysyy.

"En. Olen mieluummin yleisön puolella", Ida sanoo. "Tänä viikonloppuna haluan vain rentoutua. Nämä ovat todennäköisesti ainoa vapaat ennen syyskuuta. Joten otan tästä kaiken ilon irti." Ida kulauttaa alas drinkkinsä. "Itse asiassa nyt pitää mennä. Etsin teidät myöhemmin käsiini."

En tiedä, tunteeko Ida olevansa tiellä vai onko hän vain liian innoissaan pysyäkseen paikoillaan, mutta hän lennähtää tiehensä kuin perhonen. Otan kiitollisena vastaan Nedin vierestä vapautuneen paikan. "En tiedä, mistä hän saa kaiken tuon energian. Minua alkaa väsyttää jo kun katselen häntä."

"On kaksi tapaa nauttia festareista", Ned kertoo minulle. "Voit juosta ympäriinsä kuin päätön kana ja yrittää ehtiä joka paikkaan, tai voit ottaa rennosti ja hyväksyä sen tosiasian, että nähtävää on liikaa yhdelle kerralle, ja lupaat tulla seuraavana vuonna uudestaan."

"Luulen, että minulle sopii se rennompi vaihtoehto."

"Selvä. Kun olemme juoneet drinkkimme, voimme lähteä vähän kiertelemään, ja näytän sinulle joitakin kohteita. Mutta ei kiirettä. Otetaan rauhallisesti."

"Kuulostaa kivalta", sanon. Sitten otan häntä kädestä kiinni ja puristan sitä. "Kiitos, että toit minut tänne. Sinä ja Ida olette ottaneet minut siipienne suojaan. Arvostan sitä todella."

"Sinä olet todella mukavaa seuraa, Jodie", hän sanoo, ja näen ilokseni hänen silmissään taas sen saman katseen.

52

Tyhjennämme lasimme ja lähdemme taas vaeltamaan ihmisvirran mukana ympäri festivaalialuetta. Olisin varmasti täysin avuton ja pyörällä päästäni ilman Nediä. Tuntuu mukavalta, kun hän tarttuu kädestäni tai koskettaa selkääni ohjatessaan minua katselemaan mitä milloinkin.

Hänellä näyttää olevan täällä Idan tavoin paljon ystäviä, ja pysähdymme jatkuvasti halaamaan tai antamaan vastaantulijoille yläfemmoja. Tutustumme kauempana metsässä oleviin telttoihin, joissa on tarjolla erilaisia hoitoja, kuten hierontaa, reikiä ja tarot-korttien tulkintaa. Siellä on myös poreallas ja sauna. Kuljeskelemme esiintymislavojen liepeillä ja rentoudumme seuraamalla joitakin Nedin tuntemia bändejä.

Nähtävää ja koettavaa on käsittämättömän paljon. Tarvitsisin varmasti viikon sisäistääkseni sen kaiken. Kaiken muun lisäksi alueella on myös teatteriteltta, taidenurkkaus ja monenlaista toimintaa lapsiperheille. Haluaisin kokeilla ilmajoogaa ja gong-äänikylpyä, mutta en ole varma, olisinko vielä valmis Shamic Spirit Trance -tanssiin.

Bongaamme myös Georgen Village Green -kentältä. Hän seisoo korokkeellaan pukeutuneena uuteen asuun, johon kuuluu linnunsulin koristeltu silinterihattu ja armeijatyylinen hännystakki. Hän näyttää tyylikkäältä, ja jäämme seuraamaan, millaisen ohjelmanumeron hän esittää yleisölleen. Kun katsojat harvenevat hänen ympäriltään hetkeksi, kävelemme hänen luokseen, ja sanon: "Hei, George."

"Ai, hei!" Hän heiluttaa meille innoissaan kättään, mutta muistaa sitten olevansa patsas ja jähmettyy paikoilleen.

"Bisnekset sujuvat ilmeisesti hyvin?"

"Loistavasti", hän sanoo toisesta suupielestään. "Minulla on pari uutta jippoa tänään."

Hän nojaa toiselle sivulle niin, että näyttää uhmaavan painovoiman lakeja.

"Vau!" Annan hänelle kannustavat aplodit.

"Saappaissani on tangot, jotka ulottuvat housunlahkeitteni sisään", hän paljastaa. "Opin tämän tempun YouTubesta. Tämä on ihan helppoa, kun tietää, mitä tekee. Täytyy keksiä aina jotain uutta. Kilpailu on kovaa."

"Sinä näytät pärjäävän hyvin. Ehkä voit liittyä myöhemmin seuraamme, kun olet vaihtanut vapaalle? Käydään yhdessä lasillisella." En vieläkään tiedä, miltä George näyttää maalikerroksensa alla. "Idakin on täällä."

"Se olisi kivaa", hän sanoo. "Yritän etsiä teidät sitten käsiini."

"Minun veistonäytökseni alkaa pian", Ned sanoo. "Nähdään myöhemmin."

"Onnea esitykseen", George sanoo kumartaen jäykästi ja palaa sitten asentoonsa.

Jätämme Georgen töihinsä ja kävelemme Village Green -aukion keskellä olevaan työpisteeseen, jota Ned on jo aikaisemmin käynyt valmistelemassa. Joku bändistä on tuonut paikalle puutavaran ja moottorisahan. Tunnen itseni tarpeettomaksi ja odottelen taaemmalla Nedin alkaessa valmistautua. Paikalle on jo kerääntynyt ihmisiä odottamaan esityksen alkua, ja asetun nurmikolle heidän seurakseen.

Nedin moottorisahan ääni houkuttelee paikalle lisää väkeä, ja hänen ympärillään on pian suuri joukko yleisöä. Muutaman minuutin kuluttua myös Ida istahtaa seuraani.

”Hän ei anna minulle ikinä anteeksi, jos en tule katsomaan ainakin yhtä esitystä”, hän sanoo. ”Vaikka olen nähnyt hänen tekevän tämän tuhat kertaa, sitä on aina yhtä mukava katsoa.”

”Niin minustakin.”

Ned veistää ensimmäiseksi työkseen linnun, ja sitten, kun aurinko alkaa lämmittää, hän riisuu paitansa ja paljastaa näyttävät vatsalihaksensa. Housut hänellä roikkuvat jo valmiiksi lanteilla. Jostain syystä yhä enemmän ihmisiä kerääntyy katselemaan häntä. Luulen, että Marilyn keksisi hyvin värikkäitä ilmaisuja kuvaamaan Nediä. Miehen työskentely on vangitsevaa katseltavaa. Kiinnitän aivan liikaa huomiota siihen, miten hän liikkuu, kuinka hän vaihtaa asentoaan käyttäessään sahaansa, kuinka hän houkuttelee puusta esille haluamansa muodon. Se on hypnoottista, ja Ned on ilo silmälle. Sitten huomaan Idan katsovan minua syrjäsilmällä, ja ryhdistäydyn.

”Sinun pitäisi kokeilla sitä hänen kanssaan”, Ida sanoo yhtä huolettomasti kuin puhuisimme säästä. ”Hän on loistava rakastaja. Seksi ei ole tuntunut juuri kenenkään kanssa yhtä hyvältä.”

En ole varma, kertooko hän minulle sen tiedotusmielessä vaiko siksi, että hän haluaa minun tietävän, että *hän* tietää. Ymmärrätte varmaan, mitä tarkoitan.

”Mutta älä anna hänelle sydäntäsi”, Ida jatkaa. ”Ned pitää vaihtelusta ja haluaa, että häntä ihaillaan. Jos etsit pysyvämpää suhdetta, hän ei ole se oikea.”

”En minä ole etsimässä täältä mitään”, kerron hänelle. ”Haluan vain olla vähän aikaa itsekseni.”

Ida kohauttaa olkiaan. "Ajattelin vain antaa ystävän neuvon. On oma asiasi, kuunteletko sitä vai et."

Katselemme yhdessä Nediä, joka viimeistelee seuraavaa teostaan – se on metsän menninkäinen. Joku yleisön joukosta ostaa sen välittömästi, ja sitten Ned käynnistää sahansa aloittaakseen taas uutta työtä. Auringonpaiste kasvoillani saa minut uneliaaksi, ja sahan pärinä alkaa muistuttaa rauhoittavaa mehiläisten surinaa.

"Taidan jatkaa matkaa", Ida sanoo pyyhkien ruohonkorsia vaatteistaan. "Tapaan varmaan teidät molemmat vielä jossain vaiheessa."

Nedin seuraavatkin veistokset käyvät kaupaksi. Hänen viimeinen työnsä on pieni soikionmuotoinen veistos, joka esittää yhteen kietoutunutta äitiä ja vauvaa. Hahmot ovat liittyneet toisiinsa niin saumattomasti, että en pysty sanomaan, kumpi on kumpi. Veistos on kaunis, ja tunnen liikuttuvani. Yllättävää kyllä, sille ei löydy ostajaa, vaikka se on minun mielestäni paras hänen tekemistään töistä. Ned kiittää yleisöään ja laittaa sahansa syrjään.

Kun yleisö alkaa poistua paikalta, pujahdan köyden alitse Nedin luokse. "Hienosti vedetty."

"Kiitos", hän sanoo. "Olin ensin vähän ruosteessa, sillä tämä oli kauden ensimmäinen näytös. Vie aina oman aikansa, että pääsen vauhtiin."

Nostan syliini äitiä ja vauvaa esittävän veistoksen. Se on yllättävän painava, ja kun pitelen sitä rintaani vasten, jatkuva särky, joka on tuntunut käsivarsissani edeltävien kuukausien aikana, on yhtäkkiä poissa. Kuljetan sormiani lapsen kasvoja pitkin, ja puu tuntuu kosketukseni alla lämpimältä ja elävältä. Kuten tavallista, suru alkaa painaa kurkkuani. Sanon: "Haluaisin ostaa tämän."

Ned kohottaa kulmiaan. ”Oikeastiko?”

”Kyllä, jos se vain sopii sinulle.”

”Saat sen lahjaksi.”

”Se on ihan liikaa...”

”Ei kun haluan antaa sen sinulle”, hän vaatii. ”Mutta anna minun ensin viimeistellä se. Näytöksissä veistämäni työt ovat vähän karkeatekoisia. Haluan hioa tämän kunnolla, niin että siitä tule sileä ja pehmeä. Laitan sen jonnekin jemmaan ja parantelen sitä, kun olen taas kotona.”

”Okei. Se olisi kiva.” En haluaisi antaa veistosta pois. Jo se pieni hetki, kun sain pidellä sitä sylissäni, tuntui jotenkin keventäneen oloani.

Luovuttuani veistoksesta Ned pakkaa sen huolellisesti laatikkoon. ”Oletko valmis palaamaan takaisin hulinaan, sitten kun olen vienyt tämän talteen?”

”Ilman muuta.”

Ned virnistää minulle. ”Oletko viihtynyt täällä?”

”Erinomaisesti”, vastaan hänelle. Ja se on totta. Ehkä se johtuu alkoholista, tai pössyttelystä, tai hyvästä seurasta, mutta oloni ei ole ollut pitkään aikaan näin rento.

Ned nauraa ääneen. ”Sittenhän olen onnistunut päätavoitteessani.”

53

Jos ette ole vielä koskaan olleet festareilla, menkää ihmeessä. Yllätytte iloisesti. Minua harmittaa, etten ollut tullut aloittaneeksi festariuraani aikaisemmin, sillä koen menettäneeni paljon. Näen täällä ihmisten tanssivan afrikkalaisrumpujen tahdissa, joogaavan raittiissa ulkoilmassa tai kokeilevan jotain uutta taitoa, ja ihmettelen, miksi olen viettänyt koko elämäni toimistossa pähkäilemässä huonekalujen tai arkkitehtonisten kasvien oikeaoppista sijoittelua. Olen liian tiukkapipoinen, liian ujo osallistuakseni kaikkein oudoimpiin aktiviteetteihin, mutta maistelemme matkan varrella erinomaista katuruokaa: halloumiwrappeja, kikhernecurrya, karhunvatukkaleivoksia ja parasta suolakinuskijäätelöä, mitä olen ikinä saanut.

Tunnen itseni kevyemmäksi ja vapautuneemmaksi festivaalihumun keskellä – se on yhtä aistien juhlaa. Tarjolla on musiikkia joka lähtöön, ja pysähdymme eri esiintymislavojen eteen nauttimaan näkemästämme. Tanssimme kuin päättömät Circus Folk -nimisen balkanilaisen diskobändin tahtiin, mutta kuulemme myös musiikkia country-duolta The Shires, jonka tunteisiin käyvä musiikki saa minut hieman haikeaksi.

Illan pimetessä jätämme hyvästit esiintymislavoille, ja Ned saa suostuteltua minut osallistumaan äänimeditaatioon.

Menemme yhdeltä sivultaan avoimeen marokkolaistyyliseen telttaan ja istuudumme suurille tyynyille toisiamme vastapäätä. Noudatamme ohjaajan neuvoja eli otamme tosiamme kädestä kiinni ja katsomme toisiamme silmiin. Minusta on mukavaa tuntea omat sormeni Nedin sormien lomassa. Katsellessamme toisiamme tiiviisti silmiin sydämeni alkaa hakata nopeammin ja minulle tulee lämmin olo. Juuri kun ajattelen, etten kestä enää pitempään, ihmiset alkavat tanssia ympärillämme. He laulavat, kilistelevät pieniä kelloja ja ravistelevat tamburiineja näyttäen niin totisilta, että minun on vaikea olla tirskumatta.

"Yritä nyt ottaa tämä tosissasi", Ned kuiskaa, pidätellen samaan aikaan omaa nauruaan.

"En pysty."

Istumme hiljaa, kunnes hartiani alkavat vavahdella ja pidätetty nauru saa kyynelet valumaan pitkin poskiani.

"Lähdetään", Ned kuiskaa. "Kokeillaan jotain muuta. Ei sinusta ole meditoimaan."

Ryntäämme ulos teltasta, kikattaen kuin teinit.

"Se oli säälittävää", Ned sanoo. "Etsitään jotain sinun tasollesi sopivaa." Hän vetää minua perässään, kunnes saavumme metsän keskellä olevaan Pop-up Hula Discoon. "Täydellistä. Tämä sopii meille."

Yritän vastustella. "Olen pyörittänyt hulavannetta viimeksi seitsemänvuotiaana."

"Se on niin kuin pyörällä ajo", Ned sanoo ja kiskoo minua metsäaukiolle. "Kun sen kerran oppii, sitä ei unohda koskaan."

Puut on valaistu koristevaloilla, ja oksille on ripustettu diskopalloja, mikä saa metsän näyttämään siltä kuin se olisi täynnä kimaltavia perhosia. Esiintymiskorokkeena toimii puuvene, josta käsin DJ soittaa vanhan koulukunnan funkia ja diskomusiikkia. Saamme hulavanteet, joissa hehkuvat ledvalot, ja Ned oli oikeassa: muistan jo minuutissa tai parissa, kuinka vanne saadaan pyörimään vyötärön ympärillä.

Nostan käteni ilmaan, ja vanne jatkaa pyörimistään. "Jess! Hyvä minä. Taito on vielä hallussa."

Täytyy myöntää, että Nedinkin lanneliike on hyvä. Musiikki vie minut mennessään. Soittolistalla ovat Barry White, Bee Gees, James Brown ja Commodores. Vanhoja suosikkeja.

Olemme hengästyksissä ja nauramme entistä kovempaa lähtiessämme metsästä.

"Se oli minulle aivan uusi kokemus", sanon hänelle puuskuttaen yhä. "Ja hauskaa. Kiitos, että toit minut tänne."

"On hyvä uskaltautua välillä ulos mukavuusalueeltaan. On myös hyvä kuulla, kun sinä naurat", Ned sanoo.

"Sitä ei ole viime aikoina päässyt kuulemaan turhan usein", myönnän.

"Hyvä, että saimme asian korjattua." Pidän siitä, miten hän ottaa minua kädestä. Sitten lähdemme kävelemään kohti lavaa, jolla hän soittaa tänä iltana Rantapummien kanssa.

54

Ida on jo paikalla bändin jäsenten kera, kun Ned saapuu virittelemään soittimia. Ida ja minä löydämme vapaan heinäpaalin ja istuudumme sille vieretysten. Ida vaikuttaa olevan hieman hiprakassa, mutta ei liikaa, ja hän on pelkkää hymyä. Olen iloinen, että hänellä on hauskaa. Tosin en voi kuvitella, kuinka kukaan voisi olla viihtymättä tällaisessa paikassa.

Ned ja bändi soittavat rauhallisen setin: Jack Savorettin, Adelen ja Paloma Faithin kappaleiden covereita. Ida poistuu hetkeksi ja tuo meille papuchiliä, jonka syömme puulusikoilla, sekä valkoviiniä muovilaseissa. Molemmat maistuvat erinomaisilta. Chili on sopivan tulista, ja viini menee alas liiankin nopeasti. Käyn hakemassa viereisestä baarista meille toiset lasilliset.

Kun lapsiperheet alkavat lähteä koteihinsa, ilmapiiri muuttuu. Auringon laskiessa ilmassa leijuu vahva ruohon tuoksu ja tunnelma on vahvempi.

”Meidän olisi pitänyt ottaa huovat mukaan”, Ida sanoo, ”mutta en taatusti lähde kävelemään teltoille asti, ellei ole pakko.”

Yöilma tuntuu viileältä, mutta se auttaa minua pitämään pääni selvänä. Huomaan taas katsovani Nediä liiankin tarkkaan.

Kun bändi soittaa viimeisen kappaleensa, yleisö villiintyy ja antaa soittajille haltioituneet aplodit, jotka he ovat todella ansainneet. Ned laittaa bassonsa koteloon ja hyppää alas lavalta.

"Loistavaa. Se oli hieno setti", Ida sanoo. "Nyt kun olette saaneet urakkanne päätökseen, voimmekin lähteä irrottelemaan."

Ned kietoo kätensä vyötärölleni. "Piditkö siitä?"

"Kyllä. Paljonkin."

"Mitä me enää odottelemme?" Ida kohottaa kätensä ilmaan ja tanssii. "Etsitään jokin huippumesta." Sitten hänen puhelimensa soi, ja hän pyörittää silmiään ennen kuin vastaa. "Hei." Kun soittaja alkaa puhua, näen, että Idan kasvot venähtävät ja hänen hartiansa painuvat lysyyn.

"Voi helvetti", hän puuskahtaa puhelimeen. "Okei. Tulen niin pian kuin pääsen." Ida lopettaa puhelun.

"Ei tainnut olla kovin hyviä uutisia?" Ned kysyy.

"Kahvilasta. Sinne on murtauduttu. Paskiaiset." Ida on ymmärrettävästi raivoissaan. "Mikä vittu ihmisiä oikein vaivaa? Soittaja oli poliisi."

"Sanoivatko he, oliko jotain viety?"

"Ei, mutta jonkun pitäisi mennä sinne käymään. Ikkuna on hajalla ja ovi on potkaistu sisään. Ne pitää korjata. Se tietää lisää kustannuksia, voi helvetti. Soitan Fernille ja pyydän häntä palaamaan takaisin, jos mahdollista, mutta minunkin on lähdettävä nyt saman tien."

"Minä voin ajaa sinut sinne."

"Kuinka monta olutta olet ottanut?" Ida kysyy.

"Pahus." Ned hieraisee otsaansa. "Liian monta."

"Otan taksin", Ida sanoo. "Sitä paitsi sinun täytyy olla täällä huomiseen saakka."

”Pärjäätkö varmasti? Voin kysyä, olisiko joku bändistä ajamassa siihen suuntaan.”

”Taksi tulee nopeasti. En halua vaivata tällä muita.” Sitten hän huokaisee syvään, ja hänestä näkee, kuinka harmissaan hän on. ”Parasta lähteä saman tien.”

”Soita minulle heti, kun pääset perille. Kerro, missä kunnossa kahvila on.” Ned on yhtä huolestunut kuin Idakin. ”Tulen sinne heti kun pääsen täältä.”

”Olet ihana”, Ida sanoo itkuisena. ”Toivottavasti voimme avata kahvilan huomenna. Minulla ei olisi varaa menettää yhdenkään päivän tienestejä.”

Ned vetää Idan lähelleen ja halaa tätä. Ida jää silmät suljettuina Nedin syliin, ja painaa päänsä tämän rintaa vasten.

Kun hän vetäytyy kauemmas, hän sanoo. ”Anteeksi, en haluaisi pilata teidän iltaanne. Tuottehan minun tavarani sitten, kun lähdette? En jaksa millään hakea niitä nyt, ja Jodie tarvitsee teltan.”

”Totta kai”, Ned vakuuttaa hänelle. ”Mutta en halua, että joudut lähtemään yksin.”

”Kyllä minä pärjään.”

Minäkin halaan Idaa, tosin hieman jäykemmin. ”Toivottavasti tilanne ei ole kovin hirveä ja kaikki menee hyvin.”

”Kiitos. Nauttikaa loppuillasta.” Hän katsoo minua merkitsevästi. Hän selvästi olettaa, että Ned ja minä menemme sänkyyn. ”Älä tee mitään, mitä minä en tekisi.”

”Etkö voisi palata tänne myöhemmin?” kysyn. ”Voisihan se vielä onnistua.”

”En usko. Katsotaan, miten tässä käy. Älä anna tämän pilata ensimmäisiä festareitasi. Syö, juo ja pidä hauskaa.” Hän näppäilee puhelintaan ja tilaa taksin alueen pääportille. ”Nähdään.”

Ida heilauttaa kättään ja marssii tiehensä näyttäen vihaiselta ja masentuneelta. Harmi, että hänen täytyi lähteä sillä tapaa. Kukaan meistä ei ajatellut illan päättyvän näin.

"Voi surkeus." Ned näyttää harmistuneelta katsellessaan Idan menoa. Tiedän, että osa hänestä olisi halunnut lähteä auttamaan ystäväänsä. Kun Ida on häipynyt näkyvistä, Ned palaa minun luokseni. "Mutta hän on oikeassa, meidän pitää silti yrittää nauttia illasta." Ned nostaa kätensä olkapäälleni. "Vaikuttaa siltä, että olemme kahden."

Se seikka ei ollut jäänyt minultakaan huomaamatta.

55

Yön laskeutuessa festivaalitunnelma muuttuu luonteeltaan rohkeammaksi. Kaikki – Ned ja minä mukaan lukien – tuntuvat juovan enemmän ja käyttäytyvän estottomammin. Moniväriset valot syttyvät palamaan ja esitykset käyvät uskaliaammiksi, seksikkäämmiksi. Näemme tulenpuhaltajia, burleskitanssijoita, notkeusakrobaatteja, steampunk-jazzbändin ja hyvin niukkoihin asuihin pukeutuneita sirkustaiteilijoita. Paljon höyheniä, maalattuja vartaloita, PVC-asuja ja goottipukuja. Etsin Georgea väkijoukosta, mutta en löydä häntä. Toivon, että hän on ottanut vapaata patsaana olosta ja on jossakin huvittelemassa. Minun olisi pitänyt tallentaa hänen numeronsa, jotta voisin soittaa hänelle, mutta jos rehellisiä ollaan, minusta on hauskaa olla kahdestaan Nedin kanssa.

Metsää valaisevat värikkäät lamput, ja ilmassa leijuu suitsukkeiden tuoksu. Kuljemme puiden oksien muodostaman tunnelin läpi, ja pimeässä hehkuu itsevalaisevin värein maalattuja naamioita. Saavumme aukiolle, jossa bondage-asuihin pukeutuneet lavarunoilijat esittävät tuotoksiaan nuotiopaikan ympärillä. The Antipoet -duo on epäsovinnainen, hauska ja älykäs. Ned ja minä kuuntelemme, kun he pistävät maailman uuteen järjestykseen omalla persoonallisella tyylillään. Nauramme vatsamme kipeiksi, ja kun heidän esityksensä päättyy innostuneiden aplodien saattelemana, en haluaisi lähteä pois.

Mutta koska nähtävää ja koettavaa on vielä paljon, jatkamme matkaamme. Syvemmällä metsässä ilma on raskas, latautunut, ja se tuoksuu maanläheiseltä ja hedelmälliseltä. Pysähdymme katsomaan paria, joka tanssii tangoa niin intiimillä, niin eroottisella tavalla, että se herättää minussa tunteita, joita en ole kokenut pitkään aikaan. Kun Chris ja minä yritimme saada lasta, se kaikki muuttui hyvin mekaaniseksi. Siitä puuttui kokonaan spontaanius, ja jollain tavoin myös rakkaus. Ehkä juuri siinä vaiheessa kaikki alkoi mennä pieleen? Tiedän vain, että kun katson Nediä pimeässä vierelläni, minut valtaa halu, jollaista en tiennyt voivani enää tuntea.

Musiikki soi edelleen, Ned johdattaa minut tilapäiselle tanssilavalle, ja kaikki vastustelu minun osaltani on mitä ilmeisimmin teeskentelyä. Hän kieputtaa minua kunnes olen pyörällä päästäni ja värivalot ympärillämme sulautuvat yhdeksi sekavaksi vyyhdeksi. Heitän pääni taaksepäin ja nauran. Sitten musiikki hidastuu, Ned vetää minut lähemmäs ja keinumme yhdessä musiikin rytmiin. Tunnen hänen ihonsa kuumuuden mekkoni lävitse ja hänen lämpimän hengityksensä kaulallani ja voisin hyvin jäädä siihen koko loppuyöksi.

Kahdelta yöllä orkesteri lopettaa soittamisen, ja vetäydymme vastentahtoisesti tanssilattialta.

”Nukkumaanmenoaika?” Ned ehdottaa, ja nyökkään myöntymisen merkiksi. Olen väsynyt, onnellinen ja tietoinen siitä, että Ned pitää minua yhä kädestä.

Lähdemme kävelemään telttojamme kohti, ylitse nurmikenttien ja poispäin festivaalialueesta. Pimeässä meillä on hieman vaikeuksia löytää paikkaa, minne useita tunteja sitten pystytimme telttamme, ja kun lopulta löydämme perille, paikalla on vain yksi teltta. Se on Idan. Nedin teltta on ilmeisesti varastettu.

Hän tuijottaa tyhjää kohtaa. "Pahus."

"Hirveää", sanon. "Kuka nyt tuollaista tekee?"

"Se on aika yleistä joillakin festareilla, mutta täällä ihmisillä ei ole tapana vohkia toisten tavaroita." Hän ottaa puhelimensa esille. "Kysyn bändin pojilta, josko joku ottaisi minut yökylään."

"Kello on jo yli kaksi. He ovat varmasti jo sikeässä unessa."

Ned nauraa. "Tunnen heidät ja luulen, että he juhlivat läpi yön. En ole varma, tarvitsevatko he koko telttoja."

"Idan teltta on vielä tässä."

"Luojalle kiitos siitä. Hänellä on jo tarpeeksi harmeja ilman, että sekin vielä varastettaisiin."

Sanat tuntuvat juuttuvan kurkkuuni, mutta ehdotan: "Kyllähän minunkin telttaani mahtuu."

Ned katsoo minua läpitunkevasti, ja voisin vaikka vannoa, että ilma ympärillämme kipinöi. "Oletko varma?"

"En ole telttaillut koskaan aikaisemmin. Luotin tavallaan siihen, että Ida olisi kanssani. Minusta ei olisi kiva yöpyä täällä yksin."

"Okei. Taisit saada juuri kämppäkaverin. Kiitos."

Olen lievästi järkyttynyt siitä, mitä juuri tein. Luulen, etten ole eläissäni pyytänyt miestä viettämään yötä kanssani.

"Otetaanko vielä yömyssyt ennen kuin vetäydytään levolle?" Ned kysyy. "Minun juomani taitavat olla lopussa, mutta tiedän, missä Ida pitää varastoaan."

"Sehän olisi kiva."

Ned menee telttaan ja ojentaa minulle pari tyynyä sekä viltin, jonka levitän nurmikolle. Hän ilmestyy hetken päästä ulos mukanaan rommipullo sekä kaksi shottilasia. "Pakolliset festaritykötarpeet."

Istumme vierekkäin, ja hän kaataa meille paukut. Kilistelemme laseja ja kumoamme ne. Me molemmat tiedämme, mitä tuleman pitää, mikä saa vatsani jännittymään. Eleemme ovat liian harkitut, katseemme liian paljastavat. Ned täyttää lasimme uudelleen, ja kumoamme nekin. Pari tuntematonta kulkee ohitse omille teltoilleen ja nostaa kätensä tervehdykseksi. Festivaalialueelta kantautuu musiikkia. Yö on selkeä ja viileä, taivaalla näkyy tähtiä. Ned riisuu takkinsa ja asettaa sen minun hartioilleni.

Nedin puhelimeen tulee viesti, ja hän tarkistaa sen. "Idalta. Hän sanoo, että ikkuna ja ovi on rikottu ja kahvikone on hävinnyt. Osa astioista on säpäleinä, ja melkein kaikki patiolla olleet tuolit on heitetty mereen."

"Hirveää. Ida-parka."

"Käyn siellä huomenna paluumatkalla tarkistamassa, että hän on kunnossa. Autan häntä laittamaan paikat kuntoon."

"Olet ihana."

"Ida on hyvä ystäväni", Ned sanoo samalla kun vastaa viestiin. "Olemme tunteneet toisemme jo pitkään. Kun maailma syystä tai toisesta murjoi meitä, olimme toistemme tukena."

"Asia ei tietenkään minulle kuulu, mutta olen saanut sen käsityksen, että Ida haluaisi suhteeltanne paljon enemmänkin."

Ned huokaa. "Tiedän. Me olemme pitäneet vuosien saatossa hauskaa. Joskus liikaakin. Aina välillä, kun jompikumpi meistä tuntee itsensä yksinäiseksi, palaamme toistemme seuraan."

Ehkä se oli syy siihen, miksi näin Idan tulevan Nedin laivasta pari päivää sitten.

”Ehkä meidän ei pitäisi”, Ned jatkaa. ”Se vain mutkistaa asioita. Olemme pelkkiä kavereita, eikä se koskaan muuksi muutu.”

”Luulen, että hän on rakastunut sinuun.”

”Niinpä”, hän sanoo. ”Mutta ikävä kyllä se on yksipuolista. Ida on upea nainen. Mutta vaativa.” Hän naurahtaa pehmeästi, ja kaataa laseihimme lisää juomaa. ”Yritimme kerran seurustella tosissaan. Vähän aikaa. Mutta se ei toimisi ikinä. Ida ehkä luulee rakastavansa minua, mutta olen hänelle liian boheemi. Tekisin hänet hulluksi. Hän haluaisi, että minusta tulisi menestyvä taiteilija, kun taas minä olen mielelläni vain tällainen puuhastelija.”

”Ja sitten kun kaipaat petiseuraa, kilautat hänelle?”

”Se kuulostaa pahemmalta kuin onkaan. Mutta tämmöiseen me olemme ajautuneet. Lohdutamme toisiamme. Ei se ole mikään ideaalitilanne, mutta Ida tietää pelin säännöt.”

”Niin tietää, mutta on eri asia, hyväksyykö hän ne. Onko sinusta hauskaa pitää häntä tällä tavalla narun päässä? Tietää, että tarvittaessa Ida palaa aina juoksujalkaa takaisin?” Kiusoittelen häntä, mutta osaksi olen tosissani. Ida sanoi Nediä sydäntenmurskaajaksi. Ehkä tässä on syy sille.

”Ei se ihan niin mene. Emme ole harrastaneet sellaista enää pitkään aikaan.”

”Entä toissa iltana?” Tiedän, ettei minulle kuulu ollenkaan, kenen kanssa Ned yönsä viettää, mutta ehkä juoma on höllentänyt kielenkantimiani, sillä en voi olla kysymättä.

”Hän tuli luokseni, koska hän oli alamaissa. Vietimme illan juopotellen, ja hän nukahti sohvalleni. Ei sen kummempaa.” Ned katsoo minuun ja näyttää vilpittömältä. ”Toivon todella, että hän löytäisi jonkun toisen. Jonkun, joka rakastaisi häntä ja jonka hän ansaitsisi. Minusta ei siihen ole. Eihän toista voi pakottaa rakastumaan. Joskus se vain osuu kohdalle". Hän kääntyy minuun päin. "Silloin, kun sitä kaikkein vähiten odottaa."

Tutkailen lasini sisältöä. "Eikö sinun ole koskaan tehnyt mieli asettua aloillesi?"

"Kerran niin melkein kävikin", hän myöntää. "Muutama vuosi sitten. Liberty tuli tänne mantereen puolelta kesäkaudeksi, ja rakastuin häneen täysillä ja nopeasti. Kesän loppupuolella Liberty huomasi olevansa raskaana. Olin iloinen ja ajattelin, että voisimme yrittää yhdessä. Mutta kuinka ollakaan, Liberty ei ollutkaan yhtä rakastunut minuun kuin minä häneen."

Vatsani tuntuu menevän solmuun, kun kysyn: "Mitä lapselle tapahtui?"

"Meille syntyi ihana pieni tytär, jonka nimeksi tuli Skye." Ned ottaa esille puhelimensa ja alkaa selata sitä. "Hän on nyt nelivuotias."

Hän ojentaa puhelimen minulle. Näen kuvan pikkutytöstä, joka on kuin ilmetty isänsä. Tyttö on pukeutunut keijukaiseksi. "Hän on suloinen."

"Niin on."

"Eikä jää epäilystäkään siitä, kuka hänen isänsä on."

"Ei." Ned nauraa. "Hän muistuttaa muutenkin minua. Kuin samasta puusta veistetty, kuvanveistotermiä käyttääkseni."

"Missä hän on nyt?"

"Mantereen puolella. He asuvat Northamptonissa. Liberty muutti vanhempiensa luokse ennen lapsen syntymää, mikä oli hänelle kuin taivaan lahja. Vanhemmat auttoivat häntä siinä kaikessa, mikä olisi ollut minun tehtäväni. Lopulta hän lyöttäytyi yhteen vanhan kouluaikaisen poikaystävänsä kanssa. Hän on hieno kaveri, ja Skye on hänelle kuin oma tytär.

Ainut ikävä puoli siinä on, että en juurikaan näe tytärtäni." Ned näyttää surulliselta. "Viime kerrasta on jo puoli vuotta. Libertyn mielestä tapaamiset häiritsevät heidän perhe-elämäänsä. Heillä on nyt myös yhteinenkin lapsi – poika. Liberty sanoo, että poika menee pois tolaltaan, jos vien Skyen luokseni viikonlopuksi. En tiedä, onko se totta, mutta yritän tulla toimeen asian kanssa. En voi vierailla Libertyn kodissa oikeastaan ollenkaan. Myönnettäköön, en ole mitään täydellistä isämateriaalia."

"Sinähän olisit loistava isä", väitän vastaan.

"Enpä tiedä. Elän kädestä suuhun. Skyen elämä on paljon turvatumpaa Libertyn ja Adamin kanssa. Adam on kunnon kaveri. Hänellä on oma yritys, joka liittyy jotenkin nettimainontaan. Hän on hauska ja kohtelee heitä kumpaakin hyvin. Libertylle olisi voinut käydä paljon huonomminkin. Ainakaan lastani ei kasvata mikään täysi idiootti. Adam on hyvä isä. Heillä ei ole myöskään pulaa rahasta, heillä on hieno talo ja he pystyvät viettämään mukavaa elämää. En haluaisi olla se tyyppi, joka pilaa kaiken. Luulen, että Skye haluaa olla enemmän kanssani sitten, kun hän on vanhempi ja voi päättää asioistaan itse."

"Hän on sinun tyttäresi", painotan, vaikka ei minun tarvitsisi. "Hänen pitäisi olla mukana sinun elämässäsi."

"Se ei ole niin helppoa. En halua joutua riitoihin Libertyn kanssa. Minulla on häneen hyvät välit. Autan häntä, kun pystyn. En ehkä näe tytärtäni niin usein kuin haluaisin, mutta rakastan häntä valtavasti. Toivon vain, että hän tietää sen."

Annan Nedille hänen puhelimensa takaisin. Mietin, saanko minä koskaan näyttää ihmisille kuvia omasta lapsestani silmät ylpeyttä loistaen niin kuin Ned. Nyt on se hetki, jolloin voisin kertoa hänelle menettäneeni vauvani, että olen yrittänyt epätoivoisesti saada lasta muutaman viime vuoden ajan. Minun pitäisi selittää hänelle, miksi olen niin surullinen ja miksi minusta on niin tärkeää, ettei hän antaisi oman tyttärensä liukua tavoittamattomiin.

Mutta sen sijaan hän ottaa kasvoni käsiensä väliin ja vetää minut lähemmäksi itseään. Tunnen hänen huulensa omiani vasten ja ne ovat lämpimät, pehmeät ja maistuvat rommilta. Me suutelemme ja suutelemme, kunnes päässäni alkaa pyöriä, ja uskoutumisen hetki menee ohi.

56

Sanomatta sanaakaan siirrymme telttaan – rommi, juomalasit ja tyynyt unohtuvat kiireessä ulos. Kiskomme vaatteita toistemme yltä ja kaadumme kapeassa teltassa oleville makuupusseille, tutkien yhä huulillamme toisiamme. Päämme, kyynärpäämme ja polvemme osuvat toisiinsa, kömpelyytemme on huvittavaa, ja yritämme tukahduttaa naurumme, jotta emme herättäisi koko leirintäaluetta.

Yritän päästä eroon mekostani ja kiskon samalla alas Nedin farkkuja. Tunteeni lähenee hillitöntä himoa, jollaista en uskonut voivani kokea enää koskaan. Haluan vain tämän miehen sisääni. Menetettyäni lapseni en antanut Chrisin koskea itseäni. Välttelin häntä. Syytin häntä. Enkä missään nimessä halunnut toista lasta hänen kanssaan. Työnsin Chrisiä luotani, ja kuten sitten kävi ilmi, se sopi hänelle vallan mainiosti. Minun pitäisi varmaan tuntea syyllisyyttä siitä, että olen aikeissa harrastaa seksiä toisen miehen kanssa, että aion olla uskoton ensimmäistä kertaa elämässäni, mutta minusta ei tunnu siltä. Käytännössä minulla on vielä aviomies, mutta olemme tunteen tasolla ja fyysisesti niin etäällä toisistamme, että en enää koe olevani naimisissa. Chris on jonkun toisen kanssa, joten miksen minäkin voisi olla? Olen yksinäinen, mutta haluan päästä eroon siitä tunteesta, vaikka vain yhdeksi yöksi. Ja pidän tästä miehestä, joka on lähes alastomana silmieni edessä. Pidän hänestä paljon.

Ajattelen kaikkea tätä, mutta en tietoisesti. Aivoni tuntuvat olevan täysin irrallaan muusta kehostani, joka on kokonaan uuden päihdyttävän tunteen vallassa. Olen Nedin sylissä, minun ihoni hänen ihoaan vasten. Se tuntuu niin tutulta, mutta kuitenkin niin vieraalta. Luulin, että kehoni olisi liian jännittynyt, liian kireä, liian haluton, mutta se ei ole. Kun olemme päässeet eroon vaatteistamme ahtaassa teltassa, Ned alkaa liikkua päälläni. Kuulemme festivaalien äänet yhä taustalla, ja Ned suutelee minua hellästi rakastellessamme. Antaudun hänelle ja nautin joka hetkestä. Ida on oikeassa, Ned on hyvin taitava ja huomaavainen rakastaja.

Lauettuamme lepäämme toistemme sylissä. Ned silittää hiuksiani, kunnes vaipuu lopulta uneen. Asetun kyljelleni hänen vierelleen ja itken hieman. Ne eivät ole ilon kyyneliä eivätkä myöskään surun, vaan ennemminkin helpotuksen ja huojennuksen kyyneliä. Alkaa sataa. Ensin kuulen vain yksittäisten pisaroiden putoilun telttakangasta vasten, sitten sade muuttuu pitkäkestoiseksi kuuroksi. Kuuntelen veden ropinaa, ja minusta tuntuu kuin se puhdistaisi sieluani. Ned jatkaa uniaan, ja olen iloinen, ettei läsnäoloni häiritse häntä; saan kuunnella rauhassa sadetta ja pohtia asioita. Tämä yö on todistanut, että pystyn parantamaan sisälläni olleen tyhjyyden ja voin alkaa nauttia elämästäni uudelleen. Nedin avulla pystyn tuntemaan itseni taas normaaliksi, vaikka olin jo hukannut käsityksen siitä, mitä normaalius on. Olen siitä hänelle ikuisesti kiitollinen.

57

Ulkoa kuuluu ihmisten puhetta ja naurua. Jostakin kantautuu musiikkia, ja leirintäalue on selvästi valmistautumassa uuteen päivään.

Olemme oman telttamme suojissa, silmäni ovat auki ja katselen Nediä. Haluan säilyttää muistikuvan siitä hetkestä, kun hän herää. Hänen tukkansa on yön jäljiltä pörrössä, ja hän näyttää tavallistakin puoleensavetävämmältä. Siirryn lähemmäksi häntä, niin että tunnen koko kehoni häntä vasten. Nedin käsi kietoutuu vyötäröni ympärille, ja hän vetää minut syliinsä.

Suutelen häntä. ”Kiitos”, sanon. ”Viime yöstä.”

Hän virnistää minulle. ”Ilo oli minun puolellani.”

”Tämä oli minulle iso juttu”, kerron hänelle. ”Ajattelin, että sinun olisi hyvä tietää.”

”Tämä oli minullekin aika iso juttu”, hän kiusoittelee, mutta ei täysin ymmärrä, mitä tarkoitan. Miten hän voisikaan?

Tiedostan myös sen, etten viettänyt yötä Nedin kanssa vain päästäkseni tasoihin Chrisin kanssa. Minulle on selvää, että avioliittomme pikku säröt ovat kasvaneet nyt ammottavaksi kuiluksi. Ja kaiken lisäksi tunteeni vierelläni olevaa miestä kohtaan ovat aitoja. Jos tämä on vain ohimenevä pikku seikkailu, miksi pelkästään hänen näkemisensä saa sydämeni heittämään volttia? Ned on hauska, rento ja lämmin. En tiennyt tarvitsevani sellaista ihmistä elämääni, mutta nyt tiedän.

"Minun pitäisi kiittää sinua myös siitä kannustuspuheesta", hän sanoo. "Sait minut ymmärtämään, että minun pitäisi taistella enemmän tyttäreni tapaamisoikeudesta. En halua, että Skye varttuu aikuiseksi tietämättä, kuka hänen isänsä on. Soitan Libertylle ja puhun hänen kanssaan asiasta."

"Hyvä juttu, tee niin."

"En kestäisi sitä, jos hänelle tapahtuisi jotakin enkä voisi olla apuna. Olet oikeassa. En saisi ottaa isyyttä niin kevyesti."

"Hän on neljän", sanon. "Sinulla on vielä hyvin aikaa."

"Parasta kuitenkin aloittaa heti", hän sanoo. "Yritän päästä mantereelle tapaamaan häntä niin pian kuin mahdollista. Mutta juuri nyt..."

Hän peittää huulillaan suuni, ja rakastelemme uudestaan. Tällä kertaa hitaammin ja hellävaraisemmin, ja ihmettelen, kuinka luontevasti se meiltä jo sujuu. Lepäämme jälkeenpäin sylikkäin, kunnes emme voi enää siirtää liikkeellelähtöä tuonnemmaksi.

Tilanpuutteen vuoksi Ned vetää farkut jalkaansa ensin ja menee sitten ulos teltasta siksi aikaa, että minä saan pukeuduttua. Laitan ylleni toisen festariasuni; se koostuu solmuvärjätystä hihattomasta topista ja haaremihousuista, joissa on elefanttikuvioita. Se tuntuu olevan näillä festareilla suosittu kuosi. Juomalasit, tyynyt ja Idan viltti lojuvat edelleen teltan ulkopuolella. Ne ovat sateen jäljiltä läpimärät, enkä tiedä, voiko niitä laittaa täällä kuivumaan minnekään. Toisaalta Idan elämässä on tapahtunut nyt niin paljon, että en usko hänen piittaavan parista vettyneestä tyynystä.

Ned ja minä kävelemme käsi kädessä kostean nurmikon poikki ja liitymme suihkujonoon. Minusta on kurjaa, että

Idan huono tuuri mahdollisti Nedin ja minun yhteisen yön, mutta siitä huolimatta minusta tuntuu kuin kävelisin ilmassa. Kuulostan typerältä ja pinnalliselta, mutta ette tiedä, mitä tämä merkitsee minun itseluottamukselleni. Ja vaikka tämä olisikin Nedille vain yhden illan juttu, kestän senkin. Tiedän, ettei se ollut rakkautta, en minä ihan niin typerä ole, että olisin alkanut sellaista kuvitella, mutta ainakin siihen liittyi tunnetta ja aitoa välittämistä.

Ned puristaa kättäni. ”Kaikki hyvin? Näytät niin mietteliäältä.”

”Kaikki hyvin”, sanon. ”Itse asiassa loistavasti.”

”Haluatko aamiaista?”

”Voi, kyllä. Kuolen nälkään.” Rakastelu selvästi lisää ruokahalua, sillä minulla on sudennälkä.

Päästyämme suihkuun vesi on kuumaa ja sitä on riittävästi, ja olen siitäkin kiitollinen. Astun ulos virkistyneenä, ja olen valmis ottamaan vastaan uuden päivän.

Kuljemme festivaalikentän ruokakojuille. Otamme mukaamme englantilaiset aamiaisburritot, minkä jälkeen Ned sanoo: ”Minulla on sinulle yllätys.”

Suunnistamme jälleen metsää kohti Nedin näyttäessä tietä. Yöllinen sade saa maan tuoksumaan vahvan elinvoimaiselta. ”Tämä on salainen paikka, jonne vain harvat löytävät.”

Edessämme seisovan suuren tammen alla on kaksi sohvaa, pieni tarjoilupöytä ja hyvin varustettu kirjahylly. Vieressä seisovat ruokapöytä ja kaksi tuolia.

”Minulla on tänne pöytävaraus”, Ned sanoo.

”Meillekö? Oikeastiko?”

”Tunnen oikeat ihmiset”, hän sanoo silmät tuikkien. ”Emme ehkä saa tänne tarjoilijaa, mutta paikka on varattu yksinomaan meille.”

Hän ottaa repustaan ruokailuvälineet ja lautasliinat ja tarjoaa minulle tuolia. Sitten istuudumme ihanan syrjäisessä piilopaikassamme olevaan pöytäämme ja käymme käsiksi burritoihin, joita sotkuisempaa ateriaa en ole eläissäni nauttinut.

Ned nauraa pyyhkiessään suupieleni lautasliinalla, ja nuolen kananmunien ja papupadan rippeet sormistani. Jalkamme ovat kietoutuneet pöydän alla toisiinsa, ja suonissani virtaa varmasti edelleen yliannostus hormoneja, sillä voisin tönäistä hänet metsäiseen maahan ja rakastella hänen kanssaan intohimoisesti heti siinä paikassa. Ehkä voisimme jatkaa yhden illan juttuamme vähän pidemmälle. Nedillä ei ainakaan näytä olevan mitään kiirettä minnekään.

Silloin tunnen ensimmäisen omantunnon pistoksen. Minun pitäisi selvittää välini Chrisin kanssa. Suhteemme on ohitse, se on selvää, mutta meidän pitäisi virallistaa eromme ja päättää, mitä polkuja lähtisimme jatkossa kulkemaan. Minun täytyy ehdottomasti jutella hänen kanssaan tällä viikolla, jotta saamme vietyä asioita eteenpäin. Meidän on erottava. En näe muuta vaihtoehtoa. Meillä oli niin suuria suunnitelmia tulevaisuutemme varalle, mutta me kumpikin päästimme avioliittomme retuperälle.

”Minulla on vielä muutamia veistonäytöksiä tämän päivän aikana.” Ned keskeyttää mietteeni, ja havahdun tähän hetkeen. ”Ja bändi soittaa iltapäivällä. Pärjäätkö sen aikaa itseksesi?”

”Kyllä, tietysti. Tekemistä riittää, ja käyn sinun esityksissäsi.”

”Ei sinun tarvitse tulla katsomaan minua.”

”Mutta minä haluan. Sinun työskentelyäsi on mukava seurata.”

Hän nojautuu minua kohti, ja suutelemme taas. Ei kestä kuin sekunnin, ja käyn heti kuumana. Ei ihme, että Ida on jäänyt koukkuun. Minun pitää muistaa, että tämä on vapaamuotoinen suhde – sellainen, josta Ned pitää. Se sopii parhaiten minullekin. Pääni sisällä myllertää nyt siihen malliin, etten todennäköisesti pysty tekemään järkeviä päätöksiä. Vaikka pakko myöntää: päätös viettää yö Nedin kanssa on yksi parhaistani.

Vietän siis päiväni harhailemalla päämäärättömästi festivaalialueella Nedin tehdessä samaan aika omia töitään. Osallistun ulkoilmajoogaan noin sadan muun ihmisen kanssa, ja olen iloinen, että tulin ostaneeksi haaremihousut, sillä keimaileva, lyhyt mekkoni ei olisi soveltunut kovin hyvin siihen tarkoitukseen. Jooga selvittää pääni ja lievittää lihassärkyäni, joka on seurausta edellisyön aktiviteeteista ja teltan kovalla alustalla nukkumisesta – vaikkei nukkumiseen paljon aikaa jäänytkään.

Osallistun yhteen monista tarjolla olevista työpajoista ja askartelen itselleni huovutetun rintakorun. Kiinnitän pienen kukkakoristeen farkkutakkini kaulukseen ja olen ylpeä saavutuksestani, sillä en todellakaan ole mikään käsityöihminen.

Kun Ned aloittelee veistoesitystään, istun nurmikolla eturivissä. Hänen liikehdintäänsä on jälleen lumoavaa seurata. Ihmettelen, kuinka vaivattomasti hänen veistoksensa syntyvät. Ilokseni huomaan, että hän saa myytyä kaikki työnsä, ja siitä päätellen, että hän tekee demojensa välillä myös muistiinpanoja, hän on saanut myös lisätilauksia. Myöhemmin iltapäivällä kuuntelen vielä, kun bändi soittaa settinsä, ja sitten – aivan liian pian – on aika pakata kamppeet ja lähteä paluumatkalle.

Ned lastaa veistotarvikkeensa ja soittimet bändin pakettiautoon minun odotellessani kärsivällisesti vieressä. Ihmiset vaeltavat ulos festivaalialueelta ja palaavat normaalielämäänsä.

Lähdön hetki saa minut hieman surulliseksi. Sain elää pari päivää autuaallisessa kuplassa, mikä oli hieno kokemus, mutta nyt ohi.

Vaikuttaa siltä, kuin Ned olisi lukenut ajatukseni, sillä hän nostaa katseensa työstään ja kysyy: "Oletko iloinen, että tulit?"

"Täällä on ollut aivan ihanaa", sanon hänelle. "Olen nauttinut joka hetkestä. En haluaisi tämän päättyvän ikinä."

Ja tajuan jokaisen sanani olevan totta.

58

Päivä on kääntymässä iltaan, kun Ned saa työnsä päätökseen festivaalikentällä ja palaamme leirintäalueelle noutamaan tavaroitamme ja Idan telttaa. Sää on ollut vuodenaikaan nähden poikkeuksellisen hieno, mutta nyt on alkanut sataa. Ensin se on vain hienoista tihkua, mutta päästyämme teltan luo ja alettuamme purkaa sitä, vettä tulee jo kaatamalla. Ned ja minä olemme hetkessä kuin uitetut koirat. Hiukseni liimautuvat päätä myöten, enkä usko, että kimaltelevat päivänkakkarat poskillani ovat enää kovin edukseen.

Yritämme pitää kiirettä raahatessamme tavaroita kohti autoa. Festivaalikenttä oli valmiiksi märkä edellisen yön sadekuuron jäljiltä, mutta nyt se on muuttumassa nopeasti mutavelliksi. Liukastelemme eteenpäin työntökärryjen pyörien upotessa liejuun. Ned jupisee äkäisenä. Minun helmikoristeiset sandaaliparkani ovat tuhon omat, ja alan ymmärtää, miksi festarikumpparit ovat joidenkin mielestä niin kätevät.

Tärisen kylmästä lastatessamme tavaroitamme Nedin autoon. Päästyämme sisään Ned laittaa lämmityksen täysille.

”Olemme ihan kohta kotona”, hän sanoo, mikä kuulostaa melko optimistiselta, sillä olemme valtavan pitkässä autojonossa, joka matelee hitaasti ulos parkkialueelta. Joudumme istumaan autossa todennäköisesti ikuisuuden, mutta Ned pitelee sillä aikaa kättäni.

"En ehdi enää tänä iltana Idan luo", hän sanoo. "Täällä meni pitempään kuin luulin. Mutta hänellä tuntuu olevan kaikki hyvin. Soitin hänelle aiemmin, ja vaikka hän olikin raivoissaan, hän uskoi voivansa avata kahvilan huomenna. Joku kävi siellä tänään asentamassa uuden ikkunalasin ja korjaamassa oven."

"Sehän kuulostaa hyvältä. Piipahdan siellä huomenna itsekin." Minua kiinnostaisi tietää, mitä Ida ajattelisi, jos hän tietäisi Nedin ja minun yhteisestä yöstä, mutta en taida kysyä. Jos tämä on vain yhden illan juttu, hän ei ehkä saa koskaan tietää. Tosin Idan tuntien hän kysyy sitä ensitöikseen tavatessamme seuraavan kerran, enkä ole varma, mitä sitten teen.

Pääsemme lopulta matkaan, ja Ned liittää iPhonensa auton soittimeen. Rauhoittava musiikki täyttää auton meidän ajaessamme kohti Cockleshell Bayta. Tosiasia on, että en haluaisi tämän päättyvän. Mitä lähemmäs kotia saavumme, sitä enemmän pelkään jäähyväisiämme. Olemme hitaasti irtautumassa omasta suloisesta maailmastamme, jonne olisin tahtonut jäädä ikiajoiksi.

Aurinko on jo laskemassa ja alkaa hämärtää, kun pysähdymme *Päivänpaisteen* ja *Merituulen* eteen.

Ned sammuttaa moottorin ja kääntyy minuun päin. "Kotona taas."

Huokaisen. "Aivan ensimmäiseksi aion hypätä kuumaan suihkuun."

Ned koskettaa hiuksiani ja kiertää yhden takkuisen suortuvan sormensa ympärille. "Voinko liittyä seuraasi?"

”Kyllä”, sanon ilman että minun tarvitsisi edes miettiä vastausta. En olisi halunnut tämän päättyvän, ja nyt toiveeni näyttää toteutuvan. ”Minulla on myös ruokaa. Kiitos Marilynin. Voimme nauttia illallisen jälkeenpäin.”

Nedin hymy levenee. ”Odotatko viisi minuuttia? Heitän tavarani sisälle ja tulen saman tien.”

Nousemme autosta, ja hän antaa minulle lyhyen mutta intohimoisen suudelman ennen kuin nostamme tavaramme takakontista ja erkanemme omille teillemme.

”Ethän viivy kauan”, pyydän häneltä.

”Tulen heti kun pääsen”, hän vastaa.

Lauleskelen itsekseni, kun kävelen laukku kädessäni laskusiltaa pitkin *Päivänpaisteeseen.* Ned varmaankin jää taas luokseni yöksi? Minun on pakko myöntää teille, että kaipaan jo kiihkeästi Nedin käsivarsille. Kuten rakas Marilyn varmasti sanoisi: täytyy viilata, kun rauta on kuuma. Se on hieman pelottavaa, mutta samaan aikaan enemmän kuin jännittävää.

Avattuani oven potkaisen pilalle menneet sandaalit jalastani ja astun sisään. Housujeni lahkeet ovat yltä päältä kurassa, mutta en välitä. Se oli sen arvoista. Jos haluatte tietää, olen pelkkää leveää hymyä. Luulin, että Ned ja minä viettäisimme yhden yön yhdessä, minkä jälkeen olisimme pelkkiä ystäviä, mutta pääsenkin hänen syliinsä heti uudestaan. Ette tiedä, kuinka onnellinen olen.

Sitten napsautan valot päälle ja koen elämäni järkytyksen.

59

Sydän hakkaa rinnassani ja suutani kuivaa, kun kysyn: ”Mitä helvettiä sinä täällä teet?”

Aviomieheni seisoo ilmielävänä keittiössä. Hänellä on yllään tumma suosikkitakkinsa – se, jonka ostin hänelle vuosia sitten yhteisellä Rooman-matkallamme, koska sää oli odotettua kylmempi ja hän oli unohtanut pakata mukaansa lämmintä vaatetta. Hänen vierellään on laukku, joten hän on ilmeisesti saapunut vastikään, ja hän näyttää väsyneeltä ja jotenkin riutuneelta. Vaikka olemme tunteneet toisemme jo vuosia, hän näyttää silmissäni kuin vieraalta ihmiseltä.

Chris kurtistaa kulmiaan: ”Luulin, että ilahtuisit, kun näet minut.”

”Olisit ilmoittanut tulostasi”, sanon. ”Lähtööni oli hyvä syy.”

Ehkä minun pitäisi iloita Chrisin tapaamisesta, olla kiitollinen siitä, että hän näki vaivaa etsiäkseen minut käsiinsä. Eikö minun pitäisikin astua hänen luokseen, syleillä häntä, suudella häntä? Sitäkö hän odotti? Olettiko hän, että juoksisin hänen luokseen ja heittäytyisin hänen käsivarsilleen? Mutta sen sijaan seisonkin vain paikalleni jähmettyneenä, ja olen pelkästään vihainen.

”Olen odottanut, että vastaisit viesteihini”, hän huomauttaa. ”Olen ollut suunniltani huolesta. Sinä vain lopetit yhteydenpidon. Se ei ole reilua.”

”Turha meidän on enää mistään reiluudesta puhua.” Saatan kuulostaa tyyneltä, mutta vapisen sisäisesti. Kuinka hän kehtaa rynnätä tänne täysin varoittamatta? Minulla oli helvetin hyvä syy olla vastaamatta hänen viesteihinsä ja soittoihinsa.

Chris haroo hiuksiaan, selvästi raivoissaan siitä, ettei saanut odotetunlaista vastaanottoa. ”Lähdit täysin varoittamatta, olet minulle vähintään selityksen velkaa.”

”Minun oli pakko päästä pois.” Tiedän kuulostavani lattealta. ”Tarvitsin aikaa ajatella.”

”Eikö kotona sitten voinut *ajatella*?”

”Sinä jos kukaan tiedät, mitä olen joutunut käymään läpi. En pystynyt käsittelemään sitä asiaa enää.”

”Mitä *me* olemme joutuneet käymään läpi”, mieheni korjaa viileästi.

”Jos olet tullut tänne pelkästään riitelemään”, sanon väsyneenä, ”sitten voit häipyä saman tien. Minä en jaksa enää.”

Chris kiinnittää huomiota ulkomuotooni. ”Missä helvetissä sinä olet ollut? Näytät hirveältä.”

Jos totta puhutaan, Chris ei ole tottunut näkemään minua mutaisena ja rähjäisenä – tai vaatteissa, jollaisia suosivat tavallisesti teinit ja hipit.

”Onko kasvoissasi jotain kimalletta?”

Minun on pakko tukahduttaa hymyni, tilanteen vakavuudesta huolimatta. ”Olen ollut festareilla”, selitän hänelle hieman vastahakoisesti. ”Koko viikonlopun.”

”Voi Jeesus”, hän huudahtaa, ikään kuin olisin kertonut hänelle lentäneeni kuuhun ja takaisin yksisarvisen selässä.

"Minulla oli hauskaa. Ja nyt olen likainen ja väsynyt, ja haluan vain päästä kuumaan suihkuun."

Chris astuu eteenpäin ja ojentaa minulle valtavan kimpun punaisia ruusuja, joita oli pidellyt selkänsä takana. "Toin sinulle nämä."

Ruusujen näkeminen saa minut surulliseksi. Luuleeko hän, että yksi kukkakimppu hyvittää kaiken? Siltä näyttää. Otan kimpun ja asetan sen pöydälle. "Kiitos." En kuitenkaan kuulosta järin innostuneelta. "Laitan ne kohta maljakkoon." Olettaen, että Billillä on kaapissa sellainen. "Kuka sinulle kertoi, että olen täällä?"

"Onnistuin kiskomaan sen tiedon Dellalta."

Kiitos vain, Della.

"Ja kuinka sinä pääsit sisään?"

Chris näyttää hieman nololta. "Avain oli pääoven vieressä olevan ruukun alla."

Oliko? Ketkä kaikki siitä tietävät?

"Ajattelin ainakin yrittää", hän jatkaa. "Olen odottanut jo tarpeeksi kauan, Jodie. Otin pari päivää vapaata töistä. Ajattelin, että meidän pitäisi jutella. Yrittää selvittää asiat. Minullakin on paha olo."

Hän astuu luokseni ja vetää minut lähelleen. Mutta en halua, että kukaan pitää minusta kiinni. Eikä ainakaan Chris. En vastustele, mutta olen kireä enkä vastaa hänen syleilyynsä.

Juuri sillä hetkellä Ned koputtaa kevyesti ovelle ja työntää sen auki.

Nähdessään meidät sylikkäin Ned kavahtaa kauhistuneena taaksepäin, ja koska en tiedä, mitä tekisin, seison vain liikkumattomana Chrisin sylissä. Olen täysin tietoinen siitä, miltä sen täytyy näyttää. Nedin ilme synkkenee, ja hän vilkuilee tyrmistyneenä vuoron perään minua ja Chrisiä.

"Ned...", aloitan lopulta, mutta en pysty enempään. Mitä siinä nyt voisi sanoa? Mitä minä teen?

"Hei", Ned vastaa terävästi, kun kukaan muu ei ilmeisesti ole aikeissa sanoa mitään. "Taisin tulla pahaan aikaan."

"Ei... et..." Mutta me molemmat tiedämme hänen olevan oikeassa.

Chris ja minä irrottaudumme toisistamme. Nyt minulla on hirvittävän syyllinen olo. Aivoni lyövät tyhjää, ja seistessäni siinä tietämättä, mitä tehdä, Chris astuu eteenpäin ja ojentaa kätensä. Ned kättelee häntä, edelleen ymmällään.

"Olen Chris, Jodien aviomies", Chris sanoo. "Ajattelin tulla yllättämään hänet."

Niin hän todella tekikin.

Ned katsoo minua kysyvästi. "Aviomies?"

Mitä voisin sanoa puolustukseksení? Festivaalien huumassa olin erehtynyt pitämään itseäni sinkkuna – ajatellut, että olisin vapaa rakastamaan Nediä ilman mitään seuraamuksia. Mutta niin ei ole. Riippumatta siitä, kuinka hartaasti toivoisin sen olevan totta, kuinka vahvasti uskoisin avioliittomme olevan ohi, Chris on vielä kiistatta minun aviomieheni. Sitä ei käy kieltäminen. Voi helvetti.

"Sanoisin, että aikamoinen yllätys." Nedin ääni kuulostaa terävältä, loukkaantuneelta. "Et tainnut odottaa tätä ollenkaan, Jodie?"

"En", myönnän. "En odottanut." Mitä muuta minä voisin sanoa?

"Näyttää siltä, että sinun suunnitelmasi illan varalle ovat muuttuneet." Ned perääntyy ovea kohti. "Jätän teidät omaan rauhaanne."

"Olen *todella* pahoillani, Ned", sanon ja toivon, että hän kuulee äänestäni kaiken sen, mitä haluaisin sanoa. "Puhutaan huomenna."

"Minulla on kiireitä huomenna", hän sivaltaa takaisin. "Viettäkää hauska ilta yhdessä. Oli kiva tavata, Chris."

Chris astuu viereeni ja kietoo kätensä omistavasti vyötärölleni. Hänen hymynsä on jäätävä. "Samoin, oli hauska tutustua, Neil."

Ned kääntää katseensa minuun ennen kuin lähtee. Se on pettynyt, katkera ja vihainen, enkä tiedä, mitä tehdä. Olen suunniltani ja haluaisin rynnätä hänen peräänsä selittääkseni hänelle kaiken – *ihan* kaiken. Mutta en pysty. Olen lamaantunut, niin fyysisesti kuin henkisesti, enkä tiedä, miten saisin selvitettyä tämän hirveän sotkun.

60

”Minun pitää päästä suihkuun”, sanon Chrisille. En halua kohdata todellisuutta, en varsinkaan, kun olen mudan peitossa ja tukkani näyttää elottomalta hiirenhännältä. ”Jos haluat auttaa, niin voisit laittaa vedenkeittimen päälle. Minulla ei mene kauaa.”

Mutta minulle menee. Viivyttelen suihkussa, pesen mudan jaloistani, hankaan pois aikaisemmin niin kauniina kimaltaneet päivänkakkarat poskiltani ja kuuntelen veden tasaista pulputusta viemäriin. Festarivaatteeni lojuvat makuuhuoneen lattialla ja näyttävät typeriltä, teinityttömäisiltä. En ymmärrä, mikä minuun oikein meni. Pesen vaatteet heti kun ehdin, ja vien ne hyväntekeväisyyskirpparille. Katson pyöreästä ikkunasta ja näen, että Nedin laivassa palaa valot. Pitäisikö minun mennä hänen luokseen nyt heti ja selittää hänelle? En piittaa pätkääkään siitä, mitä Chris ajattelee. Täällä häneltä puuttuu kotikenttäetu.

Kiskon farkut jalkaani ja lähden kohtaamaan Chrisiä. Hän on kattanut pöydän. Ruusut ovat maljakossa, ja niiden vieressä palaa kaksi kynttilää. Se ei ole ollenkaan Chrisin tapaista. Minun tekisi mieli heittää ruusut mereen.

”Tilasin meille noutoruokaa”, hän sanoo ylipirteästi. ”Löysin laatikosta ruokalistan. Kiinalaista. Sinun lempiruokaasi.”

”Kiitos.” En kerro, että jääkaapissa ja pakastimessa olisi tarpeeksi syötävää kokonaisen armeijan tarpeisiin. ”Sinulla on varmasti nälkä.”

Tajuan, etten ole itse asiassa syönyt mitään aamiaisen jälkeen, mutta minulla ei ole juurikaan ruokahalua. Voin pahoin. Palaan takaisin niihin päiviin, kun olin vasta menettänyt lapseni. Tunnen saman jäytävän tyhjyyden. Miten nopeasti kaikki muuttuukaan.

”Billin laiva on uskomaton”, Chris toteaa niin kuin mitään ei olisi tapahtunut. Hän kaataa minulle lasillisen viiniä, ja otan siitä kulauksen. Se maistuu etikalta, vaikka juoman pitäisi olla etiketin perusteella ihan laadukasta. ”En osannut odottaa tällaista.”

”Hän on tehnyt täällä kovasti töitä.”

”Näytät viihtyvän täällä. Et olisi ehkä koskaan palannut kotiin.” Hän vilkaisee *Merituuleen* päin. Ned askaroi keittiössä, mutta ei katso meidän suuntaamme. ”Olet näköjään hankkinut täältä ystäviäkin?”

”Kyllä.” Turha sitä on kieltää. ”Kaikki ovat olleet tosi ystävällisiä.”

Ilmeestä päätellen Chris arvaa, että *jotkut ovat olleet ystävällisempiä kuin toiset*, mutta hän ei pue ajatuksiaan sanoiksi. Mietin, mahtaako hän aavistaa, että Ned ja minä olemme olleet sängyssä, sillä huomasinhan minäkin, kun Chris oli ollut toisen naisen kanssa.

Ovikello soi, ja minä säpsähdän, mutta se on vain ruokalähetti. Chris maksaa ja jättää kassin tiskipöydälle. Otan esille kaksi lautasta ja laitan ne pöydälle annoslaatikoiden kera. Ruoka tuoksuu herkulliselta, mutta ajatus syömisestä tuntuu oksettavalta.

Istumme pöydässä kuin kaksi muukalaista, mikä palauttaa mieleeni ensikohtaamisemme. Mietin, kuinka me oikein päädyimme tähän. Vilkaisen Chrisiä ja näen, että hän ajattelee samoin. Eksyimme toisistamme matkan varrella, ja hetken sydäntäni puristaa. Kaipaan sitä rakkautta, joka meillä kerran oli.

Saadakseni jotain tekemistä lusikoin lautaselleni hieman paistettua riisiä ja mustapapukanaa, mutta siirtelen vain ruokaa edestakaisin haarukalla. Lienee tarpeetonta sanoa, että tunnelma on kireä. Edes iPodista soiva James Bay ei onnistu keventämään sitä. Olen kahdestaan aviomieheni kansa, mutta en pysty ajattelemaan muuta kuin Nedin pettynyttä ilmettä.

Me kumpikin näykimme haluttomina ruokiamme, kunnes Chris liu'uttaa kättään pöydän poikki ja asettaa sen minun käteni päälle. "Tiedän, että mokasin. Emme jutelleet tarpeeksi sen jälkeen, kun..."

Hän ei pysty jatkamaan. Hän ei pysty sanomaan lapsemme nimeä, koska nimeä ei edes ehditty antaa.

"... mutta haluan saada takaisin sen, mitä meillä oli ennen."

"Mitä meillä sitten oli?" Haluan todellakin tietää. *"Ennen mitä?* Olimmeko me silloin oikeasti onnellisia?"

Chris näyttää järkyttyneeltä. "Kyllä me minusta olimme. Tämä on ollut meille molemmille hirveän raskasta. Ymmärrettävästi."

"Niin, mutta samaan aikaan, kun minä surin menettämääni lasta, sinulla oli joku toinen." Sanon sen nyt ensimmäistä kertaa ääneen, ja Chris näyttää häkeltyneeltä.

"Eikä ollut."

"Älä yritä, Chris. En ole niin tyhmä."

"En minäkään", hän sanoo ja katsoo merkitsevästi Nedin laivan suuntaan.

Hän on oikeassa. Kumpikaan meistä ei ole enää ihan viaton. Joten mitä siitä seuraa? Pitäisikö minun olla ymmärtäväisempi häntä kohtaan? Työnsin häntä tarkoituksella luotani, siitä ei ole epäilystäkään. En kestänyt hänen kosketustaan. Pystyin tuskin katsomaan häntä. Onko siis mikään ihme, että hän etsi lohtua toisaalta? Sellainen on vaarallinen yhtälö, tiedän sen myös siitä, millaisia tunteita Ned minussa itsessäni oli herättänyt.

"Minäkin surin, Jodie." Hänen kasvonsa ovat surulliset. "Kukaan ei tuntunut huomaavan sitä."

"Kätkit sen niin taitavasti", letkautan takaisin.

"Kaikki huomio keskittyi vain sinuun ja sinun kärsimykseesi. Kukaan ei huomannut minua. Et edes sinä. Mitä minun olisi pitänyt tehdä?"

"Jäädä vierelleni? Tukea minua? Rakastaa minua?"

Chris pudottaa haarukkansa lautaselle ja haroo hiuksiaan. "Uskotko, että tekisin juuri niin, jos voisin kääntää kelloja taaksepäin? Myönnän, että hoidin sen homman huonosti."

Torun häntä.

"Todella huonosti", hän jatkaa. "Mutta olin silloin itsekin vieraalla maaperällä. Olin yhtä hukassa kuin sinäkin. Mutta miesten oletetaan aina selviytyvän kaikesta. No, minulta se ei onnistunut. Olen pahoillani." Hän nousee seisomaan ja sysää tuolin pöydän alle. "Harmi, kun en enää polta. Voi vittu."

Hän lopetti tupakoinnin, kun sain tietää olevani raskaana. Chris marssii laivan perälle, nousee kannelle ja paukauttaa oven kiinni perässään.

Istun siinä, pää käsiin painettuna, ja kun nostan katseeni, näen Nedin tuijottavan minua. Katseemme kohtaavat hetkeksi, mutta sitten hän sulkee säleverhon ja jättää minut yksin. En ansaitse parempaa. Tunnen, miten silmieni yläpuolelle alkaa kehkeytyä päänsärky. Hieron otsaani, mutta siitä ei ole apua, joten kulautan alas loputkin viinistäni. Seuraan Chrisiä laivan kannelle. Jään seisomaan hänen vierelleen, ja me molemmat katselemme merelle.

”Täällä on kaunista”, hän sanoo nojaten kaiteeseen.

Aurinko on laskenut, ja viimeisetkin valonrippeet ovat hiipumassa. Pilvet ovat tummia, kuin sinelmillä sateen jälkeen. Merenpinta on tyyni ja sileä kuin musta sametti. Olen jo tottunut siihen, miten hienolta maisema näyttää, ja yritän nyt nähdä sen Chrisin silmin. Kuten minun nyt täytyisi yrittää nähdä kaikki muukin.

”Ymmärrän, miksi tulit tänne”, hän sanoo.

”En tiennyt, minne muuallekaan olisin mennyt”, vastaan.

”Toivoisin, että olisit kääntynyt minun puoleeni. En tajunnut, kuinka huonosti asiat olivat.”

”Olet oikeassa”, sanon pehmeästi. ”Meidän täytyy jutella. En halua, että kaikki lapseemme liittyvät muistot ovat pelkkää tuskaa ja murhetta. Meidän täytyy muistaa hyvätkin puolet.”

”Meillä oli niin suuria suunnitelmia tulevaisuuden varalle”, vahva tunne saa Chrisin äänen sortumaan. ”Mikä siinä oikein meni vikaan?”

”Me menetimme lapsemme”, sanon.

Sitten syleilemme toisiamme lujasti ja itkemme.

61

Meidän pitäisi varmaankin jutella nyt, mutta Chris ja minä olemme henkisesti niin uuvuksissa, että menemme vain nukkumaan. Vielä muutama tunti sitten mahdollisuus sille, että jakaisimme yhteisen sängyn, olisi ollut jossain heikon ja olemattoman välillä, mutta tässä me nyt olemme. Harkitsen ensin sohvalla nukkumista, mutta luulen, että me molemmat olemme liian väsyneitä ryhtyäksemme sijaamaan varasänkyä.

Kun sammutan valon, Chris siirtyy lähemmäksi ja yrittää suudella minua, mutta sanon: ”Mikään ei ole muuttunut.”

Joten hän huokaisee ja kääntää kylkeään. Pari minuuttia siitä, kun hän on laskenut päänsä tyynylle, hän on jo sikeässä unessa. Riippumatta siitä, mitä elämässämme on tapahtunut, hän ei ole koskaan menettänyt unenlahjojaan. Huolet eivät saa Chrisiä valvomaan öitään. Hän sanoo sitä ”vanhurskaan uneksi”. En ole varma, onko se sitä.

En ole nukkunut paljoakaan viime päivien aikana, mutta olen täysin hereillä. Käyn ylikierroksilla, ja aivoni kieltäytyvät menemästä lepotilaan. Vaikka makaan aviomieheni vieressä, mietin vain sitä, mitä tein edeltävänä yönä, ja tunnen Nedin käsivarret yhä ympärilläni. Olen oppinut tästä ainakin yhden asian: ymmärrän nyt, miksi Chris oli niin halukas ryhtymään suhteeseen. En edelleenkään pidä ajatuksesta, mutta ymmärrän nyt, miksi niin saattoi tapahtua. Pitäisikö Chrisin ja minun ottaa asia puheeksi vai jättää se käsittelemättä? Pitääkö minun tietää yksityiskohdat, vai pahentaisiko se vain asioita? Luulen, että nainen on joku Chrisin työkavereista – todennäköisimmin Meg – sillä Chris ei ehtisi tapaamaan ketään muuta. Hän matkustelee Megin kanssa, silloin kun työkuviot sitä vaativat. Meg yöpyy loistohotelleissa hänen kanssaan. Käsittääkseni houkutus ja tilaisuus syrjähyppyyn ovat aina läsnä. Pari ylimääräistä drinkkiä baarissa, ja seurana halukas kumppani – ymmärrän sen nyt.

Chris olisi tarvinnut jonkun lohduttamaan itseään, mutta minusta ei ollut siihen, sillä olin niin syvällä omassa surussani. Se on selvää. En saanut tukea terapiasta, mutta ehkä meidän olisi pitänyt käydä siellä yhdessä. Ehkä se olisi auttanut. Olen huomannut, että meillä oli vaikeuksia kommunikoida keskenämme. Liitelimme iloisina läpi hyvien päivien, mutta heti kun kohdallemme osui vastoinkäymisiä, räpiköimme kuin siipirikot, täysin avuttomina.

Kuuntelen, miten *Päivänpaiste* vaihtaa asentoaan vuoroveden noustessa ja sen runko narahtelee kiinnityspollareita vasten, kunnes aamun harmaa kajo kurkistaa sisään ikkunoista. Mielessäni risteilevät ajatukset ovat yhtä levottomia kuin meren liikkeet.

Kun kyllästyn odottamaan unen tuloa, nousen ylös ja jätän Chrisin vielä nukkumaan. Otan mukaani pari vaatekappaletta ja pukeudun kylpyhuoneessa niin hiljaa kuin mahdollista. Voin käydä suihkussa myöhemmin. Hiivin varpaillani yläkertaan, laitan oven vieressä olevat lenkkarit jalkaani ja takin ylleni. Näin varhain aamulla ulkona on vielä kylmä, ja kirpeä ilma herättää minut hetkessä.

Vilkaisen naapurilaivan suuntaan, mutta siellä näyttää olevan hiljaista, ja oletan Nedin olevan vielä nukkumassa. Hidastelen *Merituulen* kohdalla. Entä jos koputtaisin laivan ovelle? Suostuisiko Ned puhumaan kanssani? Nousen laskusiltaa pitkin ylös ja epäröin hetken oven takana, mutta en saa itsestäni niin paljoa irti, että koputtaisin. Livahdan pois, allapäin ja surkeana, ja suunnistan kohti rantaa. Minun on pakko ryhdistäytyä, sillä haluaisin tavata hänet tänään, jotta voisin ainakin yrittää selittää hänelle, mikä tilanteeni Chrisin kanssa on. Tai totta puhuen haluaisin vain nähdä hänet.

Auringonnousu on kaunis, taivaalla näkyy häivähdys sitruunankeltaista, persikanoranssia ja mustikansinistä. Astellessani portaita pitkin hiekalle näen Nedin edessäni rannalla, juuri ja juuri aaltojen ulottumattomissa. Hän seisoo soturiasennossa, jalat tukevasti hiekassa ja käsivarret ojennettuina kohti horisonttia. Hän näyttää vahvalta ja vakaalta, mutta jopa siltä etäisyydeltä pystyn sanomaan, että hänen kehonsa näyttää normaalia kireämmältä. Ilahdun hänen näkemisestään, vaikka en odottanut tapaavani häntä vielä siihen aikaan rannalla.

Värisen kylmästä ja toivon, että olisin pukenut ylleni kaulahuivin ja sormikkaat. Jopa Nedillä on yllään huppari ja verkkarit. Tuuli tuivertaa hänen hiuksiaan, ja minun tekisi hirveästi mieli silittää niitä. Kävelen kostean hiekan ylitse häntä kohti, ja kun pääsen lähemmäksi, hän kääntyy.

”Hei”, sanon hiljaa. ”Varhainen lintu.”

Hän keskeyttää liikkeensä ja rentoutuu, mutta huomaan, että hänelle tyypillinen hymy on poissa. ”En saanut nukuttua.”

”En odottanut sinun olevan täällä, mutta olen iloinen, että tapasimme. Kävin ovellasi ja ajattelin koputtaa, mutta jänistin.” Yritän hymyillä, mutta hymyyni ei vastata. ”Halusin selittää sinulle sen eilisiltaisen.”

Ned katsoo minua, yhä vihaisena. ”Aviomies, Jodie? Eikö mieleesi juolahtanut mainita hänestä?”
”Se on hankala juttu.”
”Niin varmaan.”
”Chrisillä ja minulla on ollut todella vaikeaa.”
Ned kohottaa kulmiaan.
”Luulin, että avioliittomme olisi ohi. Uskoin *vakaasti* niin”, toistan. ”Hänellä on ollut suhde jonkun toisen kanssa.”
”Joten ajattelit kokeilla sitä itsekin? Olen siis sinulle kostopano? Kiitoksia vain. Oloni onkin heti *paljon* parempi.”
”Ei, ei se niin mennyt. Ymmärsit väärin. Se, mitä meidän välillämme tapahtui, on eri asia. En odottanut tai suunnitellut sitä. Se oli meille kummallekin ihan spontaani juttu.”
”Minulla on yksi sääntö, Jodie: en koskaan sekaannu naimisissa oleviin naisiin. En koskaan. Sait minut rikkomaan sääntöäni tahtomattani. Se on hävytöntä.”
”Tiedän. Olen pahoillani. Mutta minulla on siihen omat syyni.” Tosin ne kaikki ovat säälittäviä.
”Oletko kertonut hänelle meistä?”
”En”, myönnän. ”Olemme maailman huonoimmat keskustelijat. Niin paljon on jäänyt sanomatta. Kyse ei ole pelkästään siitä syrjähypystä. Siinä oli muutakin.”
”Ja nyt te kaksi sitten suutelitte ja teitte sovinnon?”
”Ei, kaukana siitä.” Kuinka voisin selittää, että mieheni luulee kiinalaisen noutoruoan ja punaisten ruusujen korjaavan kaiken? Hän ei voisi olla enää enempää väärässä.
”En pysty tällaiseen, Jodie. Elämäni on aika mutkatonta, ja haluan, että se pysyykin sellaisena.”
”Kävelläänkö yhdessä Idan kahvilaan? Voin kertoa sinulle enemmän. Se olisi minulle tärkeää.”
”Ei.” Ned nostaa kätensä ylös. ”En halua olla mukana tässä.”

"Mutta..."

"Ei", hän toistaa. "Onko miehesi vielä täällä?"

"Kyllä, mutta..."

"Tämä ei ole minun ongelmani, enkä halua, että siitä tuleekaan. Mitä tahansa teidän välillänne onkaan, teidän pitää selvittää se keskenänne."

Voisin kertoa Nedille nyt koko jutun. Minulla olisi nyt toinen tilaisuus kertoa hänelle, miksi olen täällä, miksi Chris ja minä emme enää rakasta toisiamme, miksi olen enää varjo entisestä. Mutta en pysty puhumaan siitä. En tiedä, pysyisinkö enää kasassa.

Sitten Ned katsoo minua suoraan silmiin ja lisää pehmeämmällä äänellä: "Näen, että sinä olet onneton, ja toivon, että voisimme olla ystäviä. Haluaisin mielelläni auttaa sinua, mutta en voi sekaantua sinun ja miehesi asioihin. Olen vihainen sinulle siitä, että petit minut."

"En tarkoittanut..."

"Minä todella pidän sinusta, Jodie. Pitkästä aikaa moneen vuoteen päästin sydämenikin mukaan tähän. Minulla oli tunteita sinua kohtaan. Ajattelin, että me voisimme..." Nedkään ei saa sanottua lauseitaan loppuun. "Toivon sinulle kaikkea hyvää. Olet ihana nainen. Sinun pitää vain saada mielesi ja elämäsi järjestykseen."

"Anteeksi, Ned. Olen niin pahoillani." Astun lähemmäksi häntä, mutta hän nostaa kätensä ylös.

"En halua, että sinun miehesi näkee meidän halailevan täällä ja tulee antamaan minulle turpaan. Olen rauhanrakentaja, en mikään tappelupukari."

"Ei Chris ole sellainen."

"Joskus ihmiset ovat jotain muuta kuin miltä näyttävät", Ned sanoo merkitsevästi.

”Olet ollut minulle niin kiltti, Ned. Kurkkuani kuristaa. ”Sinä sait houkuteltua minut ulos kuorestani silloin, kun ajattelin, etten halua enää ikinä puhua kenenkään kanssa. Yhteinen yömme festareilla antoi minulle takaisin jotain sellaista, minkä olin luullut menettäneeni.”

Hän katsoo minua surullisena. ”En tiedä, onko tästä mitään hyötyä, mutta voin sanoa, että minullakin oli hauskaa. Tämä kuulostaa varmaan joltain hippihörhöilyltä, mutta minusta tuntui, että meillä oli aivan erityislaatuinen yhteys, jollaista en ole kokenut koskaan aikaisemmin.”

”Niinhän meillä olikin”, sanon toiveikkaana.

”Sinun täytyy korjata se, mikä sinun ja miehesi välillä on rikkoutunut”, hän sanoo vaisusti. ”Neuvoni on, että menet nyt kotiin ja pistät avioliittosi kuntoon.”

Hän saa sen kuulostamaan niin helpolta. Mutta mitä minä voin tehdä? On selvää, ettei Ned halua minun jäävän enää tänne, enkä tiedä, haluanko enää palata kotiin. Elän epävarmuudessa, kiirastulessa, taivaan ja maanpäällisen helvetin välisessä tilassa, tietämättä mihin suuntaan kääntyä.

62

”Sanon sinulle sitten hyvästi.” Ojennan kättäni eteenpäin kätelläkseni Nediä.

”Emme voi tehdä tätä näin”, hän sanoo. ”Emme enää sen jälkeen, kun olen nähdyt sinut alasti.”

Se murtaa jään, ja me molemmat onnistumme nauramaan hieman.

”Tule tänne.” Ned vetää minut lähelleen. ”Toivon vain, ettei miehesi ole mustasukkaista tyyppiä.”

”Hän on kunnon mies”, sanon hänelle. ”Useimmiten. Mutta en tiedä, onko meillä yhteistä tulevaisuutta.”

”Sen pystyt päättämään vain sinä.” Ned painaa minut lujasti rintaansa vasten, ja minä takerrun häneen. En haluaisi irrottautua hänen syleilystään. Hän on niin lämmin, vahva ja lohduttava. Jos Ned pyytäisi minua nyt jäämään, jättäisinkö kaiken ja yrittäisin aloittaa täällä uuden elämän? En tiedä. Aivoni ovat niin sumussa, että en pysty arvioimaan, mitä siitä seuraisi.

”Aiotko palata takaisin mantereelle?” hän kysyy.

”En. En tiedä. Ehkä. Kyllä.”

Ned virnistää. ”Mukava kuulla, että sinulla on noin selvät suunnitelmat.”

”Pääni on ihan sekaisin. Mutta en varmaankaan voi pakoilla loppuikääni. Onhan minulla vielä työni.” Ja aviomieheni.

"Toivottavasti saat ratkaistua ongelmasi", Ned sanoo. "Rauhallinen elämä on hyvää elämää."

"Kiitos, että opetit minulle sen. Pyrin jatkamaan joogaamista, kun olen taas Lontoossa." Yritän hymyillä, vaikka minusta tuntuu kuin osa jo valmiiksi kovia kokeneesta sydämestäni olisi murtumassa. Tunnen itseni niin hauraaksi, että en pysty käsittelemään tätäkään asiaa. "Se tapahtuu todennäköisemmin jossain ilmastoidussa teollisuuskiinteistössä kuin tällaisella kauniilla rannalla."

"Pärjäät kyllä." Hän pitelee minua etäämmällä itsestään. "Olet vahvempi kuin uskotkaan."

En tiedä, onko niin. Aika näyttää.

"Minun täytyy käydä hyvästelemässä myös Ida."

"Sano hänelle, että tulen käymään siellä kohta", Ned sanoo. "Otan työkalupakin mukaani."

Nyökkään.

Pidätte minua varmasti typeränä, mutta olin kuvitellut selättäneeni kaikki ongelmani ja viettäväni loppukesän täällä Nedin kanssa. Ehkä sydämeni olisi parantunut syksyyn mennessä. Ehkä minun ja Nedin välille olisi kehittynyt jonkinlainen suhde. Chris olisi tunnustanut kuolemattoman rakkautensa naisystävälleen, eikä minulla olisi ollut niin syyllinen olo kuin minulla on nyt.

Mutta eihän se niin mennyt. Elämä ei ole koskaan niin yksinkertaista.

"Hyvästi, Ned", sanon uudestaan. "Käy esittäytymässä Bill-veljelleni, jos hän joskus onnistuu tulemaan tänne. Tulisitte varmaan hyvin toimeen keskenänne."

"Pidä itsestäsi huolta, Jodie. Oli kiva tutustua."

"Jep." Käännyn ja lähden kävelemään rantaa pitkin. Kyynelet valuvat pitkin poskiani. Pyyhin ne pois kädelläni, ja pakotan itseni jatkamaan matkaa.

63

Luulen, että myös Ida on minulle vihainen. Mutta hän onkin vihainen kaikille ja ylipäätään koko maailmalle.

Kahvila on avannut juuri ovensa, eikä siellä ole muita asiakkaita, mikä on hyvä, sillä Ida on siivoamassa murron jälkiä. Hän lakaisee raivokkaasti lasinsirpaleita ja rikkoutuneita astianpalasia terassilta, kiroillen samalla puoliääneen.

Kun astun esiin rannalta, hän käännähtää ympäri. Huomatessaan, että tulija olen minä, hän rentoutuu hieman ja seisahtaa nojaamaan luutaansa.

"Paskiaiset", hän sanoo tervehdykseksi. "Katso nyt, minkä halvatun sotkun he ovat saaneet aikaiseksi. Jos saan heidät kiinni, hirtän heidät munistaan. Miten kukaan, joka asuu näin kauniissa paikassa, voi tehdä tällaista tuhoa?"

"Olen pahoillani, Ida. Tämä on hirveää. Voinko olla jotenkin avuksi?"

"Et. Selviän kyllä." Hän on kietonut tukkansa rennolle nutturalle, josta sojottaa ulos hiustöyhtöjä ja festareiden aikaisia koristenauhoja. Hän hieroo niskaansa. "Näen vieläkin punaista", hän myöntää. "Minun tekisi mieli motata jotakuta. Ja lujaa. Olen tehnyt niin kovasti töitä. En ansaitse tällaista."

"Et niin. Tämä on kamalaa."

"Meidän täytyi onkia eilen suurin osa tuoleista merestä.

Onneksi vuorovesi ei ollut vienyt niitä mennessään. Joku pikku paskiainen oli kirjoittanut isoin kirjaimin kahvilan seinään "KYRPÄ", mutta sain peitettyä sen eilen maalilla. Jos saan hänet kiinni, hän kyllä saa tosissaan munilleen."

"Sait näköjään ikkunan ja oven korjatuksi?" Niistä ei huomaa, että mitään olisi tapahtunut.

"Joo. Tiedän hyvän paikallisen firman. He kävivät täällä eilen. Tosin laskuttivatkin ihan reippaasti."

"Kattaako vakuutuksesi vahingot?"

"Luulisin", hän vastaa. "Nykyään ei kyllä voi olla ihan varma. He todennäköisesti kehottavat minua lisäämään turvatoimia. Valvontakameroita ja sen sellaista. Lisää kustannuksia."

"Ned sanoi, että hän piipahtaa täällä myöhemmin työkalupakin kanssa."

Ida vilkaisee minua terävästi. "Tapasitko hänet tänä aamuna?"

"Hän oli rannalla joogaamassa. Törmäsin häneen sattumalta."

"Ai." Ida jatkaa lakaisemista, mutta ei enää yhtä tarmokkaasti. "Oliko sinulla hauskaa festareilla?"

"Kyllä. Siellä oli tosi kivaa."

"Päädyitkö Nedin kanssa petiin?" hän kysyy suorasukaisemmin kuin mitä olisin halunnut. Sellaiseen kysymykseen ei ole helppo vastata, mutta olin kyllä osannut varautua siihen. Ehkä Ida arvasi jo lähtiessään, mitä minun ja Nedin välillä tapahtuisi.

"En haluaisi oikeastaan puhua siitä, Ida."

"Eli vastaus on kyllä." Hän kohauttaa olkiaan. "Näen milloin hänellä on se pilke silmäkulmassaan. Olen nähnyt sen jo *miljoona* kertaa. Juttu ei tule kestämään, mutta nauti nyt tästä kesästä."

En saa koskaan tietää, onko Ida oikeassa. Sen perusteella, mitä Nedistä tiedän, hän ei vaikuta sellaiselta elostelijalta kuin Ida antaa ymmärtää. Ehkä Ned oli nuorena erilainen, mutta olemmehan me kaikki hölmöilleet joskus.

"En jää saarelle pidemmäksi aikaa", selitän hänelle. "Olen palaamassa mantereelle. Tulin oikeastaan jättämään hyvästit."

Ida näyttää tyrmistyneeltä. "Miksi ihmeessä?"

"Mieluummin olisin puhumatta siitäkin. Se on monimutkainen juttu." Ida saa kyllä pian kuulla joltakulta – todennäköisesti Nediltä – että aviomieheni ilmestyi yllättäen paikalle. Ehkä he nauttivat keskenään pullollisen viiniä, tai enemmänkin, ja nauravat minun edesottamuksilleni. Toivottavasti eivät, mutta eihän sitä koskaan tiedä.

"Voi surkeus", hän päivittelee. "Luulin, että asettuisit tänne vakituisesti."

"Ilmeisesti en." Yritän hymyillä hänelle hieman. "Voisin ottaa vielä viimeisen kupposen teetä ennen lähtöäni, jos sinulla on tarvittavat..."

"Kyllä on. Kunnon kahvia en pysty tarjoamaan – ainoastaan pikakahvia. Ne kusipäät vohkivat huippuhienon koneeni."

"Tee sopii hyvin. Voinko hoitaa lakaisu-urakkasi loppuun sillä aikaa, kun olet keittämässä sitä?"

"Okei." Hän ojentaa minulle luutansa, ja jatkan siitä, mihin hän jäi. Ida katoaa kahvilaan. Lakaisen lasinsirpaleet ja kuppien palaset rikkalapiolle ja pudotan ne sitten mustaan jätesäkkiin.

Ida palaa muutaman minuutin kuluttua teetarjottimen kanssa, ja asetun lempipaikalleni muurin viereen. Katselen merta ja uppoudun maisemaan. Lahdelma näyttää aamun valossa kauniilta, ehkä hieman välimerelliseltä. Vuorovesi on palaamassa takaisin, ja aallot loiskahtelevat rauhallisesti kallioon.

"Ne tyypit rikkoivat suuren osan astioistani", Ida valittaa nyökäten kahvilan edessä oleviin jätesäkkeihin päin. "Mutta minulla on vielä tarpeeksi varastoa jäljellä, kunnes saan uusia."

"Vaikuttaako tämä bisneksiin?"

"Meidän täytyi pitää kahvila eilen kiinni, ja se kyllä verotti kassaa. Viikonloput ovat vilkkaimpia päiviä. Mutta eiköhän tästä selvitä."

"Mukava kuulla." Kaadan teetä kuppiini. "Kiitos, Ida. Haluaisitko istahtaa hetkeksi seuraani?"

"Kiitos, ei. En malta istua. Täällä on niin paljon tekemistä."

Ida tallustelee tiehensä, ja minä nostan kupin huulilleni, lämmitellen samalla kylmiä käsiäni. Kahvilaan saapuu uusi asiakas, ja Ida siirtyy palvelemaan häntä. Toivon, että Ned muuttaa mielensä ja ilmaantuu paikalle, mutta niin ei tapahdu.

Lopetellessani teetäni puhelimeni soi. Mietin, onko Chris herännyt ja huomannut minun lähteneen. Hän on varmaan huolissaan. Mutta näytöllä onkin Dellan nimi.

"Hei", sanon vastatessani puheluun.

"Jodie! Missä helvetissä sinä olet?"

"Edelleen Isle of Wightilla", kerron hänelle.

"Oletko palaamassa tänne lähiaikoina?"

"Kyllä", vastaan.

"No hip hurraa sille!"

Paluu Lontooseen saa minut surulliseksi, mutta Dellalla on taito saada minut hymyilemään.

"Voimme lähteä taas salille. Ja baareihin. Ehkä mieluummin baareihin kuin salille."

Pakotan itseni nauramaan. "Sovittu."

"Oletko tavannut Chrisiä?" hän kysyy, ja kuulen hänen äänessään jotain outoa.

"Kyllä olen, ja siinä meillä onkin vähän puitavaa yhdessä. Hän ilmestyi yhtäkkiä asuntolaivalle eilen illalla. Tietääkseni hän oli kuullut sinulta, missä minä olen."

"Tunnustan syyllisyyteni. Sinun on selvitettävä tämä juttu, Jodie. Ette voi jatkaa enää näin."

"Tiedän. Osa minusta haluaisi jäädä tänne ja vältellä asian käsittelyä ikuisesti, mutta tiedän, ettei se ole reilua. Tosin se, tulenko takaisin vai en, on enimmäkseen kiinni Chrisistä."

"Mitä hän sanoi?"

"Ei paljon mitään. Emme ole oikeastaan keskustelleet vielä mistään, mutta sain sen vaikutelman, että hän haluaisi minun palaavan kotiin."

"Sinun täytyy olla varma", Della sanoo. "Palasia on vaikea koota yhteen."

Mutta eikö niin pidä tehdä silloin kun on naimisissa? Pitäisikö minun yrittää vielä vai pitäisikö minun jäädä tänne ja lähettää Chris matkoihinsa? Jos rehellisiä ollaan, en tiedä, olenko tulossa vai menossa.

Kuulen Dellan selvittävän kurkkuaan. "No, menittekö te sänkyyn?"

"Nukuimme kyllä samassa sängyssä, mutta siinä kaikki. Jopa se tuntui oudolta. Siitä on pitkä aika, kun me olemme viimeksi olleet... sillä lailla... yhdessä, ja olemme etääntyneet toisistamme. En tiedä, tapaileeko hän vielä jotakuta. Hän sanoi, ettei hänellä ole ketään, mutta en tiedä, puhuuko hän totta."

"Olen varma, että sinä vain kuvittelet", Della sanoo. Hän tuntuu olevan vakuuttunut siitä, että tietää paremmin.

"En tiedä. Ehkä sinä olet oikeassa." Kertooko se, että uskon tämän Chrisistä, tunteistani häntä kohtaan? Ehkä hän on todellakin ollut töissä myöhään niin usein kuin väittää, ja olen vain kuvitellut kaiken?

En aio uskoutua Dellalle Nedin kanssa vietetystä yöstä. Della on paras ystäväni, mutta minun on kerrottava asiasta ensin Chrisille, jos aiomme paljastaa korttimme. Olen sen Chrisille velkaa. Enkä sitä paitsi halua muutenkaan levitellä sellaista asiaa ympäriinsä. Della olisi tietenkin shokissa, ja myöhemmin saisimme hyvät naurut asiasta, mutta en halua sellaista. Se, mitä minulla oli Nedin kanssa, oli jotain erityistä, enkä halua jakaa sitä kenenkään kanssa. En edes parhaan ystäväni.

"Nyt on parasta lopettaa", sanon hänelle. "Istun parhaillaan rantakahvilassa teekupillisella. Chris alkaa kohta ihmetellä, missä minä olen."

"Voi sinua onnellista", hän sanoo. "Ajattele samalla ystävääsi, joka joutuu kykkimään täällä sorvin ääressä. Ja pidä minut ajan tasalla. Haluan nähdä sinut heti, kun olet taas täällä. Minulla on sinua ikävä."

"Minullakin on sinua ikävä", sanon, ja sitten lopetamme puhelun.

Tässä sitä ollaan. Vaikuttaa siltä, että osa minusta jää tänne ja toinen osa on jo matkalla kotia kohti.

Vien kuppini sisälle kahvilaan, missä Ida rymistelee siivouspuuhissa, edelleen pahantuulisena.

"Saanko vielä kahvin mukaan, vien sen Georgelle. Pitäähän minun käydä hyvästelemässä myös suosikkipatsaani." Toivon, että hän on jo töissä.

"En tiedä, pitääkö hän pikakahvista", Ida nurisee. Mutta hän valmistaa annoksen ja ojentaa sen minulle.

"Taidankin tästä sitten lähteä", sanon maksettuani. "Oli hauska tutustua, Ida."

Hän nostaa kätensä lanteilleen. "Tässäkö tämä sitten oli?

Ilmestyt meidän elämäämme, saat Nedin rakastumaan itseesi, ja sitten vain häivyt tiehesi?"

"En ajatellut, että se menisi näin", myönnän. "Mutta tämän oli tarkoituskin olla vain tilapäinen ratkaisu, kunnes saan itseni taas kasaan."

"Ja nytkö se tavoite on saavutettu?"

"Ei", tunnustan nauraen. "Ja olen varma, että se mitä sanoit Nedin tunteista minua kohtaan, on liioittelua. Hän on vain ollut tosi ystävällinen minua kohtaan."

"Tunnen Nedin paremmin kuin sinä. Paljon paremmin. En haluaisi uskoa tätä itsekään, mutta luulen, että hän on rakastunut korviaan myöten. Tiedän, että sanoin hänen olevan naistenmies, ja hän olikin sitä joskus, mutta ei enää. Hän tulee olemaan murheen murtama, kun lähdet."

Huomaan, ettei Ida tiedä pienestä välikohtauksesta aviomieheni kanssa eikä siitä, millaisen pettymyksen tuotin Nedille. No, kaikki aikanaan. Hän kuulee siitä pian. En pysty kertomaan Idalle vilpillisyydestäni enkä siitä, että olen polttanut siltani Nedin kanssa, vaikka en ollut tarkoittanutkaan kenellekään mitään pahaa.

"Olen ollut mustasukkainen sinulle", Ida sanoo. "Sitä ei käy kieltäminen. Mutta en ole koskaan nähnyt Nedin silmien kirkastuvan sillä tavoin, kun hän katsoo minua."

Minun on vaikea kuunnella sitä kaikkea. Olen aiheuttanut jo tarpeeksi harmia, enkä halua enää pahentaa asioita.

Ida astuu ulos kahvilasta ja halaa minua. Hän tuoksuu patsuliöljyltä ja merenrannalta. Emme ehkä olleet maailman parhaat ystävykset, mutta olisimme voineet olla, ja tulen kaipaamaan häntä.

"Totuin jo siihen, että olet täällä. Tule takaisin, kun sinulla on lomaa", hän sanoo. "Pian."

”Tulen kyllä”, lupaan. Mutta jotenkin minusta tuntuu, että niin ei tule käymään.

64

Kävelen merenrantaa pitkin ja suren lähtöäni. Jään kaipaamaan loputtomiin yltävää taivasta, jalkojeni alla tuntuvaa hiekkaa, merilevän tuoksua, rauhallista elämänmenoa.

Lähestyessäni puistokatua näen Georgen seisovan jalustallaan kädet merta kohti ojennettuina. Hän ei todennäköisesti ansaitse juuri mitään tähän aikaan päivästä, mutta siinä hän on, kuten olin odottanutkin.

Hän hypähtää alas jalustaltaan minut nähdessään ja hymyilee leveästi, paljastaen valkoiset hampaansa pronssinväristen kasvojensa keskeltä. "Hei."

"Terve, George."

Hän pyörittelee olkapäitään. "Unohdan joskus, että olisi parempi ottaa asento, jossa ei tarvitse pitää käsiä ylhäällä."

"Voisit varmaan liikkua silloin, kun kukaan ei katso." Itse asiassa sillä hetkellä on liikkeellä aika paljon hölkkääjiä, kävelijöitä ja koiranulkoiluttajia, mutta en usko, että Georgen verryttely häiritsisi heitä.

"Ja rikkoisin elävien patsaiden sääntöä?" George vinoilee.

Nauran ja ojennan hänelle juoman. "Idan kahvilaan murtauduttiin viikonloppuna ja hänen hieno kahvikoneensa pihistettiin. Joten tämä on pikakahvia."

”Kiitos.” Hän nyrpistää nenäänsä maistaessaan kahvia, mutta juo sen kaikesta huolimatta. ”Onko hänellä kaikki hyvin?”

”Hän on lähinnä harmissaan”, kerron hänelle. ”Vahingot eivät olleet niin pahoja kuin olisi voinut luulla.”

”Pistäydyn siellä myöhemmin”, hän sanoo. ”Kun olen saanut tarpeekseni tästä paikasta ja käynyt pesulla. Katsotaan, voinko olla jotenkin avuksi.”

”Hän varmaan ilahtuisi siitä. Miten sinulla meni festareilla? Näytit olevan hyvin suosittu.”

”Siellä oli hyvä meininki”, hän myöntää. ”Pääsin taas kunnon patsasfiilikseen. Uudesta asusta oli apua. Tarvitsin pientä päivitystä.” Hän esittelee ylpeänä takkiaan. ”Viihdyitkö sinä siellä?”

”Juu”, vastaan. ”Kyllä vain.” Vähän liiankin hyvin, ajattelen. ”Anteeksi, että en etsinyt teitä käsiini myöhemmin, mutta päädyin illalla kivaan porukkaan ja aika hurahti huomaamatta.”

”Pääasia, että sinulla oli hauskaa.”

”Joo, siellä oli pari hienoa bändiä. Sitä paitsi minusta näytti siltä, että sinä ja Ned pärjäsitte hyvin ilman minuakin.” Hän iskee patsasmaisesti silmää.

”Oliko se niin ilmeistä?”

”Asiahan ei tietysti minulle kuuluu, mutta oletteko te siis nyt kimpassa?”

”Emme”, sanon surullisena. Pienen hetken ajattelin, että ehkä me olimme, mutta sitten mokasin jutun. Mutta en voi sanoa sitä ääneen. ”Tulin itse asiassa jättämään sinulle hyvästit. Olen lähdössä tänään kotiin.”

”Palaatko Lontooseen? Näin pian? Luulin, että olisit maisemissa ainakin kesän loppuun.”

”Niin minäkin, mutta tässä on nyt sattunut kaikenlaista.”

George näyttää niin alakuloiselta kuin vain patsaalle on mahdollista. ”Jään kaipaamaan juttutuokioitamme.”

”Samoin. Olen melkein saanut luettua sinun kirjasi loppuun. Pidin siitä todella. Toivottavasti kaikki menee hyvin.”

”En ole kuullut siitä mitään”, hän sanoo ja yrittää kohauttaa olkiaan välinpitämättömästi, onnistumatta siinä kuitenkaan. ”Mutta en ole vielä luopunut toivosta.”

”Älä luovukaan”, neuvon häntä. ”Kaikilla pitää olla jokin unelma.”

”Joskus unelmat toteutuvat, mutta joskus meidän täytyy muuttaa unelmiamme. Tiedän sen jo.”

Ja hän on oikeassa, tietenkin. Minunkin unelmani ovat, sellaisenaan, mahdottomia toteuttaa.

Miettiessäni sitä meitä lähestyy koiranulkoiluttaja, ja George jähmettyy liikkumattomaksi pidellen edelleen kahvikuppia kädessään. Minäkin otan asennon. Mies hymyilee meille ja heittää kolikon Georgen lippaaseen. Kun hän on mennyt, me molemmat nauramme.

”Siitä se ura urkenee sinullekin”, George sanoo.

”Minulla on jo työpaikka odottamassa.” Sekä aviomies ja veli. Istumme hetken aikaa yhdessä ja ihailemme maisemaa hiljaisuuden vallitessa. Nautin taivaan suunnattomasta, päättymättömästä sinestä ja ihmettelen, kuinka pärjään Lontoossa, kun näen siitä vain pieniä vilahduksia. Kauempana merellä pomppii pieniä veneitä. Muutama karaistunut uimari uskaltautuu aaltoihin. Vesi on jääkylmää, mutta kadehdin heitä silti.

Sitten nousen seisomaan ja yritän halata Georgea, mutta hänen asunsa vuoksi en pysty oikeasti menemään hänen lähelleen, ja tilanne on hieman kiusallinen. Päädymme vain kättelemään toisiamme.

”Nähdään joskus”, sanon.

Hän nousee jalustalleen. ”Toivottavasti.”

Lähden kävelemään viimeistä kertaa kohti Cockleshell Bayn lahtea. Kun käännyn ympäri, George katselee minua, käsi pysähtyneenä vilkutusasentoon. Vilkutan hänelle takaisin ja lisään vauhtiani tuulen alkaessa kirveltää silmiäni.

65

Saavuttuani takaisin *Päivänpaisteeseen* Marilyn viuhtoo ympäriinsä mopin kanssa. Se on hänen suosikkipuuhaansa.

”Hei, Marilyn.”

”Missä sinä olet ollut?” hän kysyy painaen rintaansa. ”Kun tulin tänne tänä aamuna, miehesi seisoi edessäni pelkissä alushousuissaan. Sain melkein sydänkohtauksen!”

”Anteeksi, minun olisi pitänyt ilmoittaa siitä sinulle.” Vaikka voin kuvitella, että Chris oli yhtä lailla ihmeissään, kun laivaan astuu aamunkoitteessa muodokas, kullalle kimaltelevaan housupukuun pukeutunut Marilyn Monroen kaksoisolento, ympärillään pilvi *Joie de Vivre* -parfyymia ja yleispuhdistusaineen tuoksua.

”Mutta ehdit silti näkemään tarpeeksi?”

”Taatusti!” hän nauraa.

”Ilmeisesti Chris esitteli itsensä?”

”Siinä vaiheessa, kun me kumpikin olimme toipuneet järkytyksestämme.” Marilyn madaltaa ääntään. ”Hän ei ole hullumman näköinen.”

En muistuta Marilyniä siitä, että ulkonäkö saattaa pettää. ”Hän ilmestyi tänne eilen illalla aivan odottamatta.”

”Ai”, hän sanoo. ”Se oli varmaan iloinen yllätys.”

Se oli kyllä yllätys, sitä ei käy kieltäminen. Mutta en ole vielä päättänyt, oliko se *iloinen.*

”Hän on varmaan kaivannut sinua. Tiedäthän sanonnan ’etäisyys kaunistaa’?”

”Kyllä.” Voihan sen varmaan niinkin sanoa, vaikka useimmat sanovat ”etäisyys yhdistää”.

”Mutta kulta, missä sinä oikein olit?” hän jatkaa. ”Olimme hirveän huolissamme. Lähetin tekstiviestin.”

Se ilmestyy hänen puhuessaan, ja nostan puhelimen ilmaan, jotta hän näkee, että sain viestin vasta sillä hetkellä. Hänen viestinsä saavat minut aina hymyilemään. Tällä kertaa perässä seuraavat possu, ilmapallo, samppanjapullo ja puudeli.

”Kävin kahvilassa tapaamassa Idaa. Sinne murtauduttiin viikonloppuna, ja hänen täytyi lähteä festareilta ennen aikojaan. Vahingot olivat melkoiset, joten menin katsomaan, voisinko olla jotenkin avuksi.”

”Voi ressukkaa! Eihän hänelle käynyt kuinkaan?”

”Ei, hän oli meidän kanssamme festareilla, kun se tapahtui. Pahinta on se sotku ja että kahvikone on pihistetty.”

”Pistäydyn siellä myöhemmin katsomassa, olisiko minusta apua.”

”Hän varmasti arvostaisi sitä. Hän oli todella allapäin tänään. Minusta oli hirveää, että hänen täytyi lähteä festareilta sillä tavalla kesken kaiken.”

Marilyn kohottaa kulmiaan. ”Hän siis jätti sinut ja Nedin sinne? Kaksistaan?”

Tunnen punastuvani ja nyökkään sanomatta mitään. Marilyn vilkaisee alakertaan päin varmistaakseen, ettei Chris ole kuulolla.

”Olet viihtynyt hyvin Nedin seurassa”, hän toteaa. ”Ehkä vähän liiankin hyvin?”

Onneksi Marilyn on laskenut normaalia äänenvoimakkuuttaan ja puhuu vain puoliääneen, ja niin teen minäkin. "Kyllä."

Olen varma, että hän arvaa meidän viettäneen yön yhdessä, ja jos Marilyn näkee niin helposti lävitseni, silloin Chriskin melko varmasti näkee. Ehkä Chris on valmis unohtamaan ja antamaan anteeksi, ja minun pitää tehdä samoin, jos haluamme pelastaa suhteemme.

"Tietääkö Ned hänestä?" Marilyn nyökkää siihen suuntaan, missä Chris oletettavasti on.

"Tietää. Hän on suuttunut minulle. Kaikki alkaa olla hieman liian monimutkaista. Siksi minun onkin järkevintä lähteä kotiin."

Marilyn katsoo minua kauhistuneena. "Oletko lähdössä?"

"Minun on pakko. Olen viihtynyt täällä erinomaisesti, mutta en voi piileskellä loputtomiin. Kuten olet sanonut, elämä jatkuu. Minulla on läheisiä, jotka luottavat minuun. Minulla on työni, ja minun täytyy kohdata vaikeudet silmätysten."

"Ei silmätysten", Marilyn ohjeistaa. "Kävele niiden vierellä hetki, ja kokeile, miltä se tuntuu. Älä anna vaikeuksien päästä voitolle. Se on ratkaisu ongelmiin."

"Kuulostaa oikein järkevältä." Katson Marilyniä ja hymyilen surullisena. "Minulle tulee ikävä sinua, olet varsinainen tietäjänainen."

"Voi kulta, minullekin tulee ikävä sinua. Kuka sinusta sitten huolehtii, kun olet kotona?"

"Kyllä minä pärjään", lupaan hänelle. "Pidän huolta, että ruokakaappini on ylitsevuotavainen."

"Tekstaan sinulle joka päivä varmistaakseni asian." Sitten hän kysyy: "Oletko nähnyt Nediä tänään?"

"Kyllä, rannalla." Sydäntäni puristaa, kun lisään: "Jätin hänelle hyvästit."

”Mitä hän sanoi?”

”Ei paljon mitään.” Mitä hän voisi sanoa? Olen naimisissa. Minulla on toinen elämäni.

Marilyn puhuu nyt kuiskaten. ”Rakastatko sinä häntä?”

”En tiedä, Marilyn. En tiedä mistään yhtään mitään.”

”Sitten sinun ei pidä tehdä hätiköityjä päätöksiä. Ehkä saat selvitettyä asiasi miehesi kanssa. Kyllä kamelikin pääsee eroon pilkuistaan.”

”Se on kyllä leopardi, joka *ei* mahda mitään pilkuilleen.”

”Ihan sama”, Marilyn vastaa. ”Tiedät kyllä, mitä tarkoitan.”

Ja mikä ihaninta, niin minä tiedänkin. Vaikka hän onnistuu aina sekoamaan sanoissaan, tiedän tarkalleen, mitä hän tarkoittaa. Olen oppinut pitämään tästä hyväsydämisestä naisesta. Kun saavuin tänne, olin lohduton, yksinäinen ja epätoivon partaalla. En ehkä ole vieläkään löytänyt henkistä tasapainoani, mutta Marilyn on saanut ihmeitä aikaan, ja tulen kaipaamaan häntä hirvittävästi.

”Sinusta on ollut niin paljon apua”, sanon, ”vaikka aluksi ajattelin, etten tarvitse sitä.”

”Kerro lisää.” Marilyn pyyhkäisee kyynelen silmäkulmastaan. ”Vaikka alan vollottaa, eikä minulla ole edes vedenkestävää ripsiväriä.”

”Olet ollut minulle niin hyvä ystävä.” Menen hänen luokseen ja halaan häntä lujasti. Olisin halunnut olla sellainen äiti kuin Marilyn – tosin ehkä vaatemakuni olisi ollut hieman vähemmän värikäs. ”Lupaathan tulla tapaamaan minua Lontooseen.”

”Ei, ei”, hän sanoo. ”Vihaan mannermaata, erityisesti Lontoota. Se ei sovi minun virtaani. Mutta sen sijaan sinun pitää luvata tulla takaisin tänne.”

Chris ilmestyy portaiden yläpäähän. Marilynin ilme venähtää. Luulen tosissani, että hän on pettynyt, koska Chris on nyt täysissä pukeissa.

"Tulla takaisin?" Chris kysyy kuultuaan keskustelumme viimeiset sanat.

Irrottaudun Marilynin syleilystä ja käännyn Chrisin puoleen. "Meidän täytyy lähteä kotiin."

Hän näyttää yllättyneeltä. "Nyt hetikö?"

"Kyllä. Täytyy takoa, kun imuri on kuuma."

Näen syrjäsilmällä Marilynin iskevän minulle silmää. Oppi on mennyt perille.

66

Pakkaan tavaroitani samalla kun Marilyn siivoaa *Päivänpaisteen* läpikotaisin. Hän työskentelee hyvin päättäväisin ottein, ja kun hän on minuun selin, kuulen hänen suunnastaan silloin tällöin niiskauksen tai tukahdutetun nyyhkäyksen.

Minulla ei ole paljoa vaatteita, mutta silti niiden laskostelu ja asettelu laukkuihin tuntuu vievän kohtuuttomasti aikaa. Minusta tuntuu kuin olisin saapunut tänne vastikään, ja aikaisemmasta uhostani huolimatta en koe olevani vielä valmis lähtemään. Chris tuntuu olevan jo menopäällä.

”Vauhtia nyt, Jodie”, hän patistelee. ”Jos pidät kiirettä, ehdimme lounasajan lautalle. Vältymme toisessa päässä ruuhkilta. Muutoin Lontooseen saapuminen on yhtä helvettiä.”

Taivaasta suoraan helvettiin, ajattelen.

Katselen ikkunasta näkyvää satamaa. Cockleshell Bay näyttää tänään erityisen kutsuvalta. Meri kimmeltää, pilvet ovat ihanan valkoista pumpulia ja naurulokit kaartelevat kirkuen taivaalla. Ajatus kaupunkiin lähdöstä ei ole tuntunut koskaan yhtä vastenmieliseltä. Chris näyttää malttamattomalta. Jos viipyisimme täällä ihan vähän pitempään, voisin ehkä esitellä hänelle hieman saarta, tai voisimme käydä tutustumassa niihin osiin, joita en ole vielä nähnyt. En ole itsekään perehtynyt saareen pintaa syvemmältä. Mutta hän ei vaikuta kiinnostuneelta. Hän haluaa vain saada minut täältä pois niin pian kuin mahdollista. Ehkä niin on parasta. En kestäisi, jos törmäisin vielä Nediin.

Vedän alakerrassa syvään henkeä, ennen kuin alan käsitellä muistoja saarelta. Pakkaan laukkuun vaatteeni, jopa Marilyniltä saamani kimaltelevat leggingsit. Jätän laivaan vain hiekkakoristeen, jonka Ned teki minulle, sekä räikeänvärisen nallekarhun, jonka hän voitti ollessamme Needlesissä. Haluaisin ottaa ne mukaani, mutta en voi. Miten pystyisin selittämään Chrisille, miksi olen niin kiintynyt niihin? Niinpä luon niihin vielä viimeisen hellän katseen, kätken ne sitten vaatekaapin perukoille ja suljen oven.

Kun laukkuni on pakattu enkä voi viivytellä enää pitempään, halaan Marilyniä vielä uudestaan, ja me kumpikin vuodatamme pari kyyneltä. Olemme vielä sylikkäin, kun Chris kantaa laukut ulos ja menee hakemaan autoa, joka on pysäköity kauemmas tien varteen.

”Toivottavasti kaikki järjestyy, kulta”, Marilyn sanoo niiskaisten itkuisena.

”Kiitos, Marilyn. Olet ollut ihana. En olisi voinut saada tänne ketään parempaa.”

”Älähän nyt. Ilo on ollut minun puolellani. Sinä tarvitset jonkun, joka pitää sinusta huolta. Sinun pitää olla kiltti myös itsellesi.”

”Yritän muistaa.” Puristan häntä itseäni vasten. ”Menen nyt, muuten lähteminen käy liian vaikeaksi.”

Siirrymme ovelle yhdessä, ja kun astun ulos, huomaan että toista laakeripuuta vasten on nojallaan äitiä ja vauvaa esittävä veistos, jota olin pyytänyt Nediltä. Se on niin kaunis, että minua alkaa taas itkettää. Kun nostan sen ylös, se tuntuu sopivan syliini täydellisesti. Puun paino ja lämpö tuntuvat lohduttavalta kehoani vasten.

Ned on hionut veistoksen ihanan sileäksi. En osaa sanoa, mitä puuta se on, mutta Ned on todennäköisesti myös öljynnyt sen, sillä sen väri on vahva ja syvä.

"Mikä se on?" Marilyn kysyy.

"Sain tämän Nediltä." Vilkaisen *Merituuleen* päin, mutta siellä ei näytä olevan mitään liikettä, ja Nedin auto on poissa. "Näin, kun hän alkoi työstää tätä festivaaleilla, ja sanoin pitäväni tästä."

"Se on kaunis", Marilyn sanoo silittäen vauvan päätä. "Mukava muisto sinulle."

Olen niin liikuttunut, etten saa sanotuksi sanaakaan, joten nyökkään vain ja painan veistosta rintaani vasten.

Chris odottaa autossa, ja käännyn Marilyniin päin, pystymättä peittämään suruani.

"Näkemiin", Marilyn sanoo ja alkaa taas itkeä.

"Voi, älä", sanon nyyhkäisten. "En kestä tätä."

Chris tööttää auton torvea.

"Täytyy mennä." Asetun etupenkille pidellen yhä veistosta sylissäni.

Chris tuijottaa sitä. "Mikä ihme tuo on?"

"Naapurini on kuvanveistäjä. Hän teki tämän minulle."

Chrisin ilme kiristyy. "Kerroitko hänelle vauvasta?"

"En. Näin kun hän oli veistämässä tätä, ja kysyin, voisinko ostaa tämän häneltä." En kerro, että Ned näyttää jättäneen sen minulle lahjaksi. "Pidän siitä. Sinäkö siis et?"

Mieheni kohauttaa olkiaan. "Jos se tekee sinut iloiseksi." Minusta hän ei kuitenkaan näytä ajattelevan niin. "Valmiina lähtöön?"

"Kyllä." Ajaessamme pois vilkaisen vielä kaunista satamanäkymää ja *Päivänpaistetta*, jossa olin viihtynyt niin hyvin.

Marilyn heiluttaa kättään tarmokkaasti, ja vilkutan hänelle takaisin.

Kun Chris ja minä lähdemme ajamaan sisämaahan päin, emme sano mitään, mutta hän asettaa kätensä polvelleni. Se on raskas ja painostava, ja tunnen hänen kämmenensä hikisen kuumuuden farkkujeni läpi, mutta koen, etten voi sysätä kättä poiskaan. Ajamme Isle Of Wightin vihreiden, kauniiden maisemien läpi kohti lauttaterminaalia.

”Menetteleehän tämä”, on Chrisin tuomio. ”Vähän pikkusievää.”

”Olet nähnyt tuskin mitään saaresta. Aika tyly arvio.”

”Liikuitko täällä paljonkin?”

”Jonkin verran.” Mietin niitä päiviä, kun Ned vei minut metsässä sijaitsevaan piilopaikkaansa ja Needlesiin, ja kuinka hauskaa meillä oli. On sääli, etten päässyt näkemään saarta enemmän. ”Mutta haluaisin nähdä lisää jonakin päivänä.”

”Minä matkustaisin mieluummin Balille”, Chris ilmoittaa.

67

Loppumatka sujuu hiljaisuuden vallitessa, ja onneksi saavummekin pian Cowesin satamaan. Chris liittyy autojonoon, jossa odotetaan mantereelle vievälle lautalle pääsyä. Sydämeni on raskas. En halua jäädä tänne, mutta en halua lähteä poiskaan. Kertokaa, miten selviän siitä ongelmasta.

Odotellessamme Chris ja minä yritämme viritellä keskustelua, mutta kaikki yritykset epäonnistuvat. Luovutamme, ja me kumpikin etsimme turvaa puhelimistamme. Tarkistan Billiltä saapuneet työsähköpostit, ja Chris keskittyy kirjoittamaan tekstiviestejä. Onneksi pääsemme pian lautalle.

”Etkö aio laskea tuota käsistäsi?” Chris kysyy.

Veistos on ollut koko ajan sylissäni ja tuonut minulle lohtua. Jätän sen vastentahtoisesti kuljettajan viereiselle penkille. Nousemme autosta.

Chris venyttelee niin kuin olisimme tehneet jonkin mammuttimatkan. ”Maistuisiko lounas?”

”Ei kiitos.” Olin sortunut aiemmin lautan sämpylöihin, jotka eivät olleet lunastaneet odotuksia. ”Olisin lähtöhetkellä mieluummin täällä ulkona, jos sinua ei haittaa.”

”Okei. Tänään onkin kaunis päivä. Jää sinä ulos, niin minä käyn hakemassa meille kahvit.”

Siirryn siis lautan takaosaan, ja seisoessani kannella koen

jonkinlaisen déjà vu -ilmiön. Lautan lähdettyä matkaan rannan veneet, tyylikkäät asunnot ja hienot ravintolat näkyvät yhä pienempinä. Kun jätämme sataman ja suunnistamme kohti Solentinsalmea, Isle of Wight katoaa vähitellen näkyvistä. Olen aivan turta, vaikka minun pitäisi kai olla onnellinen.

Tulen kaipaamaan Marilyniä, Nediä, Georgea ja jopa Idaa. Mutta varsinkin Nediä. En kestä ajatella häntä, mutta silti muistan koko ajan, miltä hän näytti yhteisenä yönämme. Otan esille puhelimeni ja katson kuvaa, jossa olemme rannalla itse rakentamamme hiekkalinnan edessä. Me molemmat virnistämme kohti kameraa – minä hieman päihtyneen näköisenä. Minun pitäisi poistaa kuva, sillä sen säilyttämisestä ei seuraa mitään hyvää. Se vain muistuttaa minua menneestä, vaikka yritän tehdä parhaani unohtaakseni kaiken. Mutta sormeni ei suostu painamaan nappulaa.

Sää on muuttunut yhtäkkiä huonommaksi. Ylittäessämme ulappaa pilvet roikkuvat raskaina ja matalalla. Kimalteleva, turkoosi meri on muuttunut likaisenharmaaksi ja rauhattomaksi. Veteen putoilee suuria pisaroita kuin kyynelinä taivaalta. Lautta kyntää eteenpäin kaikesta huolimatta. Tuijotan aaltoja mitään näkemättömin silmin, piittaamatta lainkaan siitä, että kastun. Vastaan tulee toinen lautta, joka on menossa saarelle päin, ja koko olemukseni huutaa minua jäämään. Lautta tulee aivan lähelle, niin lähelle, että voisin melkein hypätä sen kyytiin ja palata takaisin. Pidätän hengitystäni pitkään ja mietin, voisinko todella tehdä niin. Mutta tietenkin jään paikoilleni.

Hetken päästä, kun Cowesin talot ja veneet erottuvat enää pieninä pisteinä horisontissa, Chris liittyy seuraani kaiteen vierelle.

”Voi luoja, mikä jono”, hän valittaa ojentaessaan minulle kahvin.

”Kiitos.” Kahvi on haaleaa ja kitkerää. Yritän hymyillä, siinä onnistumatta.

”Olet läpimärkä. Satoiko täällä?”

En ollut huomannut, että sade oli lakannut yhtä nopeasti kuin oli alkanutkin.

Chris kietoo käsivartensa vyötärölleni ja vetää minut lähelleen. Teen parhaani, etten jäykistyisi hänen sylissään.

”Yritä nyt piristyä”, hän sanoo. ”Kaikki muuttuu paremmaksi, kun saan taas sinut kotiin.”

Mutta muuttuuko mikään? En osaa sanoa. Voin vain toivoa, että Chris on oikeassa.

68

Palatessamme Lontooseen liikenne on yhtä helvettiä, ja kaupunki näyttää likaiselta ja täyteen ahdetulta. Kun pysäköimme automme korttelin päähän asunnostamme, olemme kumpikin aivan puhki – parkkipaikan etsimiseen oli mennyt kymmenen minuuttia.

”En ymmärrä, miksi me asumme täällä”, sanon.

”Koska me rakastamme Lontoota”, Chris julistaa. ”Emme pystyisi asumaan missään muualla.”

En ole siitä ihan varma. Ehdin jo tottua sataman kimmeltävään veteen, pehmeän pastellinsävyisiin auringonnousuihin, upeisiin, kirkkaisiin auringonlaskuihin sekä aamuihin, jolloin saan herätä merilintujen ääniin. Siihen verrattuna Lontoo näyttää niin mitäänsanomattomalta, niin mustavalkoiselta.

”Mentäisiinkö illalla meidän lempiravintolaamme?” Chris ehdottaa. ”Pitäisit siitä.”

”Kuulostaa hyvältä.” Minun täytyy ainakin yrittää, muuten romahdan taas.

Raahaamme laukkumme asunnollemme. Nedin veistos on edelleen tukevasti kainalossani. Chris avaa alaoven ja työntää sen jalallaan auki. Kotimme sijaitsee kauniissa edvardiaanisessa rakennuksessa, joka on jaettu neljäksi pienemmäksi asunnoksi. Asumme ylimmässä kerroksessa, ja ikkunastamme aukeaa näkymä yli kattojen ja savupiippujen. Meillä on myös pieni, korkean muurin ympäröimä piha, mutta käymme siellä harvoin, sillä emme tunne naapureitamme ja olisi kiusallista, jos törmäisimme heihin. Vaikka piha on meidän, tuntuu tungettelevalta mennä sinne samaan aikaan, kun siellä on muita. Me kaikki maksamme sen hoidosta puutarhurille, joka näyttää tekevän hyvää työtä – olen huomannut sen niinä harvoina kertoina, kun olen uskaltautunut pihallemme.

Kiipeämme portaita pitkin kotiovellemme, jonka Chris avaa. "Oma koti kullan kallis", hän sanoo.

Astun hänen perässään sisälle. Ensimmäiseksi huomioni kiinnittyy asunnon hajuttomuuteen. Kotini ei tuoksu oikein miltään. En tunne raikasta meri-ilman tuoksua tai laskuveden jälkeensä jättämän merilevän hapanta hajua. Minun täytyy hankkia tänne tuoksutikkuja tai jotain vastaavaa. Merenrannan aromia.

"Haluatko teetä?" Chris kysyy ja pudottaa laukut lattialle. Hän seisoo jo Quooker-vesihanan vierellä.

"Kyllä, kiitos!"

Olohuoneemme on suuri ja avara, ja sen katto on korkealla. Vaikka talo on ulkopuolelta yhä sievän perinteikäs, sisäpuoli on aivan toista maata. Toinen toistaan seuraavat piittaamattomat remontoijat ovat onnistuneet jo ajat sitten hävittämään kaikki merkit edvardiaanisesta tyylistä. Kodissamme on uusi, kiiltävä tammiparketti ja valkoiset seinät. Olohuoneessa seisoo valtava harmaa kulmasohva. Taideteoksemme ovat pieniä ja abstrakteja, ja suurin osa tauluista on nojallaan seinää vasten, jotta voin siirrellä niitä mieleni mukaan. Ikkunoiden edessä on valkoiset sälekaihtimet, jotka peittävät katunäkymän sekä siirtolavan, joka on jatkuvien remonttien takia asettunut pysyvästi kadun varteen. Vastapäinen naapurimme vaikuttaa laajentavan taloaan niin ylöspäin, alaspäin kun sivusuuntaankin. Astun erkkeri-ikkunan luokse ja asetan Nedin kauniin veistoksen asunnon kunniapaikalle.

Tuijotan ulos ja katselen ajoneuvoja, jotka puikkelehtivat kaksoispysäköityjen autojen lomassa. Valkoista pakettiautoa ajava mies pudistaa nyrkkiään kulkuneuvolle, joka etenee hänen mielestään liian hitaasti. Tuntuu oudolta olla taas omassa silotellun tyylikkäässä kodissa, jonka äänimaailmasta puuttuvat aaltojen loiske ja merilintujen haikeat huudot. Kuulen vain jatkuvan liikenteen jylyn ja poliisiautojen sireenien läpitunkevan ujelluksen.

Katson veistosta, joka on nyt asettunut uuteen kotiinsa. Minusta tuntuu, että se yhdistää minut sekä vauvaan että Nediin, ja luulen, että säilytän sitä aarteenani koko loppuelämäni. Mietin, missä Ned on nyt ja mahtaako hän ajatella minua yhtä paljon kuin minä häntä.

Chris saa minut havahtumaan päiväunelmistani tuomalla minulle teekupin, jonka otan kiitollisena vastaan.

"Kiitos."

"Aiotko laittaa veistoksen siihen?"

"Kyllä", vastaan. "Toistaiseksi." Luulen kuitenkin, että tästä tulee sen pysyvä sijoituspaikka.

Chris hymyilee minulle epävarmana. "Minun olisi varmaan pitänyt mainita tästä aikaisemmin." Hän vetää syvään henkeä. "Mutta sinun on ehkä hyvä tietää, että tyhjensin vauvan huoneen."

"Ai." Uutinen saa minut voimaan pahoin.

"Ajattelin, että niin on parempi", hän kiirehtii selittämään. "Liikaa muistoja. Laitoin tavarat varastoon. Sen varalta, että..."

Että me tarvitsisimme niitä uudelleen? En usko, että niin tulee käymään.

”Käyn katsomassa.”

Chris nostaa kätensä olkapäälleni. ”Onkohan se ihan viisasta?”

”En voi lykätä sitä loputtomiin.” Kävelen eteisen poikki tyhjäksi jääneeseen lastenhuoneeseen Chris kannoillani.

Pinnasänky on poissa. Se, jonka etsimiseen uhrasimme niin paljon aikaa ja valtavan summan rahaa, sillä halusimme, että sen viimeistelyyn olisi käytetty myrkytöntä maalia. Aivan älytöntä, koska samaan aikaan asumme yhdessä maailman saastuneimmista kaupungeista. Pystymmekö Chris ja minä enää koskaan yrittämään uutta lasta? Tällä hetkellä ajatus tuntuu erittäin kaukaiselta.

Haluaisin olla huoneessa hetken yksin, mutta Chris kietoo kätensä ympärilleni. ”Mehän voisimme maalata huoneen uudestaan. Jos haluat. Vai jätämmekö sen mieluummin tällaiseksi?”

Huone on yhä hennonkeltainen ja vaaleanharmaa. Valitsimme värit niin harkiten ja niin toivoa täynnä.

”Sano nyt jotakin”, Chris patistelee.

”Tämä on ihan hyvä näin.” Ennen kuin tilasta tuli lastenhuone, se oli meidän yleinen varastomme. Ehkä se palautuu entiseen käyttöönsä.

Chris syleilee minua. Lujemmin kuin mitä oikeastaan haluaisin. ”Olet nyt kotona *minun* kanssani. Meistä tulee vielä onnellisia, Jodie. Siihen menee ehkä jonkin aikaa, mutta lupaan, että korjaan kaiken entiselleen.”

Nojaan hänen rintaansa vasten ja yritän rentoutua. Hetken päästä kykenenkin rauhoittumaan hieman, ja Chris tuntuu mukavan lämpimältä.

”Ota minut takaisin elämääsi”, Chris kuiskaa.

”Teen parhaani.” Puristan hänen käsiään.

Minun täytyy ainakin yrittää. Menimme naimisiin kohdataksemme niin myötä- kuin vastoinkäymiset. Mutta ongelma on siinä, että ikinä ei voi aavistaa, kuinka pahoja vastoinkäymiset voivat olla. Enkä pysty kuvittelemaan mitään pahempaa kuin lapsen kuolema. Vaikka lapsi viipyikin luonamme vai pienen, ohimenevän hetken.

69

Chris on varannut pöydän Night Owl -ravintolasta. Se on meidän suosikkipaikkamme, ja käymme siellä eri juhlapäivinä – syntymäpäivinä, häiden vuosipäivinä ja myös ilman mitään erityistä syytä. Se on hirvittävän kallis, mutta hintansa väärti, sillä ruoka on loistavaa ja tunnelma erinomainen.

Istun kampauspöydän ääressä ja katson peilikuvaani. Näytän mielestäni paremmalta kuin lähtiessäni. Ihoni ei ole enää pullataikinan värinen, ja luulen, että poskillani on muutama pisama. Marilynin ruokatankkauksen ansiosta olen taatusti lihonut. Jokainen ravintolailtaa varten sovittamani vaatekappale tuntui tiukalta. Valitsemieni mustien housujen vyötärönauha uppoaa vatsani ihoon. Marilynin ajatteleminen saa minut lähettämään hänelle tekstiviestin, jossa kerron meidän saapuneen turvallisesti perille ja kiitän häntä vielä kerran kaikesta siitä, mitä hän teki puolestani. Saan häneltä takaisin tavanomaisen emojiryppään: bikinit, dinosauruksen, taksin, lampaan, cocktaillasin ja flamencotanssijan. Minua alkaa hymyilyttää. Kaipaan häntä jo nyt.

Sitten tekstaan Billille kertoakseni, että olen palannut kotiin ja olisin huomenna toimistolla, mutten saa häneltä vastausta. Oletan, että hän on ulkona, todennäköisesti viihdyttämässä asiakkaitaan, ja sulkenut puhelimensa.

"Nyt pitäisi jo lähteä, Jodie", Chris hoputtaa olohuoneesta. "Pöytä on varattu kahdeksaksi, ja se annetaan muille, jos olemme myöhässä."

Vihki- ja kihlasormukseni ovat hiusharjan vieressä olevassa kupissa. Sujautan ne takaisin sormeeni ja silmäilen niitä hetken. Olimme niin toiveikkaita, meillä oli niin suuret odotukset, kun ryhdyimme tähän. Ja myönnettäköön, meidän kummankin elämä oli ollut hyvin siloteltua. Kaikki oli rullannut sujuvasti ja vaivattomasti, kaikki oli napsahtanut aina kohdalleen. Kunnes päätimme hankkia lapsen. Kuka olisi voinut arvata, että maailman luonnollisin asia olisikin meidän kohdallamme kaikista vaikein ja henkisesti raskain?

"Jodie!"

Vedän takin ylleni – ikävä kyllä se ei ole minun pirteä, keltainen toppatakkini – nappaan mukaan käsilaukkuni ja liityn Chrisin seuraan. Hän hermoilee jo ulko-ovella.. "Meillä alkaa olla jo kiire."

Chris hoputtaa minua ulos rakennuksesta, ja kävelemme kohti pääkadun vilskettä ja vilinää. Pakokaasujen haju saa minut lievästi pahoinvoivaksi. Chris ottaa minua kädestä kiinni, mikä saattaa olla romanttinen ele, tai sitten hän haluaa vain varmistaa, että kävelen yhtä nopeasti kuin hänkin.

Varttitunnin päästä laskeudumme portaita pitkin Night Owl -ravintolaan. Paikassa on rento ja hienostunut tunnelma, mistä saa – kuten jo kerroin – maksaakin aika reippaasti. Sisustus on vintagetyyliä ja hyvällä maulla suunniteltu, ja harmittelen, ettei se ole meidän yrityksemme käsialaa. En tiedä, kuinka onnistuimme menettämään tämän keikan, mutta niin vain pääsi käymään. Pöydät kylpevät kynttilänvalossa. Ravintolassa tarjoillaan houkuttelevia cocktaileja, siellä on tavallisesti elävää musiikkia, rentoa jatsia tai jotain vastaavaa, ja ilmapiiri on aina hieman paheellinen – siinä on ripaus 1920-luvun Berliiniä tai Lontoota. Chris tilaa Negroni-cocktailin.

”Otan saman, kiitos.”

Kun tarjoilija poistuu, mieheni kysyy: ”Oletko alkanut taas juomaan?”

”Kyllä. Ajattelin, että mikäpä minua estää.”

Chris nojautuu lähemmäs. ”Lääkäri sanoi, ettei meissä kummassakaan ole mitään vikaa. Ei varsinaisesti. Eikä vauvassakaan ollut. Se oli vain sellainen sattuman sanelema juttu.”

”*Sattuman sanelema juttu*?”

”Tiedät kyllä, mitä tarkoitan”. Chris huokaisee. ”Älä takerru nyt mihinkään vääriin sanamuotoihin. Yritän olla positiivinen. Lääkäri sanoi, että voisimme yrittää uudestaan muutaman kuukauden päästä. Jos se on sitä, mitä haluat.”

”Ei”, minä sanon. ”Ei ole.”

”Mikään ei estä meitä. Teen mitä tahansa, jotta sinä olisit onnellinen.”

Chris ei ymmärrä, että meidän tilanteemme tietäen voisimme päätyä taas kammottavaan hedelmöityshoitokierteeseen. Kyse ei ole pelkästään siitä, että ajautuisin taas hänen syliinsä. Hän tuntuu unohtaneen, mitä kaikkea lapsen hankkiminen piti sisällään – mitä me molemmat jouduimme tekemään, ennen kuin tulin viimein raskaaksi.

”Tässä ei ole kyse pelkästään sinusta”, hän sanoo hieman kärkevästi. ”Kyllähän me molemmat halusimme vauvan.”

Otan siemauksen juomastani ennen kuin sanon: ”Haluaisin antaa lapsellemme kunnollisen nimen, ettei meidän tarvitse puhua vain pelkästä ’vauvasta’.”

”No mikä se voisi olla?” Chris levittelee käsiään. ”Emme päässeet koskaan yksimielisyyteen siitä.”

"Minusta Charlotte on edelleen hyvä."

"Lottie", hän sanoo. "Sovitaan nimeksi Lottie."

"Lottie", myötäilen häntä, ja sydämeni tuntuu heti hieman keveämmältä. Minun lapsellani, minun rakkaalla lapsellani, joka otettiin minulta pois, on nyt nimi. Ette tiedä, kuinka paljon parempi olo minulle siitä tulee. Hän on oma persoonansa: Lottie Jackson, oikea henkilö.

"Tekeekö se sinut onnelliseksi?"

"Kyllä tekee." Nimi saattaa olla Chrisille vain pieni, vähäpätöinen seikka, mutta minulle se merkitsee suunnattoman paljon. Hymyilen hänelle pöydän poikki ja sanon: "Kiitos."

Hän puristaa kättäni ja vakuuttaa: "Kyllä tämä tästä."

Jos hän sanoo sen tarpeeksi monta kertaa, ehkä me kumpikin uskomme sen.

Joten tilaamme ruoan, ja minä otan toisen cocktailin. Ruokaillessamme Chris nauttii vielä kaksi drinkkiä. Kuuntelemme vielä hetken bändiä, ja sitten kävelemme kotiin. Olemme toistemme seurassa vapautuneempia kuin pitkiin aikoihin.

"Menen huomenna taas töihin", sanon, kun pääsemme alaovellemme. "Laitoin Billille siitä jo tekstiviestin."

"Näinkö pian? Minun pitää kyllä palata heti toimistolle, mutta etkö sinä tarvitsisi ensin pari päivää omaa aikaa?"

"En." Pudistan päätäni. "Olen ollut jo liian kauan poissa töistä. Tiedän, että Bill hermostuu minuun muuten. Minun pitää palata heti remmiin." Ja mitä minä sitä paitsi tekisin asunnossa yksinäni?

Menemme sisään, ja kun riisumme takkimme, Chris vilkaisee kelloaan. "Otammeko teekupposen vai vetäydymmekö yöpuulle?"

"On jo myöhä", sanon. "Meidän pitäisi mennä nukkumaan." Haluan olla aamulla virkeänä. Haluan, että kaikki toimistossa tietävät minun palanneen takaisin ja olevan täydessä iskussa. Elämäni Isle of Wightilla oli pelkkää laiskottelua, joten varhainen herätys ja matkaaminen kello kahdeksan aamiaiskokoukseen tulevat olemaan aikamoinen shokki.

Piipahdan vielä olohuoneessa. ”Tulen ihan pian.”

Hänen huulensa hipaisevat minun huuliani. ”Ethän viivy kauan?”

Chrisin kävellessä makuuhuoneeseen minä lähden vastakkaiseen suuntaan. Haluan vain nähdä Nedin veistoksen vielä viimeisen kerran ennen nukkumaanmenoa. En laita valoja päälle, sillä jätimme kaihtimet auki, ja huoneessa on tarpeeksi valoisaa, jotta näen kävellä erkkeri-ikkunalle. Katuvalo osuu suoraan veistokseen ja saa sen hehkumaan. Nostan veistoksen syliini ja tuuditan sitä käsivarsillani. Se on pehmeä ja painaa juuri sen verran, että pystyn pitelemään sitä mukavasti rintaani vasten. Missähän Ned mahtaa olla nyt? Muistelen asuntolaivojamme, mukavasti vieretysten asettautunutta *Päivänpaistetta* ja *Merituulta*, Cockleshell Bayn lahtea, kuun heijastumaa vedessä. Se ei ole kaukana täältä, mutta silti kokonaan toisessa maailmassa. Kaipaan häntä. En voi kieltää sitä. Suukotan vauvan päälakea hellästi, ja asetan veistoksen takaisin ikkunalle.

”Ristimme sinut Lottieksi”, kuiskaan. ”Hyvää yötä, kullannuppu. Nuku hyvin.” Vihdoinkin minulla on jotain käsin kosketeltavaa, jonka avulla muistella lastani, enkä voi sanoin kuvata, kuinka hyvältä se tuntuu.

Chris on yhä riisuutumassa, kun menen makuuhuoneeseen. Tuntuu oudolta nähdä hänet alastomana, ja käännän katseeni pois. Hänen vartalonsa on vahva ja jäntevä, kiitos runsaan kuntosaliharjoittelun, mutta vaikka tunsin sen joskus niin hyvin, nyt se näyttää kuin jonkun täysin vieraan ihmisen keholta. Kun käytämme kylpyhuonetta, olemme vaivautuneen kohteliaita. Käytössä on kaksi allasta, mutta jopa hampaiden harjaaminen vieretysten tuntuu erossaolon jälkeen liian intiimiltä.

Minulta kuluu ikuisuus päättää, mitä puen ylleni palatessani taas ansiotyöhön, ja vaikka olin pitänyt tyyliäni hienostuneena, huomaan, kuinka ikävystyttävä vaatekaappini sisältö on. Kaikki työasuni ovat vartalonmyötäisiä kotelomekkoja ja harmaita, mustia tai beesinvärisiä. Muistan taas festivaalit, kimaltelevat poskeni ja keimailevan pikkuleninkini, joka oli aivan liian lyhyt minun ikäiselleni naiselle. En tiennyt ollenkaan, millainen hauska ja huoleton henkilö sisälleni kätkeytyikään. Kun olen käynyt vaatekaappini läpi kymmenisen kertaa, päädyn valkoiseen paitapuseroon ja mustiin housuihin. Näytän huomenna hienostoravintolan tarjoilijalta, mutta asialle on myöhäistä tehdä enää mitään. Minun täytyy löytää sisäinen Marilynini ja tyytyä siihen.

Kun lopulta kömmin Chrisin viereen sänkyyn, yritän pitää pientä etäisyyttä häneen. Hän on peiton alla alasti, mikä on tavallisesti merkki siitä, että hän haluaa rakastella. Hassua, miten avioparit aina kehittävätkin itselleen sellaisia sanattomia sopimuksia. Ja kuinka ollakaan, kun käännyn sammuttamaan valoa, Chris kierähtää minuun päin, hänen kätensä sujahtaa t-paitani alle, ja hänen huulensa painuvat kaulalleni.

”Jodie”, hän mumisee. ”Minulla on ollut sinua ikävä.”

”Ei nyt, Chris.” Vetäydyn kauemmas hänestä. ”Minulla on aikainen aamu.”

Näen hänen ilmeestään, että hän on pettynyt ja kokee tulleensa torjutuksi. Hän vetää kätensä pois. ”Kyse ei taida olla pelkästään siitä?”

”Meillä oli mukava ilta”, sanon tyynenä. ”Oikein mukava. Mutta en ole valmis tähän. Edetään rauhallisesti. Meillä on vielä pitkä matka siihen, että saamme suhteemme ennalleen."

Mieheni heittäytyy selälleen ja huokaisee. "Et ilmeisesti aio antaa minulle ikinä anteeksi?"

"Älä pilaa tätä nyt."

"Onko se, että haluaa rakastella oman vaimonsa kanssa, jonkin *pilaamista*?"

Sitten hän sammuttaa valon ja kääntyy toiselle kyljelleen. Muutaman minuutin kuluttua hän on unessa, mutta minä makaan valveilla ja kuuntelen naapuritalosta kantautuvaa jumputtavaa musiikkia sekä pariskuntaa, joka riitelee kovaan ääneen ulkona. Heidän kielenkäyttönsä on enemmän kuin värikästä, mutta ainakin he molemmat sanovat mitä ajattelevat.

70

Työpaikkani ei ole kovin kaukana, vain muutaman metropysäkin päässä, mutta en ole koskaan pannut merkille, kuinka hirveää junassa oikeastaan on. Suljen silmäni ja tuudittaudun junan rytmiin miettimättä väenpaljoutta. Yritän olla kiinnittämättä huomiota matkustajiin, jotka tönivät minua tungeksiessaan sisään tai ulos junasta, tai siihen kuinka pahalta heidän kehonsa tai mukanaan tuomansa ruoat haisevat. Lähellä oleva nuori mies katselee iPhoneltaan pornoa, joku toinen taas kaivelee nenäänsä tarpeettoman suurella antaumuksella. Olin unohtanut, kuinka ällöttäviä nämä matkat voivat olla.

Minun kannattaisi kulkea työmatkani jalan nyt, kun aamut ja illat ovat valoisia. Talven pimeydessä en uskalla enää kävellä yksin.

Chris oli meistä ensimmäisenä ylhäällä aamulla. Pidin silmäni kiinni hänen liikehtiessään makuuhuoneessa. Hän yritti toimia äänettömästi, ja minä teeskentelin nukkuvani. Hän lähti hiljaa sanomatta minulle sanaakaan.

Kun astun ulos maanalaisesta, saan Billiltä tekstiviestin. *Joko olet matkalla? B.*

5 min päästä siellä, näpyttelen vastaukseksi ja jatkan matkaani.

Toimistomme on huipputrendikäs ja sijaitsee entisessä, remontoidussa varastorakennuksessa. Minusta tuntuu, että olen ollut sieltä poissa jo ikuisuuden, ja vedän syvään henkeä, ennen kuin astun sisään. Kokoonnumme yhdessä valmiiksi katettuun aamiaispöytään – se on hyvä tapa virittäytyä työpäivään, ja pysymme sitä kautta myös ajan tasalla toistemme projekteista. Tarjoilusta huolehtii catering-yritys.

Olen samaan aikaan sekä innoissani että peloissani. Minun ei kuitenkaan olisi tarvinnut olla huolissani, sillä heti kun avaan oven, alkaa iloinen tuuletus. Kaikki kollegani ovat kerääntyneet pöydän ympärille ja alkavat taputtaa käsiään. Yksi heistä sytyttää nopeasti pienen kynttilän, joka on asetettu kroissanttipinon päällä olevaan pidikkeeseen.

Bill tulee halaamaan minua. "Tervetuloa takaisin, pikkusisko. Olemme kaikki kaivanneet sinua."

Ja tietysti minua alkaa välittömästi itkettää. Puhallan kynttilän sammuksiin, ja kaikki halaavat minua. Yritän pitää itseni kasassa.

"Kiitoksia, kaikki. Mukavaa olla taas täällä." Ja sillä hetkellä todella tarkoitan sitä. Tiimimme on ihanan luova ja hauska, ja minun pitäisi olla kiitollinen, että saan tehdä rakastamaani työtä.

"Käydäänpä käsiksi pöydän antimiin", Bill sanoo. "Kuulet samalla päivityksen viimeisimmistä projekteista."

Minulle ojennetaan kroissantti – ilman kynttilää – ja kuppi vahvaa kahvia. Kumpikin tulee tarpeeseen. Olen kieltämättä väsynyt. Olin halunnut olla parhaassa mahdollisessa vedossa, mutta nukuin yön katkonaisesti Chrisin kuorsatessa vieressäni. Asetumme paikoillemme pöydän ympärille, ja kuuntelen, kun kollegani kertovat meneillään olevista projekteistaan. Bisnes kukoistaa, mikä on mukava kuulla.

Kun tulee Billin vuoro, hän sanoo: "Minun täytyy järjestää toinen tapaaminen ekohotellin tiimoilta. Tähtään ensi tai sitä seuraavaan viikkoon. Tapaaminen on New Forestin suojelualueella, tulevan hotellin rakennuspaikalla. Jodie, sopisiko, että lähdet mukaani?"

"Yritäpä estää minua", vastaan.

"Matkustamme junan sijasta omalla autolla. Se tietää aikaista herätystä, sillä haluan päästä lähtemään ennen aamuruuhkaa."

"Ei haittaa. Odotan jo innolla, että pääsen taas töihin käsiksi."

"Näytän sinulle, mitä meillä on jo tiedossa, mutta näemme sitten ensimmäistä kertaa valmiit piirustukset ja itse paikan. Olisi hienoa, jos ehtisit lähipäivien aikana laatimaan alustavan suunnitelman, niin meillä olisi sitten näyttää heille jotain kättä pitempää."

"Tapahtuu." Tartun haasteeseen innolla, sillä projekti on ollut kehitteillä jo jonkin aikaa. Olen varma, että siitä tulee menestys. Se on aivan meidän heiniämme, ja olen iloinen, että Bill luottaa minuun ja uskoo suunnitelman minun hoidettavakseni. Jos saamme urakan, se on uusi sulka meidän hattuumme. Tai kuten Marilyn ehkä sanoisi, "sulka meidän silmäämme". Minua alkaa hymyilyttää, kun ajattelen häntä. Marilyn ei pukeutuisi tänäänkään tylsään mustavalkoiseen asuun, se on varma. Minulle tulee yhtäkkiä hirveä ikävä ystävääni – ja tietenkin myös Nediä.

Bill ilmeisesti huomaa kasvoillani häivähtävän alakulon, sillä hän kurtistaa kulmiaan ja nojautuu minuun päin. Hän madaltaa ääntään. "Onko sinulla kaikki varmasti hyvin?"

"On, on." Nyökkään innokkaana. "Kaikki hyvin."

Kokous päättyy, ja kävelen työhuoneeseeni. Bill seuraa jäljessäni ja sulkee oven perässään.

”Mukavaa saada sinut takaisin”, hän sanoo, kun olemme kahdestaan. Halaamme toisiamme. ”Tarkoitan sitä todella. En pärjää ilman sinua.”

”Minähän olen aina kanssasi.”

”Tiedät, mitä tarkoitan.”

Asetun lasisen työpöytäni taakse ja sivelen sen pintaa. Minusta tuntuu kuin olisin ollut poissa ikuisuuden. Bill istuu ikkunan vieressä olevalla punaisella samettisohvalla.

”Onko kivaa olla taas kotona?” hän kysyy.

Nyrpistän nenääni. En pysty valehtelemaan veljelleni. ”On ja ei”, myönnän.

”Sinä ja Chris ette ole vielä saaneet sovittua asioitanne?”

”Se vie oman aikansa.”

”Mutta irtiotto Isle of Wightilla teki sinulle hyvää?”

”Todellakin”, sanon. ”Luulen, että osa minusta jäi sinne. Se on uskomaton paikka, Bill. Yritä nyt ehtiä käymään omalla asuntolaivallasi. Saattaisit pitää siitä.”

Me molemmat nauramme.

”Toivottavasti me saamme tämän ekohotelliprojektin”, Bill sanoo. ”Olen iskenyt silmäni Ranskassa sijaitsevaan kartanoon, jonka haluaisin entisöidä.”

Pudistan päätäni epäuskoisena. ”Etkö sinä saa *koskaan* tarpeeksesi?”

”En!” Hän hymyilee minulle. ”Mutta vointisi on siis hyvä?”

”Kyllä. Tuntuu tosin hieman oudolta olla taas täällä, aivan kuin kärsisin aikaerorasituksesta.”

”Kestää varmasti pari päivää totutella tähän. Mitä muuta?”

”Ristimme vauvan Lottieksi”, kerron Billille huokaisten tyytyväisyydestä. ”Haluan, että muistamme hänet aina. Hän ei ehkä ole fyysisesti läsnä, mutta haluan, että hän on aina osa meidän perhettämme.”

"Haaveilin jo, että minusta tulisi eno", Bill sanoo. "Minäkin suren hänen menetystään."

"Tiedän. Kuten me kaikki." Tunnen syyllisyyttä siitä, että olen unohtanut, miten tämä on vaikuttanut muihin ihmisiin. "Yritättekö vielä uudestaan?"

"En usko." Kohautan olkiani. "Se tuntuu Chrisistä ja minusta todella kaukaiselta ajatukselta. Ajattelin keskittyä toistaiseksi työhöni ja katsoa saammeko me paikattua suhteemme."

"Minusta olisi harmi, jos tämä tuhoaisi välinne", veljeni sanoo. "Olitte aina niin hyvä pari. Toivon, että kaikki selviää."

"Niin minäkin", vastaan.

Chris venyttelee ja sanoo: "Parasta lähteä tai nukahdan tähän. Sohva on liian pehmeä."

"Menikö eilen myöhään?"

"Pikkutunneille", hän kertoo minulle.

"Iltaa viettämässä?"

"Treffeillä", hän vastaa. "Netissä tapaamani kaverin kanssa."

"Lupaava tapaus?"

Hän kohauttaa olkiaan. "Joo. Ehkä. Toistaiseksi."

"Et kuulosta kovin innostuneelta."

"Hän oli kiva", Bill lisää. "Meillä oli hauskaa."

"Toivoisin, että löytäisit jonkun, jota rakastaa", kerron hänelle.

"Ei minulla ole aikaa rakkaudelle." Chris vääntäytyy ylös sohvalta ja antaa päälaelleni suukon. "Päästän sinut jatkamaan töitäsi. Huikkaa minulle, jos tarvitset lisätietoja tai apua. Olen täällä suurimman osan päivästä."

"Kiitos, Bill." Hymyilemme toisillemme. "Kaikesta."

71

Yritän keskittyä työhöni, mutta siitä ei tule mitään. Ajatukseni vaeltavat Cockleshell Bayhin, Nedin luokse. Mietin, mitä Marilyn mahtaa tehdä nyt. Hän kaipaa työtään ja sitä, että hänellä olisi joku, josta huolehtia. Mutta Bill maksaa hänelle vielä palkkaa, tunnen kyllä veljeni. Toivottavasti sää on hyvä, ettei Georgen tarvitse seistä sateessa. Toivon, että Ida on saanut uuden kahvikoneen eikä ole enää niin kiukkuinen.

Katselen ulos työhuoneeni lasikopista ja minusta tuntuu, kuin eläisin jonkun toisen ihmisen elämää. Kestää muutaman päivän, muutaman viikon, ehkä jopa muutaman kuukauden, että pääsen taas kiinni työhöni.

Ennen kuin syvennyn dokumentteihin, jotka Bill on lähettänyt tietokoneelleni, otan käteeni puhelimen ja soitan Dellalle.

”Hei”, hän aloittaa. ”Missä sinä olet? Jälleen elävien kirjoissa?”

”Jep. Tulin eilen.”

”Palasit sitten Chrisin kanssa kotiin? Hän ei ollut varma, lähtisitkö.”

”En minäkään.”

”Onko teillä kaikki hyvin?”

”Se olisi jo vähän liikaa sanottu”, totean. ”Mutta yritämme parhaamme. Soitin kysyäkseni, lähtisitkö lounasaikaan salille.”

”Jees”, hän sanoo. ”Mikä ettei.”

”Okei. Nähdään siellä. Yhden maissa?”

”Sopii. Täytyy mennä. Nähdään.”

Lasken puhelimen kädestäni ja hymyilen. Olen kaivannut myös Dellaa. Hän on niin energinen ja reipas, ja hän onnistuu aina piristämään minua. Odotan jo innolla lounastuntia – hän on päiväni valopilkku.

Joten lopetan haikailun ja käyn huolellisesti läpi ekohotellin tapaamiseen liittyvät dokumentit, sillä haluan olla varma, että olen ajan tasalla ja pystyn olemaan Billin tukena. Kirjoitan ylös joitakin ideoita, joihin voin palata myöhemmin. Projekti on hyvin innostava, ja olen iloinen, että veljeni on ottanut minut siihen mukaan. Kyseinen yritys on aikeissa laajentaa toimintaansa muualle maahan ja ulkomaille, joten keikka on meille iso juttu.

Puhelimeni hälytys soi vähän ennen yhtä, joten ehdin sopivasti nappaamaan mukaani salivarusteet ja rientämään tapaamaan Dellaa.

”Palaan tunnin päästä”, huudan Billille kulkiessani hänen työhuoneensa ohi.

”Pidätkö projektista?” hän huikkaa takaisin.

”Se on ihana!” Sitten olen jo ulkona ja ryntään katua alas kohti kuntosalia, joka on käytännössä Dellan ja minun työpaikkani puolivälissä.

Vaihdan nopeasti vaatteeni ja suunnistan kuntopyörille, joilla tavallisesti lämmittelemme. Ne ovat rivissä suuren kadulle avautuvan ikkunan edessä. Melkein kaikki pyörät ovat varattuina, mutta Della on jo polkemassa täyttä vauhtia, ja hänen vierellään oleva pyörä on vapaana.

”Hei”, hän sanoo, kun astun hänen luokseen.

Hän lopettaa pyöräilyn ja tulee halaamaan minua. ”En ole vielä hikinen. Aloitin juuri.”

”Olen vähän kesäterässä.”

”Tämä on vähän samanlaista kuin pyörällä ajo”, hän vinkkaa, ja me molemmat kikatamme.

Sitten hän vetäytyy etäämmälle ja tarkastelee minua. ”Näytät hyvältä! Meri-ilma selvästi sopii sinulle.”

Tajuan kaivanneeni ystävääni todella. Della löytää aina oikeat sanat ja tietää mitä tehdä. ”Kunpa olisit ollut siellä kanssani. Billin laiva on uskomaton, ja paikka on kaunis.”

”Mutta se on *Englannissa*”, hän sanoo huulet mutrussa. ”Harrastan vain eksoottisia lomakohteita. Jos olisit matkustanut Balille, olisin singahtanut sinne alta aikayksikön.”

”Chris sanoi kutakuinkin samaa”, vastaan. ”Teidän kummankin pitäisi kokeilla vaihteeksi jotain muuta. Saattaisitte yllättyä.” Mutta totta puhuen en ole ihan varma, sopisiko Isle of Wight alkuunkaan Dellalle ja aviomiehelleni.

”Minulla ei ole paljoa aikaa”, Della sanoo. ”Parasta alkaa polkea. Et usko, kuinka monta ihmistä jouduin hätistelemään pois tuolta pyörältä varatakseni sen sinulle.”

Joten nousemme pyörien selkään ja aloitamme tavanomaisen treenimme. Jos tulen salille illalla, niin kuin joskus teen, nostelen puntteja ja menen ehkä myös spinning-ryhmään. Mutta lounasaikaan Della ja minä olemme vain kuntopyörillä ja siirrymme sitten juoksumatoille, jotta voimme vaihtaa samalla viimeisimmät kuulumiset ja juorut. Chris on vakaasti sitä mieltä, ettei treenimme ole tehokasta, jos ehdimme rupattelemaan niin paljon, mutta meistä se toimii hyvin. Suurin osa muista kävijöistä pistää napit korviinsa ja sulkee muut ulkopuolelleen.

Yritän olla ajattelematta pitkiä kävelyretkiäni rannalla tai joogahetkiäni Nedin seurassa, tai auringonpaistetta selkääni vasten, loputonta taivasta ja hiekkaa jaloissani. Sen sijaan poljen raivokkaasti.

"Onko Chris iloinen saatuaan sinut takaisin?" Della kysyy hieman hengästyneenä.

"Oletan, että on. Ei hän varmaankaan olisi muuten tullut hakemaan minua."

"Yllätyitkö, kun hän ilmestyi yhtäkkiä sinne?"

"Kyllä." Mietin noloa kohtaamistamme ja sitä, miten Ned käveli kesken kaiken sisään. En aio kuitenkaan kertoa siitä Dellalle. Se tuntuu jotenkin väärältä.

"Mitä hän sanoi?" Della kysyy.

"Ei paljon mitään, toistaiseksi. Meidän täytyisi istua alas ja jutella rauhassa, mutta olemme siirtäneet sitä tuonnemmaksi."

"Joutuiko hän anelemaan? Vannomaan ikuista rakkautta?"

"Tavallaan." En tiedä, miksi olen niin vältttelevä. Ehkä pelkään alkavani itkeä, jos paljastan liikaa. "Olen iloinen, että kerroit hänelle, missä olin – luulen ainakin. Se pakotti meidät kohtaamaan tosiasiat."

"En voinut muutakaan", ystäväni sanoo. "Hän kiskoi sen tiedon minusta väkisin."

"No, täällä sitä taas ollaan."

Hän katsoo minua syrjäsilmällä, puuskuttaen pyöränsä päällä. "Kysyitkö häneltä koskaan, oliko hänellä ollut joku toinen?"

"En suoraan. Me kumpikin välttelemme sitä teemaa. Mutta olen edelleen varma, että hänellä on ollut joku. Ja tosiasiahan on, että hän olisi voinut puuhastella mitä tahansa minun poissa ollessani. Olen varma, että Meg olisi tullut ilomielin lohduttamaan häntä." Della tietää tasan tarkkaan, mitä mieltä olen Chrisin kollegasta.

Hän pyörittää silmiään myötätuntoisesti ja sanoo: "Varsinainen lehmä."

Se palauttaa mieleeni oman yöni Nedin kanssa. En minäkään ollut täysin nuhteeton poissa ollessani, ja olen iloinen, että kasvoni ovat punehtuneet pyöräilystä, sillä se peittää kuumottavan mielihyvän tunteeni. Ei tarvita paljoa, kun jo muistan Nedin kehon päälläni, hänen suunsa, hänen kätensä ihollani.

"Olen varma, että Chris on ollut kiltti poika", Della huohottaa.

Palaan takaisin tähän hetkeen. "En tiedä. Ehkä olet oikeassa", sanon, vaikka minua kalvaa epäilys. "Hän yritti parhaansa, kun saavuimme kotiin. Meillä oli romanttinen ilta Night Owl -ravintolassa.

"Ai." Jostain syystä Della kuulostaa hieman harmistuneelta. "Sehän kuulostaa kivalta. En tiennytkään, että hän on romanttista tyyppiä."

"Tunnet Chrisin jo tarpeeksi hyvin tietääksesi, ettei hän ole", sanon. "Mutta luulen, että hän on päättänyt antaa avioliitollemme mahdollisuuden. Niin kuin minäkin."

"Meidän pitäisi lähteä ulos joku ilta, käydä baareissa ja vähän irrotella", Della sanoo. Hän huohottaa ja puuskuttaa kuin höyryjuna ja polkee yhä kovempaa. "Juhlistamaan parhaan kamuni paluuta. Kävisikö tällä viikolla?"

"Ehkä. Minulla on paljon kirittävää. Joudun tekemään pitkiä iltoja töissä. Ensi viikolla matkustan Billin kanssa New Forestiin katsastamaan yhtä tärkeää projektia. Meillä on täysi vauhti päällä, ja haluan olla varma, että pysyn kyydissä."

"Minullakin pitää hieman kiirettä", Della myöntää. "Joku toinen kerta sitten. Mutta pian."

"Kyllä. Varmasti."

"Lounastunnin rääkki huomenna samaan aikaan?"

Nyökkään. "En jättäisi sitä väliin mistään hinnasta."

Vietämme vielä varttitunnin kuntopyörillä, ja Della kertoo minulle töistään ja parista miehestä, jotka oli löytänyt Tinderistä. Nauramme treffien katastrofaalisille lopputuloksille.

"Toinen tyyppi halusi pelkästään b-rappuun", hän sanoo silmät pyöreinä. "Ekoilla treffeillä. Helvetin ääliö."

"Valehtelet." Katson häntä pöyristyneenä.

"Kunpa valehtelisinkin. Kaikenlaisia ihmehörhöjä sitä onkin."

"Et kai antanut?"

"En tietenkään. Mitä sinä minusta oikein luulet? Käskin häntä vetämään käteen. Ja kun hän oli vetänyt, käskin vetää uudestaan."

"Olet hirveä", sanon hänelle. "Mutta sinun olisi syytä varoa. Ethän edes tuntenut niitä tyyppejä. Hehän olisivat voineet olla ties mitä kirvesmurhaajia."

"He haluavat pelkkää seksiä. Mutta en voi valittaa. Enhän minäkään mitään aviomiestä ole etsimässä, vaan hupia ja irrottelua tuntemattomien kanssa. Surkimuksistakin saa vaihtelua", hän nauraa. "Minkä minä itselleni mahdan?"

Ajattelen Nedin kanssa viettämääni festariyötä, kuinka hellää ja rakkaudentäyteistä se oli. En ole vielä valmis uskoutumaan siitä Dellalle. Juttu on liian uusi, liian arka.

"Etkö ole ajatellut asettua koskaan aloillesi?"

"Äh. Kun tapaan elämäni miehen, hän on joko varattu tai homo. Tässä iässä kaikilla alkaa olla jo omat rasitteensa."

"Rakkaus ei ole koskaan yksinkertaista."

"Totta."

"Etkö ole koskaan tavannut ketään, josta todella pidät?"

"En oikeastaan. Tai on minulla yksi."

"Niinkö? Kuka?"

"Se on monimutkainen juttu", hän sanoo puuskuttaen. "Kuinkas muutenkaan."

"Missä te tapasitte?"

"En oikein välittäisi puhua siitä", Della sanoo vältellen. "Se on niin hankala juttu. Jätetään nämä pyörät ja kuritetaan itseämme hetki juoksumatolla."

"Okei." Annan siis sen aiheen olla. Jos suhteesta tulee jotakin, Della kertoo kyllä minulle aikanaan. Hän ei pysty pitämään salaisuuksia, joten saan puristettua sen tiedon hänestä ennen pitkää.

Sitten hän lisää juoksumaton tehoa ja paahtaa eteenpäin kuin olisi Lontoon maratonilla. En pysy hänen tahdissaan, jos tarkoitus on jutella samalla.

Kun olemme suihkussa, ajattelen, että olen onnekas, kun minulla on Chris. Olemme läpikäyneet hirveän vaiheen, ja ollakseni rehellinen, meistä kumpikaan ei ole toiminut oikein. Mutta jos me molemmat todella haluaisimme, saisimme kyllä myrskyn laantumaan. Minun täytyy nähdä enemmän vaivaa suhteemme eteen. Tunnen yhtäkkiä suurta hellyyttä miestäni kohtaan. Minun täytyy sysätä Ned mielestäni ja keskittyä tulevaisuuteen. Avioliittoni kestää, jos yritän tarpeeksi kovasti.

Kuivattuani itseni lähetän Chrisille tekstiviestin. *Rakastan sinua. J.*

Mutta hän ei vastaa.

72

Minulla meni toimistolla tavallista pitempään. Siellä ei ollut mitään erityisen kiireellistä, mutta halusin varmistaa kaikessa rauhassa, että tiedän kaiken tarpeellisen tulevaa viikkoa silmällä pitäen.

Olen astunut juuri ulos maanalaisesta, kun Chris soittaa minulle. ”Missä sinä olet?”

”Noin viiden minuutin päässä kotoa.”

”Kiva kuulla. Miten ensimmäinen työpäivä meni?”

”Ihan hyvin. On mukava olla taas remmissä.”

”Halusin vain tietää, milloin tulet. Et ole ilmeisesti vielä syönyt?”

”Vain voileivän kuntosalin jälkeen. Haluatko, että tuon jotain? En ole miettinyt illallista yhtään.”

”Asia hoidettu”, Chris sanoo. ”Nähdään viiden minsan päästä.”

Hän lopettaa puhelun, ja pian olenkin jo kotiovellani. Keittiöstä leijuu herkullinen yrttien tuoksu, ja olohuone kylpee kynttilänvalossa. Pöydällä olevassa pikkumaljakossa on yksi punainen ruusu.

”Voisit ottaa tämän tavaksi”, sanon. ”Täällä näyttää ja tuoksuu ihanalta.”

”Noutoruokaa”, Chris myöntää. ”Tarjoilusta vastaa Marks and Sparks Gastropubi.”

Riisun takkini ja ripustan sen eteiseen. Olen väsyneempi kuin haluaisin myöntää. Mietin, onko Chrisillä suunnitteilla romanttinen ilta, sillä itseäni kiinnostaisi enemmän lämmin kylpy ja varhainen nukkumaanmeno.

Kun astun keittiöön, Chris kaataa lasiin viiniä ja ojentaa lasin minulle. Viini on punaista, vahvaa ja juuri tilanteeseen sopivaa. Huokaisen, kun juoma alkaa tehdä taikojaan.

"Ajattelin, että voisimme juhlistaa ensimmäistä työpäivääsi."

"Kiitos. Se meni hyvin. Bill on auttanut minua pääsemään taas sisälle asioihin. Matkustamme ensi viikolla New Forestiin päiväksi. Olemme saamassa sieltä projektin, jossa me kumpikin haluaisimme olla mukana."

"Kuulostaa hyvältä. Saat jotain, mihin uppoutua täysillä."

"Niinpä. Pääni pursuaa jo ideoita." Otettuani toisen siemauksen lasista sanon: "Laitoin sinulle aiemmin tekstiviestin, mutta et vastannut."

Hän vilkaisee puhelintaan ja huomaa viestini. "Sori, Jodie. Missasin tämän kokonaan. Päivä oli yhtä hullunmyllyä." Hän virnistää minulle lukiessaan viestin. "Kiva tietää."

"Olin huolestunut", myönnän. "Luulin, että se johtui jostain muusta." Nykyisessä nopeassa viestittelykulttuurissa voi viestin, tai sen puutteen, tulkita aivan väärin.

"Ei. Minäkin rakastan sinua. Tietysti rakastan." Hän tulee luokseni, kietoo kätensä vyötäisilleni ja vetää minut lähemmäksi suudellakseen minua. Sitten uunin merkkiääni soi.

"Illallinen on valmis." Chris avaa uunin, ja ulos pelmahtaa herkulliselta tuoksuva höyrypilvi. Hän asettaa ruoan tarjolle ja sanoo: "Ruokalistalla on tänään lampaanpotkaa, hunajaisia uunijuureksia ja jotakin perunasörsseliä. Unohdin, mitä. Heitin pakkauksen roskikseen."

Minua naurattaa. ”Kuulostaa ihanalta. Perunasörsseli on suosikkini.”

Istumme toisiamme vastapäätä kynttilänvalossa, ja tunnelma on selvästi vapautuneempi kuin vastaavassa tilanteessa *Päivänpaisteessa.*

Syön hyvällä ruokahalulla, ja vaikka kyseessä ei olekaan mikään kotikokin taidonnäyte, ruoka on maittavaa ja tulee todella tarpeeseen. ”Tämä on ihanaa”, sanon. ”Dellan kanssa nautitusta voileivästä on jo aikaa.”

Chris vilkaisee minua. ”Tapasitko Dellan tänään?”

”Juu. Perinteinen kuntosalitreeni. Nyt joka paikka on kipeänä. Huomenna en varmasti pääse liikkeelle ollenkaan.”

Chris haarukoi ruokaa suuhunsa ja pureskelee huolellisesti ennen kuin kysyy: ”Sanoiko hän mitään?”

”Mistä asiasta?”

”En tiedä.” Hän kohauttaa olkiaan. ”Mistä naiset nyt yleensä puhuvat. Mitä hän on puuhastellut viime aikoina?”

”Sinähän juttelit hänen kanssaan sillä aikaa, kun olin poissa.”

”Vain sen verran, että sain selville, missä sinä olet. Tapaileeko hän jotakuta?”

”Niitä tavallisia Tinder-fiaskoja.” Nauran. ”En tiedä, miten hän oikein onnistuu siinä. Hänellä tuntuu olevan eri deitti joka viikko, ellei joka ilta. Et voi uskoa, mitä hän kertoi yhdestä tyypistä. En pysty edes toistamaan sitä. Kuolisit myötähäpeästä.”

Chris näyttää kauhistuneelta.

”Häneltä ei puutu miesseuraa, mutta toivoisin, että hän löytäisi jonkun kivan. Yrittäisin saattaa hänet kimppaan Billin kanssa, ellei Bill olisi homo.” Sitten tulen toisiin ajatuksiin. ”Itse asiassa, vaikka pidänkin Dellasta hirveästi, en soisi häntä edes pahimmalle vihamiehelleni. Della olisi todella vaativa ylläpidettävä. Ihan omaa luokkaansa. Lähdemme viettämään iltaa ehkä ensi viikolla, jos molemmille sopii, se on ollut suunnitelmissa jo kauan."

"Minä vietän huomisillan asiakkaitteni kanssa", Chris sanoo ja ottaa kulauksen lasistaan. "Menee todennäköisesti myöhään."

"Minäkin jään sitten toimistolle. Töitä on enemmän kuin tarpeeksi."

Kun olemme molemmat saaneet syötyä, nojaan taaksepäin ja hieron vatsaani. "Nyt taisi tuli ähky."

"Hyvä, että olet saanut elinvoimasi takaisin." Mieheni tarttuu pöydän ylitse käteeni.

"Ainakin osittain", myönnän. "Mutta menee minulla ainakin paremmin kuin aikaisemmin."

"Tiedän, ettet halua keskustella tästä nyt, mutta kyllä me voimme yrittää vielä uutta lasta."

Yritän keskeyttää hänet, mutta hän jatkaa.

"Minusta tuntuu, että olen oppinut paljon muutaman viime kuukauden aikana. Olen kasvanut ihmisenä, Jodie. Tämä on muuttanut minua, tai meitä kumpaakin."

Onko tämä sitä, mitä minä haluan kuulla? Sisälläni asustaa edelleen tyhjyys, kaipaus. Mutta haluanko käydä läpi uuden raskauden? En ole varma, kestäisinkö sitä. Mitä jos se päättyy taas murheellisesti? Edeltävä kerta on jättänyt jälkensä minuun – tai meihin. Jos menettäisin taas lapseni, en ehkä toipuisi siitä ikinä.

"Ei mitään paineita tällä kertaa", Chris jatkaa, kun en sano mitään. "Ei mitään hedelmöityshoitoja. Jos lapsi on tullakseen, niin sitten tulee. Ei stressata asiaa, mutta nautitaan sen mukavista puolista. Ja jos emme saa lasta, olemme edelleen onnellisia, vai mitä? Voimme matkustaa järjettömän kalliisiin, eksoottisiin lomakohteisiin, aloittaa jonkin älyttömän harrastuksen, ottaa kissan!"

"En pidä kissoista", huomautan.

"Unohdetaan sitten kissa. Mutta voimme tehdä kaikkea muuta. Sitä minä yritän tässä sanoa. Jos elämässämme on jokin tyhjä kohta, voimme täyttää sen."

"Luulin, että sinulla on joku toinen", tunnustan. Voimme yhtä hyvin ottaa asian puheeksi nyt. "Olin varma siitä."

Chris katsoo poispäin minusta. "Luulen, että me *molemmat* olemme tehneet – ja sanoneet – sellaista, mitä me kadumme karvaasti."

Hän siis epäilee, että Nedillä ja minulla on intiimi suhde. Se ei ole mikään yllätys. Miten voisikaan olla? Olemme selvästi päässeet aika lähelle sitä, että myöntäisimme avoimesti omat virheemme miehenä ja vaimona.

"Haluan vain aloittaa kaiken alusta." Chris katsoo minua vakavana. "Ei vanhojen asioiden kaivelua, loanheittoa, syyttelyä. Tehtyä ei saa tekemättömäksi."

Tässäkö tämä oli? Se, mitä tapahtui Isle of Wightilla, saa jäädäkin Isle of Wightille?

"Tähän on tultu", Chris toteaa lopuksi. "Haluan vain, että sinä ja minä olemme taas onnellisia."

"Niin minäkin." Olen helpottunut. Vaikka emme olekaan paljastaneet toisillemme salaisuuksiamme, olemme ilmeisesti kääntäneet elämässämme uuden lehden.

"Tule, mennään sänkyyn", Chris sanoo.

"Entä tiskit?"

"Ne voivat odottaa huomiseen."

Menemme siis sänkyyn, ja Chris on hellä ja huomaavainen ja pitelee minua kuin haurasta posliinia. Yritän parhaani mukaan rentoutua ja olla karkottamatta häntä luotani. Ja pidän silmäni auki nähdäkseni mieheni, koska pelkään, että jos sulkisin ne, saattaisin nähdä jonkun toisen.

73

Jos paluu normaaliin tarkoittaa sitä, että Chris ja minä viivymme joka ilta myöhään töissä ja tuskin näemme toisiamme, sitten me olemme kutakuinkin palanneet normaaliin. Minusta olisi mukavaa sanoa, että olen solahtanut saumattomasti takaisin entiseen elämääni, mutta ikävöin edelleen sataman hiljaisuutta, kävelyretkiä rannalla ja rauhallisia, tummia öitä. Ja Nediä. Olen varma, että se menee ohi.

Raadan töissä, treenaan kuntopyörällä Dellan kanssa useimpina päivinä ja elän sillä ruoalla, mitä Marks & Spencer tarjoaa. Saan luettua Georgen käsikirjoituksen loppuun ja pidän siitä todella. Tirautan jopa pari kyyneltä, kun sankaritar kaikkien kärsimysten ja koettelemusten jälkeen saa mielitiettynsä. Toivon, että Georgen projektillakin on onnellinen loppu ja hän saa kustannussopimuksen. Lähetän Marilynille päivittäin tekstiviestin ja saan takaisin tuttavallisia vuodatuksia hänelle tyypillisen, sattumanvaraiselta vaikuttavan emojiryppään kera. Tänään viestiä seurasivat avaruusolento, suukko, kaksi ymmyrkäistä silmämunaa ja vampyyri. Hän kertoo Georgen, Idan, lastensa ja lastenlastensa kuulumiset, mutta ei mainitse sanallakaan Nediä, enkä minä kysy.

Olen ollut kotona nyt yli kaksi viikkoa. Chris ja minä emme ole rakastelleet enää uudestaan. Edellinen kerta ei ollut mikään huippukokemus, koska olin niin jännittynyt, ja sen jälkeen me kumpikin olemme välttelleet asiaa. Mutta minun on myönnettävä, että välimme ovat hiljalleen – todella hiljalleen – kohenemassa. Kun Chris vihdoin saapuu töistään kotiin, käpertyy hän sänkyyn minun lähelleni. Vaikka en pystykään vielä täysin rentoutumaan hänen seurassaan, muistot Nedin sylistä alkavat vähitellen himmetä. Eikö se olekin hyvä merkki? Jossain vaiheessa, niin minä ainakin uskon, hän on minulle enää kaukainen muisto. Mutta tietenkin ajattelen häntä joka kerta, kun pitelen sylissäni äitiä ja vauvaa esittävää veistosta – kuinka voisin olla ajattelematta? Veistos tuntuu edelleen niin lohduttavalta, ja olen Nedille siitä kiitollinen. En ole ottanut häneen yhteyttä kiittääkseni häntä – en ole uskaltanut – mutta toivon, että hän tietää asian ilmankin.

Tänään matkustan Billin kanssa New Forestiin katsastamaan ekohotellin tonttia ja tapaamaan projektin johtajia. Minusta ideani kuuluvat urani parhaimpiin, ja toivon, että hekin arvostavat niitä. Pidetään peukkuja.

Olen nukkunut tuskin silmäystäkään, sillä olen käynyt mielessäni läpi esitystäni, ja vaikka Bill tuleekin noutamaan minut vasta kuudelta, olen ollut jo neljästä saakka täysin valveilla. Tämä on iso juttu yrityksellemme, ja tiimin jäsenten palkat ovat paljolti siitä kiinni.

Kun olen nousemassa sängystäni innokkaana aloittamaan uutta päivää, Chris kurottautuu minua kohti. ”Ei vielä”, hän mumisee ja vetää minut takaisin. ”Tule vielä hetkeksi tähän.”

”Viisi minuuttia”, sanon painaessani pääni hänen olkapäätään vasten. ”Olen niin hermona, etten pysty makaamaan rauhassa.”

”Ekohotellin takiako?”

”Niin. Käyn hirveillä kierroksilla.”

"Miksi teidän pitää lähteä näin älyttömän aikaisin?"
"Bill haluaa välttää ruuhkat."
"Eikö juna olisi ollut nopeampi?"
"Ehkä, mutta meidän täytyy ajaa myös rakennuspaikalle, joten hän ajatteli, että näin olisi sujuvampaa. Jos kaikki menee hyvin, saatamme viipyä siellä pitempäänkin ja nauttia illallisen asiakkaiden kanssa."
"Eli sinulla menee myöhään?"
"Kyllä. Koko päivä. Laitan sinulle tekstiviestin, kun lähdemme takaisinpäin." Sitten alan liikehtiä hermostuneena.
"Mene jo", hän sanoo ja suutelee otsaani. "En halua seistä naisen ja hänen työnsä välissä."
Nousen sängystä ja puen aamutakin ylleni. Päätän ottaa kahvin ennen suihkua. "Millaisia suunnitelmia sinulla on täksi päiväksi?"
"Ei kovinkaan kummoisia." Chris kietoo täkin ympärilleen. "Hiljaisenpuoleinen päivä toimistolla."
"Haluatko kahvia?"
"En. Ajattelin vedellä sikeitä vielä pari tuntia. Herätä minut vielä ennen kuin lähdet."
"Okei." Otan vaatteeni kaapista, jotta en häiritse häntä käydessäni rekkiä läpi myöhemmin, ja vien ne kylpyhuoneeseen. Laitan itseni valmiiksi siellä.

Valmistan erityisvahvan kahvin, ja sitten toisenkin. Jääkaapissa ei ole paljon mitään, ja mietin, että tarvitsisin Marilynin kotiinikin. Löydän jugurtin, jonka parasta ennen -päiväys on juuri ja juuri voimassa, ja tyydyn siihen. Olen varma, että Bill haluaa pitää tauon matkan varrella, ja voin ottaa sitten jotain välipalaa.

Kun olen käynyt suihkussa ja pukeutunut, käyn esitykseni vielä kertaalleen läpi. Sitten saan Billiltä tekstiviestin, jossa hän kertoo olevansa parkissa talon ulkopuolella, joten pakkaan tavarani kasaan. Kurkistan makuuhuoneeseen ja huomaan Chrisin nukahtaneen. Hänen täytyy herätä töidensä vuoksi pian, mutta päätän olla herättämättä häntä. Seison sängyn vierellä ja katselen hänen komeita kasvojaan, jotka näyttävät levossa niin pehmeiltä. Miksei välillämme ole enää entisenlaista yhteyttä? Johtuuko se yhä Lottiesta, vai onko taustalla jotain muutakin? Minusta tuntuu kuin katselisin aivan vierasta ihmistä, vaikka olemme olleet naimisissa kymmenen vuotta. Painan kevyen suukon hänen otsalleen ja lupaan tehdä enemmän suhteemme eteen.

74

”Hei”, annan Billille suukon noustessani autoon. Panen merkille hänen puhtaanvalkoisen paitansa ja tummansinisen pukunsa. Takki ja sen väriin sopiva solmio roikkuvat takaoven yläpuolella olevassa koukussa. Billin otsakiehkura on vielä kostea ja hänen siisti partansa vasta ajeltu. ”Näytät hyvältä.”

”Minusta myös tuntuu hyvältä”, hän sanoo. ”Entä sinusta?”

”No, helkkari, kyllä. Hoidetaan homma kotiin.”

Hän laittaa vaihteen päälle, ja lähdemme matkaan. Päivä on kauniin aurinkoinen, ja Billin iPodissa soi Freya Ridings. Minusta on ihanaa saada viettää koko päivä veljeni kanssa. Sellaista tapahtuu aivan liian harvoin. Yhteinen sosiaalinen elämämme rajoittuu tavallisesti asiakkaiden kanssa nautittuihin illallisiin.

”Tämä on kivaa”, sanon. ”Näen sinua niin harvoin toimiston ulkopuolella.”

”Tiedän. Meidän pitäisi tehdä tällaista useamminkin.” Hän puikkelehtii taitavasti yhä vilkkaammaksi käyvässä liikenteessä. ”Sait minut innostumaan omasta asuntolaivastani. Ehkä meidän pitäisi viettää siellä pidennetty viikonloppu jossain vaiheessa kesää, hengailla rannalla, grillata, juoda olutta. Sinä, minä ja Chris. Ehkä myös uusi kumppanini – jos siitä tulee jotain. Ajattelin pitää tänä vuonna hieman lomaa.”

"Ethän sinä pidä *koskaan* lomaa." Niiden vuosien aikana, kun Bill ja minä olemme työskennelleet yhdessä, hän ei ole tietääkseni ollut töistä poissa paria päivää pitempään. Hän luulee, että yritys kaatuu ilman häntä. Eipä sillä, niin minäkin joskus luulin. "En usko, ennen kuin näen."

"Pistetään päivämäärä kalenteriin", hän sanoo. "Sitten se on kiveen hakattu."

"Jep." Mutta kuinka minä voin lähteä veljeni laivalle, jos Ned asuu naapurissa? Nyt olisi hyvä hetki kertoa Billille ajastani saarella, mutta en sano mitään.

"Onko kaikki sinun ja Chrisin välillä ok?"

"Yritämme parhaamme", kerron hänelle. "Toivottavasti se riittää."

Sitten käännämme keskustelun bisnesasioihin, jolloin olemme turvallisemmilla vesillä, ja käymme läpi tarjouksemme. Bill on tästä urakasta yhtä innostunut kuin minäkin, ellei innostuneempi.

Jättäessämme Lontoon Freya Ridings vaihtuu Jack Savorettiin, ja lähdemme ajamaan M3-moottoritietä kohti New Forestin kansallispuistoa ja Brockenhurstia, lopullista määränpäätämme. Kun ohitamme Southamptonin ja jatkamme matkaa kauemmas etelään, huomaan kuinka lähellä Isle of Wightia olemme. Voisin hypätä lautan kyytiin ja olla saarella tunnissa. Mietin, mitä Ned mahtaa puuhastella nyt. Onko hän rannalla harrastamassa ulkoilmajoogaa? Lienee tarpeetonta kertoa, että lupauksistani huolimatta en ole joogannut yhtään kertaa paluuni jälkeen.

Ikkunan läpi paistava aurinko lämmittää kasvojani, ja kuuntelen rentoutuneena, kun veljeni juttelee yritykseen liittyvistä suunnitelmistaan. Billin äänen soljuessa korvissani mieleni pyrkii kuitenkin vaeltamaan vaarallisille vesille. Haluaisin tuntea hiekan varpaissani, polskutella aalloissa, nauraa Nedin kanssa jollekin typerälle pikkuasialle.

"Olet kovin hiljainen", Bill sanoo huomattuaan, etten ole reagoinut oikeissa kohdissa.

"Anteeksi", sanon. "Minulla on niin paljon mietittävää."

"Haluatko puhua siitä?"

Pudistan päätäni. "En erityisemmin."

"Et ole vieläkään ihan oma itsesi."

"En niin", myönnän.

"Emmehän vain ole antaneet sinulle heti alkuun liian paljon töitä? Voin pyytää jotakuta avustamaan sinua. Kaden työmäärä on tällä hetkellä aika vähäinen."

"Pärjään kyllä. Totta puhuen tämä on ollut tervetullutta vaihtelua. Haluan todella saada tämän projektin, kuten sinäkin."

"Me olemme lyömätön parivaljakko." Bill virnistää. "He eivät tiedä, mikä heihin iski."

Sydämeni täyttyy rakkaudesta veljeäni kohtaan. Hän on aina niin kiltti, aina läsnä, kun tarvitsen häntä. "Toivottavasti olet oikeassa."

75

Tapaamme asiakkaamme Twitchell Grangessa, joka on yksi heidän boutique-hotelleistaan ja rakennettu jo vuosia sitten New Forestiin. Sekin on hieno hotelli. Se näyttää ulkoapäin perinteiseltä – sanoisin, että lähinnä viktoriaaniselta – mutta on sisustukseltaan tyylikäs ja nykyaikainen.

Paikalla on tänään kolme johtajaa. Kaksi miestä ja yksi nainen. He näyttävät pelottavilta, sellaisilta, että voisivat syödä kissan- ja koiranpentuja aamiaiseksi, ja hermoni joutuvat heti hälytystilaan. Kättelemme toisemme Billin huolehtiessa esittelystä ja siirrymme sitten meille varattuun yksityiseen oleskelutilaan. Nautimme tervetulokahvit ja vaihdamme kohteliaisuuksia samaan aikaan kun minä yritän syödä lämmintä, vastaleivottua kroissanttia tyylikkäästi. Billillä on se etu, että hän on tavannut johtajat jo aikaisemmin, mutta minulle tämä on ensimmäinen kerta, ja voin sanoa, että he todella pistävät minut koetukselle. Eikä ihme, ovathan tässä isot rahat kyseessä.

Kun isäntämme kaatavat meille lisää kahvia ja juttelevat Billin kanssa, minulla on hyvää aikaa silmäillä hotellin sisustustyyliä. Oleskelutilassa on purppuranpunainen samettisohva sekä limenvihreitä nojatuoleja. Seassa on myös tavanomaisia ruudullisia, luumunpunaisen ja harmaan värisiä istuimia.

Lattia on vaaleaa tammea, ja perinteisen kristallikruunun lisäksi huoneessa on myös modernit lasiset seinävalaisimet. Kahdesta suuresta ikkunasta avautuu näkymä hotellin puutarhaan, ja huone tulvii valoa. Kuka huoneen sisustaja lieneekään, hän on tehnyt hienoa työtä.

Nautittuamme kahvimme minä pääsen ääneen. Ojennan johtajille esitteemme ja heijastan suunnitelmani seinällä olevalle valkokankaalle.

"Ajattelin esitellä muutamia ideoitani, jotka antavat teille hieman yleistuntumaa suunnitelmastamme. Olen laatinut joitain kuvaesimerkkejä sisustuksesta." Klikkaan esille ensimmäisen, tietokoneohjelmalla laaditun dian, jossa näkyy yleiskuva hotellista. "Olen nimennyt tyylin 'metsäisen boheemiksi'." Se saa kuulijat hymyilemään, ja olen helpottunut. "Valitsemanne tontti on upealla paikalla, ja haluamme hyödyntää maisemaa parhaan kykymme mukaan. Suunnitelmani on tuoda maisema sisälle rakennukseen niin, että siirtymä metsästä hotellin sisätiloihin on mahdollisimman saumaton."

Klikkaan esille ensimmäisen versioni hotellin vastaanottoalueesta. "Tila on samaan aikaan rustiikkinen ja moderni. Ei levoton, vaan ennemminkin rauhoittava, ja suosimme sisustuksessa luonnonmateriaaleja. Seinät ovat tässä karheaksi rapattua, valkoiseksi maalattua kalkkilaastia, lattiat perinteistä tummaa tammea. New Forestin kansallispuistossa yleisimmät puulajit ovat tammi, saarni, pyökki ja jalava, joita hyödynnän myös sisustuksessani." Käytän osoitinta. "Vastaanottotiski on malliltaan rento, se muodostuu puukappaleesta, joka on sahattu pituussuunnassa paksusta tammitukista, ja siinä on vielä nähtävillä puunrungon luonnollinen muoto."

"Tarkoituksenamme on välttää puiden kaatoa niin pitkälle kuin mahdollista, sillä haluamme kunnioittaa vanhaa ikimetsää." Naispuolinen johtaja, Eleanor Garten, katsoo minuun. "Ja kaadettuamme puita istutamme tilalle yhtä monta uutta tainta."

"Hyvä tietää." Vastaanottotilan keskelle on suunnitteilla lasiseinäinen suljettu tila, joka on katosta avoin ja jonka sisälle istutetaan alueelle tyypillinen puu. "Kaadettuja puita voidaan hyödyntää sisustuksessa kaikkialla hotellissa, joten mitään ei mene hukkaan", selitän heille.

Eleanor on taas äänessä. "Haluamme, että tämä hotelli on täysin hiilineutraali."

"Se asia on ollut päällimmäisenä meidänkin mielessämme, enkä usko, että meillä on mitään ongelmaa tavoitteenne saavuttamisessa. Korostaaksemme hotellin ekologisuutta olen suunnitellut huoneet sellaisiksi, että ne tuntuvat mahdollisimman luonnonläheisiltä. Tässä on alustava luonnostelmani hotellin pääaulasta." Näpäytän esille seuraavan dian. Arkkitehtimme ovat luoneet uskomattoman hienon tilan. Yksi seinä koostuu lattiasta kattoon ulottuvista ikkunoista, joista avautuu näkymä suoraan metsään. "Tässäkin olen halunnut korostaa ulkoilmafiilistä. Lattia on puuta, mutta tällä kertaa parkettia, jossa vaihtelevat erilaiset luonnolliset värit. Yksi seinä on tummaa tiiltä, ja sen yhteydessä on puulämmitteinen takka. Kokonaisuuden kruunaa näyttävä sisustuspeili. Kattopalkkeihin kiinnitetään nykyaikaiset pyöreät riippuvalaisimet, ja yhden seinän peittävät kokonaan kirjahyllyt. Väripaletti on hillityn syksyinen, ja haluaisin hankkia tilaan sinapin- ja ruosteenruskeita samettisohvia. Tarjoilupöydät ovat puuta ja henkivät 60-lukua."

"Upeaa", Eleanor sanoo. Muutkin nyökyttelevät hyväksyvästi, mutta Eleanorilla tuntuu olevan eniten sananvaltaa. Hän on mitä ilmeisimmin se henkilö, johon minun pitäisi yrittää tehdä vaikutus.

Bill iskee minulle silmää muiden päitten takaa. Hänen hymynsä ulottuu korvasta korvaan. Tämä sujuu hyvin. Hän jättää esittelyn pääosin minun harteilleni ja lisää vain joskus väliin sanan tai pari tarkentaakseen jotakin. Olemme hyvä tiimi, ja olen iloinen, että hän on uskonut minulle tämän projektin. Tiedän, että toimeksianto merkitsee hänelle todella paljon.

"Siirrymme baarialueelle. Täällä teemana on 'lepo'."

"Minäkin olin itse asiassa ajatellut jotakin samansuuntaista", Eleanor huomauttaa väliin. "Kuulostaa toimivalta."

"Tähän olen ajatellut mukavia vahvarakenteisia puupenkkejä, joiden pehmusteet ovat väriltään metsäisiä: sävyinä kataja, saniainen, sammal ja mänty. Runsaat huonekasvit ja seinällä kiipeilevä muratti luovat tilaan aidon luonnonläheisen tunnelman." Baarin kääntöovet avautuvat suoraan terassille. "Pöydät ovat marmoria, tätä tiettyä lajia saa Italiasta." Näytän heille kuvan tummanvihreästä marmorista, jossa risteilevät mustat juovat muistuttavat puunjuuria. "Ajattelin antaa baarille hieman modernia ilmettä käyttämällä neonkylttejä, joissa lukisi iskusanoja kuten *levähdä, rentoudu, nauti.*"

Kaikki nyökkäävät jälleen. "Hyvältä näyttää."

Kommenttien rohkaisemana esittelen heille näkemykseni hotellihuoneista. Mukana on myös sviitti, joka on kuin suoraan satujen keijukaismetsästä. Seinissä on höyläämätöntä puuta, ja kattoon on maalattu lehtikuvioita, lintuja ja perhosia. Värimaailmaa hallitsevat sammalenvihreä, liila ja kermanvalkoinen. Pakko myöntää, että haluaisin itsekin yöpyä sellaisessa huoneessa.

Lopetettuani esitykseni kuuntelijat taputtavat käsiään, mikä nostaa poskilleni tyytyväisen punan.

"Hienoa työtä", kaikki toteavat.

Eleanor sanoo: "Haluatte varmaan päästä jo tontille näkemään, miten projekti etenee, mutta sitä ennen haluaisin näyttää teille tämän." Hän ottaa esille puhelimensa ja selailee sitä. "Tutustuin vähän aikaa sitten tähän taiteilijaan ja tilasin häneltä teoksen kotiini. Minusta olisi hienoa, jos voisimme sisällyttää joitakin hänen teoksiaan suunnitelmiimme – jos mahdollista, hotellin sisätiloihin ja pihalle myös. Katsotaan, saanko tämän laitteen toimimaan."

Hän heilauttaa puhelintaan näyttöä kohti. "Hän on mukava kaveri. Tapasin hänet eräillä festivaaleilla viime vuonna." Hetken kuluttua näytölle ilmestyy kuva.

Sydämeni jättää kirjaimellisesti lyönnin väliin. En voi muuta kuin tuijottaa näytöllä olevia hymyileviä kasvoja. Siinä on Ned. Mitenkäs muutenkaan. Hän sopisi täydellisesti tähän projektiin. En tiedä, miksi en ollut tullut ajatelleeksi sitä aikaisemmin.

"Etsin täältä joitakin esimerkkejä hänen töistään." Eleanor näpäyttää laitettaan, ja esille ponnahtaa muutamia kuvia Nedin veistoksista. "Hän käyttää tähän pelkästään moottorisahaa, mutta työnjälki on uskomatonta." Eleanor vierittää kuvia eteenpäin, ja Nedin työt täyttävät seinän. Jotkut veistoksista ovat minulle jo tuttuja, jotkut näen nyt ensimmäistä kertaa. "Hyviä, vai mitä?"

Nyökkään sanattomana. Tuijotan lamautuneena kuvia ja tunnen, miten väri pakenee kasvoiltani.

Eleanor kääntyy minuun päin. "Etkö pidä näistä?"

"Ne ovat ihania", saan henkäistyä. "Täydellisiä."

"Hän on minun uusi löytöni. Vinkkaan hänestä kaikille ystävilleni. Vaikka tekisi kyllä mieli pitää hänet kokonaan itselläni", hän lisää naurahtaen paljonpuhuvasti.

Minun pitäisi kertoa hänelle, että tunnen Nedin – mutta

ei ehkä sitä, kuinka hyvin. Uskottavuuteni paranisi varmasti, jos kertoisin, että olen jo saanut häneltä lahjaksi veistoksen ja että hän on Billin asuntolaivan naapuri, mutta en pysty. En saa sanaakaan suustani.

"Annan sinulle hänen yhteystietonsa", Eleanor sanoo minun seisoessani typertyneenä paikoillani. "Hänen nimensä on Ned Haddon. Ole yhteydessä häneen. Hän keksii varmasti jotain jännittävää. Hänen kanssaan on helppo tehdä töitä."

Koska en edelleenkään vastaa, Bill sanoo: "Selvä. Teemme niin."

Eleanor klikkaa Nedin kuvan takaisin. Ned hymyilee avoimesti suoraan kameraan, onnellisen näköisenä. Olen nähnyt sen ilmeen monta kertaa. Sydämeni hakkaa yhä epätahtiin, enkä tiedä, miten jalkani onnistuvat enää kannattelemaan minua. Minun pitää päästä istumaan.

"Tekisi mieli alkaa itsekin harrastaa puunveistoa", Eleanor sutkauttaa iskien minulle silmää.

"Tämä taitaakin olla tässä", toinen miehistä sanoo. "Tilaanko meille lounaan?"

"Sopii", Bill sanoo.

Kun lounasta järjestellään ja johtajat pistäytyvät soittamassa pari puhelua, Bill ja minä jäämme kahden. Rojahdan lähimpään tuoliin. Bill on salamana vierelläni ja katselee minua veljellisen huolestuneena. "Kaikki hyvin?"

"Juu", vastaan. "Alkoi vain vähän huimata. Olisi pitänyt syödä enemmän aamiaisella."

"Lounas on tulossa", Bill sanoo ja silmäilee näytöllä olevia Nedin kasvoja.

Bill vilkaisee minua uudestaan, ja tiedän, että jossain vaiheessa tätä päivää hän haluaa saada minulta vakuuttavamman selityksen.

76

Lounaan jälkeen ajamme Eleanorin ja hotelliketjun muiden johtajien jäljessä rakennuspaikalle.

En ole vieläkään rauhoittunut. Istun autossa levottomana, kämmenet hikisinä, vatsa kipristellen. Olin pystynyt ottamaan vain muutamia maistiaisia tarjolla olleesta lounasbuffetista.

Bill ohjaa auton hotellialueelta päätielle, jonka molemmilla puolilla näkyy nummimaata. Hän joutuu pysäyttämään auton, kun muutama seudulla luonnonvaraisena elävistä newforestinponeista ylittää tien. Odottaessamme kärsivällisesti ponien etenemistä Bill kääntyy minuun päin.

”Haluatko selittää, miksi olit kuin aaveen nähnyt Eleanorin näyttäessä sen kuvan siitä moottorisahataiteilijasta? Minusta mies näytti jotenkin tutulta.”

”Hän on sinun naapurisi viereisestä asuntolaivasta.”

”Onko?”

Se saa minut nauramaan, mikä laukaisee osan jännityksestä. ”Voi, Bill.”

Bill hekottelee myös. ”Mistä minä olisin voinut tietää? En ole käynyt siellä juuri koskaan.”

”Sinä pitäisit hänestä.”

”Mahtaisikohan hänkin pitää minusta?”

”Ei. Hän pitää naisista.”

”Harmi. Hän näyttää aika kuumalta tapaukselta.” Bill katsoo minua tarkemmin. ”Tulkitsinko sinun reaktiosi oikein, eli sinäkin ajattelet niin?”

Nyökkään.

”Ja onko niin, että hänkin pitää sinusta?”

”Ehkä liikaakin.”

”Ymmärrän. Tietääkö Chris tästä?”

”Ei”, minä myönnän.

Me kumpikin istumme hiljaa, kunnes ponit ovat päässeet tien toiselle puolelle ja Bill lähtee taas liikkeelle.

”Tutustuitko häneen, kun asuit *Päivänpaisteessa*?”

”Hän oli se henkilö, joka opetti minulle joogaa”, minä tunnustan. ”Meillä oli tapana käydä aina aamuisin rannalla.”

”Minä *tiesin*, että tähän liittyi jotain muutakin.”

”Me vain aloimme hengailla yhdessä.” Saan sen kuulostamaan maailman helpoimmalta asialta, ja totta puhuen sellaistahan Nedin kanssa oleminen onkin. ”Joimme liikaa viiniä ja rakensimme rannalle hiekkalinnoja.” Se ilta on piirtynyt niin elävänä muistoihini, että pystyn edelleen tuntemaan kasvoillani merituulen ja maistamaan huulillani suolaisen yöilman. ”Kävin kevätfestareilla hänen kanssaan.”

Bill katsoo minua ilmeettömänä.

”Se on iso juttu Isle of Wightilla”, vakuuttelen hänelle. ”Ned on hauska tyyppi, ja hän sai minut nauramaan, kun maailmassani ei tuntunut olevan juuri mitään ilon aihetta.”

”Olen hieman mustasukkainen”, Bill sanoo. ”Hän on selvästi tehnyt sinuun aikamoisen vaikutuksen.”

”Hän oli paikalla, kun tarvitsin jonkun vetämään minut ulos kurjuudestani.”

”Mitä minä tein väärin?” Veljeni kuulostaa surulliselta.

”Kukaan ei ole tehnyt mitään väärää”, korjaan häntä. ”Kaikkein vähiten sinä. Se oli vain niin hirveää, hirveää aikaa.”

”Menittekö te...?” Hän katsoo minua tuskaisena. ”On niin vaikea kysyä tällaista pikkusiskolta.”

Hänen ei tarvitse sanoa sitä ääneen. ”Vain kerran.” En ole koskaan salannut Billiltä mitään enkä halua tehdä niin nytkään.

Veljeni kurtistaa kulmiaan. ”Se ei ole ollenkaan sinun tapaistasi.”

”Tiedän. En halunnut, että niin kävisi, mutta se vain tapahtui. Hän sattui paikalle silloin, kun tarvitsin syliä.” Kyse oli paljon enemmästäkin, mutta miten voisin yrittää selittää sitä Billille, tai Chrisille, tai edes itselleni. ”En ole vieraisiin menevää tyyppiä, ja tämä on ainut kerta, kun olen hairahtanut.”

”Sinulla on ollut paljon paineita, ja ymmärrän hyvin, mikset ole ollut oikein oma itsesi.”

”En enää edes tiedä, millainen minä olen, kun olen oma itseni.” Hieron otsaani. ”Luulen, että se olisi voinut edetä pidemmällekin, ellei Chris olisi tullut noutamaan minua kotiin.”

Mitä sitten olisi tapahtunut? Tiedän, että olisimme viettäneet toisenkin yön yhdessä, mutta entä sen jälkeen? Olisinko aloittanut suhteen Nedin kanssa? En ollut uskonut voivani tehdä sellaista Chrisille, mutta nyt en totta puhuen tiedä.

”Oletko puhunut hänelle... sille kaverille... sen jälkeen?”

”Hänen nimensä on Ned.” Ravistan päätäni. ”En.” Huokaisen pitkään ja väsyneesti. ”Palattuani takaisin olen tehnyt parhaani unohtaakseni hänet. Yritän todella tehdä töitä avioliittomme eteen.” Ja se on totta. Chrisille ja minulle olisi varmasti helpompaa yrittää saada avioliittomme toimimaan kuin heittää se menemään ja aloittaa alusta. Vaikka pakko myöntää, että minua hieman epäilyttää. ”Luulin, että olin jo pääsemässä voiton puolelle.”

”Kunnes sitten näit hänet taas?”

”En odottanut sitä ollenkaan. Oli aikamoinen shokki nähdä hänen kuvansa. Mutta Eleanor Garten on oikeassa. Ned olisi täydellinen tähän projektiin. Minun olisi pitänyt keksiä se itse.” Luulen, että olen yrittänyt niin kovasti unohtaa hänet, ettei ajatus ollut juolahtanut mieleeni ennen kuin nyt. ”Hänen työnsä ovat todella uskomattomia. Sinun pitäisi nähdä itse. Sinäkin rakastuisit niihin.”

Bill luo minuun vinon katseen.

”Lopeta”, torun häntä. ”Olen käyttäytynyt huonosti ja yritän hyvittää tekoni.”

”Chris kuitenkin epäilee jotakin?”

”Kyllä. Hän antoi ymmärtää niin. Me kumpikin päätimme unohtaa menneet. Olen melko varma, että hän on tapaillut jotakuta työkaveriaan jo pitemmän aikaa. Meg on pääepäiltyni. Chris ei ole maininnut häntä lainkaan, vaikka ennen hän puhui Megistä koko ajan.”

”Varma merkki”, Bill myötäilee.

”Emme ole oikeastaan keskustelleet mistään kunnolla, mutta luulen, että se Megin juttukin on jo ohitse. Chris on ollut hyvin huomaavainen sen jälkeen, kun palasin takaisin. En voisi vaatia enempää.”

”Luulet siis, että te saatte suhteenne vielä korjattua?”

Katson Billiä ilmeettömänä. ”Niin minä luulin.”

”Pystytkö tekemään töitä sen kaverin kanssa, jos pyydämme häntä veistämään joitain juttuja hotellille?” Bill kysyy. ”Hänen teoksensa näyttivät sopivan upeasti tähän ympäristöön. Vai meneekö se liian hankalaksi? Voin asioida hänen kanssaan itse, tai sitten voimme olla yhteydessä muihin kuvanveistäjiin.”

Mutta kukaan heistä ei vastaisi Nediä. ”Mietitään vielä”, sanon. ”Onhan meillä aikaa.”

”Ihastut varmaan, kun näet tontin”, Bill palaa takaisin bisnesteemaan. ”Odotan innolla, mitä sanot.”

”Ollaanko jo perillä?” kiusoittelen häntä. Lapsena Billillä oli aina tapana kysyä niin. Hän ei olisi millään malttanut odottaa perille pääsyä, kuten ei nytkään.

Hän pitää katseensa tiessä ja sanoo: ”Vielä yksi viimeinen kysymys. Rakastatko sinä sitä Nediä?”

”En tiedä”, myönnän.

”Oikeastaan kaksi kysymystä”, Bill lisää. ”Rakastatko sinä Chrisiä?”

”En tiedä sitäkään.”

Bill tarttuu käteeni ja puristaa sitä. ”Elämä on lyhyt”, hän sanoo. ”Sinunhan se pitäisi tietää. Älä vietä sitä väärän ihmisen kanssa.”

Mutta helppohan niin on sanoa. Olen antanut lupaukseni Chrisille, meillä on yhteinen menneisyys, yhteiset ylä- ja alamäet. Elämämme perusta on järkkynyt, mutta senhän voi korjata. Eikö voikin? Minulla oli hauskaa Nedin kanssa – hauskempaa, kuin olisi ollut tarpeen. Ja kun katson häntä, vaikka vain hänen valokuvaansa, sisimpäni sulaa, ja kaipaan häntä hirvittävästi.

Mutta kun näin hänet viimeksi, hän oli minulle vihainen, enkä tiedä, onko hänellä enää muunlaisia tunteita – tai ylipäätään mitään tunteita – minua kohtaan. Kannattaako sen vuoksi heittää kaikkea menemään?

77

Ekohotellin tontti sijaitsee aivan New Forestin luonnonsuojelualueen reunalla. Työt ovat jo alkaneet, ja päärakennus on kohonnut ensimmäisen kerroksen tasolle, joten voimme kävellä sen sisällä ja saada käsityksen siitä, millaisia huoneet tulevat olemaan.

Paikka vilisee erilaisia myyntiedustajia, joita joudumme väistelemään kävellessämme eteenpäin. Vaikka hotelli onkin vielä rakennustyömaata, pystymme jo erottamaan, mihin kohtaan valtavankokoiset ikkunat sijoittuvat ja millä tavalla valo lankeaa huoneisiin.

”Tästä tulee upea”, sanon Eleanorille. ”Olette varmaan innoissanne.”

”Olemme edelläkävijöitä, mitä itse rakentamiseen ja hotellissa käytettävään teknologiaan tulee”, hän kertoo minulle. ”Jos kaikki menee suunnitelmien mukaan, aiomme hyödyntää samaa konseptia myös muissa kohteissamme ympäri maailman.”

Teen muistiinpanoja kulkiessamme tilan läpi. Sitten siirrymme ulos ja kävelemme kohti metsää ja korkeuksiin kohoavia ikivanhoja puita. Muistan, että edeltävä metsäkävelyni tapahtui festivaaleilla Nedin seurassa. Kun mieleni on taas avautunut hänelle, en voi enää olla ajattelematta häntä.

"Osa metsän reunasta kuuluu meille. Suunnittelemme rakentavamme tänne puumajoja. Ne tulevat olemaan viimeisen päälle luksusmökkejä, mutta silti luontoystävällisiä."

Pakottaudun takaisin todellisuuteen ja yritän keskittyä keskusteluun.

"Ne eivät taida näkyä alkuperäisessä suunnitelmassa?" Bill tiedustelee.

"Eivät. Eikä niitä ole vielä sisällytetty urakkaan", Elanor sanoo.

Eleanor on oikeassa. Luulen, että tämä olisi loistava projekti Nedille. Hän voisi mainiosti veistää huonekaluja myös sisätiloihin. "Minusta olisi hienoa, jos saisin mahdollisuuden esittää ideoita myös niihin mökkeihin", ehdotan. "Mielessäni alkoi pyöriä heti erilaisia vaihtoehtoja."

"Olemme todella pitäneet siitä, mitä olet esitellyt meille tähän mennessä." Eleanor tuntuu tietävän mitä haluaa. "Lähetän tarkemmat piirustukset sinulle siinä vaiheessa, kun ne ovat valmiina."

Aivoni surraavat omalla taajuudellaan, kun kävelemme metsänreunaa pitkin ja meille esitellään tulevien puumajojen sijainnit. Ajatukseni singahtelevat edestakaisin Nedin ja työprojektin välillä, kunnes olen aivan pyörällä päästäni.

Onneksi tutustumiskierros saadaan pian päätökseen. Ennen lähtöämme kävelemme vielä kertaalleen tulevan hotellirakennuksen läpi.

Kun palaamme autoillemme, Bill kysyy johtajilta: "Saisimmeko tarjota teille illallisen? Voisimme tavata uudelleen seitsemältä. Varaan pöydän haluamastanne ravintolasta."

"Kävisikö, että tapaamme myöhemmin vielä Twitchell Grange -hotellilla ja syömme siellä?" Ehdottaja on Eleanor, ja hänen kollegansa nyökyttelevät yksissä tuumin. "Huolehdin pöytävarauksesta."

”Kyllä se meille sopii”, Bill sanoo.

Kättelemme toisiamme. ”Tapaamisiin.”

Bill ja minä katselemme, kun he kävelevät poispäin. Olemme pelkkää hymyä.

Kun he ovat poissa, nojaan autoa vasten ja Bill huokaisee helpotuksesta. ”Et tiedä, kuinka hartaasti haluaisin saada tämän projektin.”

”Sinulle tärkeintä on jahtaamisen ilo”, kiusoittelen häntä.

Bill nauraa. ”Sinä selviydyit hyvin. Kiitos. Löit minut ällikällä. Hotellinjohtajatkin olivat vaikuttuneita, eikä ihme. Eleanor tuntuu olevan joukon päällepäsmäri, ja hän on selvästi kanssasi samoilla linjoilla. En tiedä, mitä meri-ilma on saanut sinussa aikaan, mutta olet todella kovassa iskussa.”

”Ehkä lepo teki minulle hyvää. Uskotko, että saamme tämän urakan?”

”Toivon niin. Ehkä hinnasta tulee vielä vääntöä, mutta he näyttävät siltä, että ovat valmiita maksamaan pitkän pennin saavuttaakseen päämääränsä. Huippuluokan hotellia ei rakenneta halvalla. Tästä ekohotellista tulee heidän lippulaivansa. En usko, että he haluavat oikoa mutkia missään kohdassa. Oletko laatinut jo jonkinlaisen kustannusarvion?”

”En vielä, mutta nähtyäni nyt kokonaisuuden minulla on parempi käsitys jatkosta. Haluan todella päästä käsiksi tähän keikkaan. En ole koskaan suhtautunut näin intohimoisesti mihinkään projektiin.”

Nousemme Billin autoon. ”Ajattelin ajaa hotellille ja työskennellä siellä pari tuntia, kunnes lähdemme illalliselle. Onko sinulla töitä mukanasi?”

”Ainahan minulla on.”

Ennen kuin Bill käynnistää moottorin, hän sanoo: ”Kiitos, että tulit takaisin, Jo. Firmalla menee paremmin, kun sinä olet mukana. En tiedä, mikä siinä on, mutta jotenkin me onnistumme tsemppaamaan toisiamme eteenpäin. Älä lähde enää karkuun. Jos tarvitset jotakin, kerro vain, niin järjestämme asian."

"Kiitos", sanon hänelle. "Olen vieläkin kuin puusta pudonnut – mikä on, myönnettäköön, aika hirveä sanonta, kun istumme täällä metsän keskellä – mutta parempaan päin ollaan menossa."

"Mukava kuulla." Bill antaa suukon poskelleni. "Ei kun menoksi. Anna minun tarjota sinulle *iso* lasillinen giniä. Olet ansainnut sen."

"Sait ylipuhuttua", nauran hänelle, ja lähdemme ajamaan metsäteitä pitkin kohti hotellia, väistellen villiponeja matkan varrella.

78

Sillä aikaa, kun Bill työskentelee yksityisessä oleskelutilassa, menen puutarhaan soittamaan Chrisille. Löydän kukkivan puun alta varjoisan penkin.

”Hei”, Chris vastaa muutaman tuuttauksen jälkeen. ”Mitenkäs päivä on sujunut?”

”Hyvin. Mutta olemme vielä täällä ja viemme asiakkaat illalliselle.”

”Eli se meni siis hyvin?”

”Toivomme niin. He vaikuttivat pitävän esityksestämme.”

”Mihin aikaan arvelet olevasi kotona?”

”Mahdollisesti puolilta öin. Ehkä meidän olisi kannattanut jäädä yöksi, mutta en ollut varautunut siihen. Billillä on pitkä ajomatka.” Tarjoutuisin ajamaan osan matkasta, mutta Bill on maailman rasittavin matkustaja. Koska hän on kontrollifriikki, hän haluaa välttämättä istua kuljettajan paikalla. ”Selviät illallisesta varmaan itseksesi?”

”Juu. Olen todennäköisesti myös myöhään töissä.” Kuulen taustalta toimiston hälinää.

”Nähdään sitten myöhemmin.”

”Ajakaa rauhallisesti”, hän sanoo ja lopettaa puhelun.

Jään tuijottamaan puhelinta pitkäksi aikaa. Surullista kyllä, kun puhun mieheni kanssa, minulle ei edelleenkään tule samanlaista lämmintä, kotoisaa tunnetta kuin ennen. Sen tilalla on pelkkää tyhjää. Palaako tämä koskaan ennalleen? Voiko tunnetta pakottaa takaisin?

Kun palaan oleskelutilaan, Bill on keskittynyt MacBookiinsa, joten minäkin otan esille oman läppärini. Yritän syventyä työasioihini, mutta en pysty keskittymään. Nähtyäni Nedin valkokankaalla mielessäni vilisee vain kuvia hänestä, ja päätän olla taistelematta vastaan. Aprikoin, onko hänellä nettisivuja. Ihmettelen, etten ole tehnyt tätä aikaisemmin, mutta googlaan hänet nyt. Vakuuttelen itselleni, että teen sen vain työn merkeissä, selvittääkseni asioita.

Tietenkin hänellä on nettisivut, ja näen saman hymyilevän kuvan kuin aiemminkin. Sydämeni lyö taas tyhjää. Tämä on paha juttu. Onnistun jättämään hänen kuvansa ja alan selata teosgalleriaa. Nedin portfolio on laajempi ja pätevämmän oloinen kuin olin kuvitellut. Hänen kanssaan olisi hienoa tehdä yhteistyötä, mutta voisinko ryhtyä siihen? Olisiko se viisasta? Vaikka hän suostuisikin lähtemään mukaan, uskaltaisinko ottaa yhteyttä häneen? Pitäisikö minun antaa se Billin tehtäväksi? Vai olisiko meidän parempi tehdä niin kuin veljeni ehdotti ja etsiä työhön kokonaan toinen henkilö?

Kun olen selannut Nedin sivuston läpi useampaan kertaan kuin olisi ollut tarpeen, googlaan *puukuvanveistäjät*, ja klikkaan ensimmäisellä sivulla olevaa kolmea ylintä nimeä. Heidän teoksensa ovat hyviä, sitä ei käy kieltäminen, mutta niistä puuttuu Nedin töiden taidokkuus ja maaginen lumovoima. Pahus.

Bill on saapunut huomaamattani selkäni taakse kurkkimaan. ”Eivät ole samaa tasoa kuin kultapoikamme työt”, hän sanoo.

”Eivät niin.”

”Haluatko, että minä otan yhteyttä häneen?”

”En tiedä. Yritän saada ensin asiat järjestykseen päässäni. Tämä on minun projektini, ja minun pitäisi pystyä hoitamaan se ammattimaisesti. Saanko miettiä vielä hetken?”

”Meidän täytyy lähteä pikapuoliin illalliselle.”

Katson kelloani, ja Bill on oikeassa. En tiedä, mihin aikani on mennyt.

Siispä suunnistamme ravintolasaliin tavataksemme taas asiakkaamme ja viettääksemme heidän kanssaan miellyttävän ja hyödyllisen illallishetken. Pidän Eleanorista; hän muistuttaa paljon Dellaa. Hän on eloisa, hauska ja suorapuheinen. Luulen, että näiden ihmisten kanssa olisi mukava tehdä yhteistyötä – ja toivon, että saamme siihen mahdollisuuden. Ravintolan ruoka on erinomaista, ja viini virtaa, ainakin mitä minuun tulee. Ja vaikka ekohotellin johtajat eivät asiaa suoraan sanokaan, he antavat kaikin tavoin ymmärtää, että projekti on meidän.

Palaamme iloisin mielin Billin autolle, ja ajamme takaisin Lontooseen Will Youngin laulaessa taustalla suurimman osan matkasta. Suljen silmäni ja annan pehmeän musiikin rauhoittaa levottoman mieleni. Kuuntelen samalla Billiä, joka kertoo uusista sopimuksistaan, ja yritän olla ajattelematta liikaa Nediä.

79

Kello on yli puolenyön, kun pysähdymme asuntoni ulkopuolelle, mutta näen, että valot ovat yhä päällä.

Annan Billille suukon. "Nähdään aamulla."

"En ehkä jaksa tulla kello kahdeksan kokoukseen", hän sanoo peittäen haukotuksensa.

Mutta kyllä hän jaksaa. Tiedän sen. Päivä on ollut pitkä, mutta Billillä on rajattomasti energiaa, ja hän on työpaikalla ensimmäisenä meistä. Minulla saattaa sitä vastoin olla vaikeuksia herätä.

Kerään tavarani. "Se meni hyvin. Tämä oli kiva päivä."

"Ihan paras", Bill on samaa mieltä. "Vaikka emme saisikaan urakkaa."

"Kyllä me saamme", vakuutan hänelle. "Olen varma siitä." Sitten nousen autosta ja vilkutan hänelle hänen jatkaessaan matkaa.

Astun asuntoon niin hiljaa kuin mahdollista ja hiivin varpaillani eteisen poikki siltä varalta, että Chris on nukahtanut sohvalle. Mutta olohuoneessa ei näy ketään. Keittiön työtasolla on kuitenkin vaasiin asetettu kukkakimppu, joka tosin on vielä sellofaanikääreessään. Se näyttää siltä kuin se olisi ostettu supermarketista. Menen keittämään kupin teetä ja löydän altaasta kaksi viinilasia, joista toisessa on selvä huulipunatahra. Sydäntäni kouraisee. Meg?

"Hei", Chris huutaa makuuhuoneesta tuijottaessani yhä laseja. "Tule nyt tervehtimään minua."

Menen hänen luokseen. Hän istuu sängyllä tyynyihin nojaten, läppäri polviensa päällä. "Anteeksi, ajattelin, että saattaisit olla jo nukkumassa."

"Ei. Minulla on vielä töitä", hän sanoo. "Olen kyllä kohta valmis." Hän kurottautuu minua kohti ja vetää minut istumaan viereensä.

Kysyn otsa kurtussa: "Onko sinulla ollut täällä seuraa?" Minua ärsyttää, miten epäluuloiselta kuulostan.

"Ai niin, kyllä. Della pistäytyi täällä lyhyesti."

"Della?" En odottanut sitä vastausta. "Hänhän tiesi, että minun piti mennä New Forestiin tänään. Oliko hän unohtanut sen?"

"Ei. Hän toi sinulle kukkia, sillä hän tiesi, että tämä oli sinulle tärkeä päivä."

"Voi, sepä huomaavaista häneltä." Epätavallisen huomaavaista. Tosin minua alkaa hymyilyttää, kun kuvittelen Dellan supermarkettiin. Se ei todellakaan sovi hänen tyyliinsä. Normaalisti hän pyytäisi avustajaansa tilaamaan kalliilta floristilta kukkalähetyksen kotiin kuljetettuna.

"Hän nautti kanssani pikaisesti lasillisen viiniä. Olin saapunut juuri kotiin."

Della ei harrasta sellaisia yllätysvisiittejä. Hän ja Chris tulevat kyllä toimeen, jos on pakko, mutta eivät ole mitään ylimpiä ystäviä. Kummallakin on vahva temperamentti, ja heillä on taipumus ottaa välillä yhteen. Eikä Dellan kärsivällisyys riitä muutenkaan Chrisin tyyppisiin miehiin, sillä Chrisissä on vähän miesselittäjän vikaa.

"Menikö kaikki hyvin?"

"Kyllä", vastaan. "Paremmin ei olisi voinut mennä. Odotamme enää ilmoitusta, milloin pääsemme aloittamaan."

”Uskotteko, että he päätyvät teihin?”

”Toivon niin. Ehdotukseni kävivät yksiin heidän suunnitelmiensa kanssa. Pistin parastani.”

”No, enempää et voi enää tehdä.” Chrisin huulet etsiytyvät minun huulilleni. ”Minulla on ollut sinua tänään ikävä. Tule jo tänne.”

”Otan vain ensin kupin teetä ja käyn suihkussa”, sanon hänelle. ”Minulla on nestehukka ja olen ihan poikki.”

”Okei.” Chris näyttää pettyneeltä. Ehkä miehelläni oli mielessään muuta, mutta on myöhä, ja minä olen väsynyt.

”Otatko sinäkin teetä?”

Chris pudistaa päätään. ”Ethän viivy pitkään.”

Siispä palaan keittiöön ja valmistan itselleni kupposen piparminttuteetä ja kulautan alas pari lasillista vettä. Krapula on viimeinen asia, jota kaipaisin itselleni huomisaamuksi. Juodessani teetä pitelen veistostani lujasti rintaani vasten ja tuuditan sitä samalla kun katselen alhaalla näkyvää katua. Välillä minusta tuntuu, että kaikki palautuu vielä ennalleen, että solahdan takaisin entiseen elämääni. Joskus taas minusta tuntuu, kuin eläisin jonkun toisen ihmisen elämää. Silloin haluaisin palata takaisin *Päivänpaisteeseen*, katsella suunnattoman laajaa, huikean sinistä taivasta ja tuntea hiekan jalkojeni alla.

Kun pääsen suihkuun, päivällä kokemani euforia haihtuu pois ja sen tilalle hiipii vanha tuttu alakulo. Palattuani makuuhuoneeseen huomaan, että Chris on käynyt pitkäkseen ja on jo syvässä unessa. Läppäri on yhä avoimena sängyllä. Nostan sen pois, pujahdan hänen viereensä ja vaikka tiedän, että minun ei pitäisi tuntea näin, olen helpottunut siitä, ettei hän ole hereillä.

80

Chris on herättyään äreä ja rymistelee ympäri huoneistoa. Hän purkaa pahan tuulensa esineisiin mäiskimällä ja paiskomalla niitä, ja silloin hänet on paras jättää omiin oloihinsa. Tänään se kestää tavallista pitempään. Jokainen kaapinovi keittiössä sulkeutuu paukahtamalla, ja jokaista pikku askaretta säestää kiukkuinen puhina. Hiiviskelen varoen hänen ympärillään, kunnes saan tarpeekseni.

”Onko kaikki ok?”

Hän seisoo keittiön työtason äärellä ja kauhoo muroja suuhunsa kuin viimeistä päivää. ”On.” Hän syödä rouskuttaa raivoisasti.

”Nukuitko huonosti?”

”Nukuin oikein hyvin”, hän tiuskaisee.

”Painaako sinua jokin työasia?”

”Lopeta tuo lässytys.” Hänen kulhonsa ja lusikkansa lentävät rämähtäen tiskialtaaseen ja osuvat kilahtaen edellisiltaisiin viinilaseihin. Ehkä hänellä on vain krapula. Se paranee kyllä parilla särkylääketabletilla. Ehkä hän otti Dellan kanssa useammankin kuin yhden lasillisen.

En ole ihan varma, mikä yön aikana on muuttunut, mutta jotakin on selvästi tapahtunut. Johtuuko tämä siitä, että häntä olisi huvittanut rakastella, mutta minä onnistuin luikertelemaan tilanteesta eroon? Taas. Minun täytyy yrittää hyvittää tämä jotenkin. ”Valmistanko meille illallisen? Eilen meni niin myöhään, että ajattelin lähteä töistä hyvissä ajoin tänä iltana.”

”Minun täytyy ehkä jäädä toimistolle. Osaan sanoa vasta myöhemmin.”

”Ilmoitathan minulle sitten?”

”Enkö minä muka aina ilmoita?” hän sanoo huokaisten korostetun äänekkäästi, ja vaikka hän antaa poskelleni suukon, se tuntuu ylimalkaiselta. ”Nähdään sitten.”

Mieheni kaappaa käteensä läppärisalkun, ja kun huudan hänen peräänsä ”Mukavaa työpäivää”, hän paukauttaa oven kiinni.

Mitä se oikein oli?

Kaadan ihmeissäni kulhoon mysliä ja maitoa, mutta sysään annoksen pois. En pysty syömään. Pakkaan sen sijaan tavarani, sujautan takin ylleni ja valmistaudun työmatkaan. Sitten huomaan, että Chrisin puhelin on jäänyt pöydälle Dellalta saamani, yhä kääreessä olevan kukkakimpun viereen.

”Hitto”, mutisen. Tämä saa Chrisin entistä huonommalle tuulelle. Hänestä tuntuu kuin hän olisi menettänyt jommankumman kätensä tai jalkansa. Soitan hänelle töihin päästyäni ja kerron, missä hänen puhelimensa on. Hän menee paniikkiin, kun huomaa unohduksensa. Voisin myös ottaa puhelimen mukaani töihin, tavata Chrisin lounasaikaan ja antaa sen sitten hänelle.

En tiedä, mikä minuun menee, mutta otan puhelimen ja näpyttelen siihen Chrisin salasanan. Puhelin ei avaudu. Onkohan hän vaihtanut salasanan? Kokeilen toista numeroa, mutta sekin on väärä. Sydämeni hakkaa nopeammin epäonnistuneiden yritysten jälkeen. Kolmannella kerralla onnistun. Mieheni on varmaankin vaihtanut salasanaa kertomatta siitä minulle.

Chrisin viestit ponnahtavat näytölle. Näkyviin tulee tavallisia työhön liittyviä keskusteluja sekä minun lähettämiäni arkipäiväisiä viestejä. Silmiinpistävintä kuitenkin on, että suurin osa niistä on tullut yhdeltä ainoalta tietyltä henkilöltä. Ja tunnen sen henkilön varsin hyvin. Vaikuttaa siltä, että Chriskin tuntee. Voin pahoin selatessani heidän toisilleen lähettämiään viestejä. Niitä on paljon, ja ne ovat toinen toistaan intiimimpiä, toinen toistaan suorasukaisempia.

Ei minun Megistä tarvitse olla huolissani. Chrisin työkaveri, jota olen epäillyt niin pitkään, on sittenkin syytön. Kaikki Megin lähettämät tekstiviestit käsittelevät pelkästään työasioita, eivät muuta. Sen sijaan näyttää siltä, että aviomiehelläni ja parhaalla ystävälläni on meneillään suhde, ja on ollut jo hyvän aikaa.

Samaan aikaan, kun surin lapseni menetystä, ne kaksi ihmistä, jotka ovat minulle tärkeimpiä maailmassa, ovat juonineet selkäni takana. Sen oivaltaminen tuntuu kuin nyrkiniskulta vatsaani. Minun pitää päästä istumaan jonnekin, ja nopeasti. Mielessäni myllertää. Della ja Chris.

Selatessani tekstiviestejä taaksepäin epätoivoni ja vihani kasvavat. Useimmat niistä ovat rohkeampia kuin olisin voinut kuvitella. Puhelimella on myös valokuvia, jotka paljastavat ystävättärestäni huomattavan paljon enemmän kuin mitä haluaisin nähdä. Jotkut niistä ovat eilisillalta. He ovat ottaneet myös itsestään selfien meidän sängyssämme. Mieheni on lähettänyt jopa kikkelikuvan. Suljen viestit.

Tiesin, että hänellä oli joku, mutta minulla ei ollut aavistustakaan, että se joku oli Della. Koko sen ajan, kun Chris oli esittänyt huolehtivaa aviomiestä, sanonut haluavansa palauttaa avioliittomme takaisin raiteilleen ja oli jopa ehdottanut uuden lapsen yrittämistä, hänellä oli ollut seksisuhde parhaan ystäväni kanssa. En voi käsittää sitä. Tietyssä määrin olen jo tottunut tunteiden vuoristorataan. Me kumpikin olemme. Mutta kaikista vaikeinta minun on sulattaa valheita. Eikä pelkästään yhtä valhetta, vaan kuukausia kestänyttä, jatkuvaa salailua, joka oli muuttunut vähitellen yhdeksi suureksi emävalheeksi. En tiedä, kuinka kauan vain istun siinä, lähes liikuntakyvyttömänä, mutta lopulta puhelimeni soi ja kiskaisee minut takaisin nykyhetkeen.

Puhelimeni näytöllä näkyy Chrisin työnumero. Taustakuvasta katsovat hänen hymyilevät kasvonsa – otin sen kuvan, kun olimme vuosia sitten lomamatkalla Malediiveilla, olimme onnellisesti rakastuneita, ja ajatukset perheen perustamisesta olivat vielä kaukaista tulevaisuutta. Se on suosikkikuvani Chrisistä, mutta nyt hänen virnistyksensä näyttää pelkästään kaksinaamaiselta. Hän on mitä ilmeisimmin saapunut työpaikalleen ja huomannut unohtaneensa puhelimensa. Voin kuvitella, miten hän menee paniikkiin, ja useammastakin syystä, kuin mitä ensin ajattelin. En vastaa hänelle. En pysty. Mitä minä voisin hänelle sanoa?

Puhelin soi ja soi, mutta annan puhelun mennä vastaajaan.

81

En ole ihan varma, kuinka pääsin töihin, mutta täällä minä kuitenkin olen. Matkustin todennäköisesti tavanomaiseen tapaani maanalaisella ja kävelin loppumatkan. Silti en muista siitä mitään. Aamukokous meni kuin sumussa. Nyt istun lasikopissani, ja minusta tuntuu kuin elämäni olisi myllerretty jälleen kerran ylösalaisin ja joudun kyseenalaistamaan kaiken entisen.

Koska saavuin myöhässä, Bill oli jo ehtinyt käymään toimistolla ja lähtenyt taas omille asioilleen. Olen iloinen siitä, sillä hän huomaisi heti, että jokin on pielessä. Kaikki kollegani ovat työn touhussa, ja kuulen naurua sekä pätkiä heidän keskusteluistaan, mutta en pysty liittymään heidän seuraansa. Piileskelen työhuoneessani ja olen olevinani kiireinen. Liikehdin niin kuin tekisin töitä – siirtelen papereita paikasta toiseen, näpyttelen tietokoneen näppäimistöä – mutta en saa mitään aikaiseksi. Ajatukseni eivät yksinkertaisesti pysy kasassa.

Nyt tiedän, miksi Della oli kodissani eilen illalla ja ettei hän ollut tullut pelkästään tuomaan kukkia. Kuinka monta kertaa he ovat olleet yhdessä minun kodissani ja minun sängyssäni? En kestä ajatella sitä.

Kun istun hautomassa näitä – päässäni vilistää lukemattomia

ajatuksia, joista on vaikea saada otetta – puhelimeeni saapuu viesti. Se on Dellalta. *Hei, muru. Salille entiseen aikaan? D.*

Hänen röyhkeytensä saa minut haukkomaan henkeäni. Koko sen ajan, kun olin luullut sekoavani ja olin uskonut Dellan olevan se ihminen, joka piti minut järjissäni, hän oli maannut mieheni kanssa. En edes tiedä, kuinka pystyn kohtaamaan hänet. No, minulla näyttää olevan tunti aikaa miettiä sitä.

Tekstaan takaisin: *Tietty. Nähdään pian. Ja kiitti kukista. J.*

Ole hyvä. Olet rakas. D.

Minua ällöttää, mutta sysään tunteen sivummalle, ja tuijotan kelloa lounastuntiin saakka. Jos saisin jonkin tekosyyn – minkä tahansa syyn – en menisi salille ollenkaan. Silti toinen puoli minusta haluaa tietää, pystynkö jotenkin näkemään, että juuri hän on mieheni elämässä ollut nainen. Olisiko siitä näkyvillä joitakin merkkejä, jotka ovat jääneet minulta huomaamatta? Tartun treenikassiini ja lähden raskain mielin kohti kuntosalia.

Saapuessani paikalle Della on jo polkemassa kuntopyörällä. Hän on oma pirteä itsensä.

”Olen pitänyt sinulle paikkaa!” hän hihkaisee jumputtavan musiikin ylitse. ”Olen treenannut läskipersettäni täällä jo varttitunnin.”

Nousen hänen vieressään olevalle pyörälle ja alan polkea äärimmäisen vastahakoisesti.

”Näytät vähän apealta”, hän sanoo kurtistaen kulmiaan. ”Onko kaikki ok?”

”Ihan hyvin.” Pakotan kasvoilleni hymyn.

”Menikö eilinen hyvin?” hän kysyy.

”Kyllä. Oli todella huomaavaista tuoda ne kukat minulle. Olet niin kiltti.”

”Eipä kestä. Ajattelin vähän piristää sinua. Tiedän, että se projekti on sinulle iso juttu.”

”Oliko sinulla ja Chrisillä kiva ilta?”

”Otin hänen seurakseen lasillisen viiniä”, hän sanoo hymyillen minulle leveästi. ”Olisi ollut vähän epäkohteliasta häipyä saman tien.”

Ajattelen heidän tekstiviestiensä seksiä tihkuvaa sisältöä – pitkiä keskusteluja siitä, mitä he olivat tehneet ja mitä he voisivat tehdä seuraavalla kerralla, kuvia heistä minun sängyssäni – ja minun tekisi mieli huutaa. Mutta mitä minä voisin sanoa? Kuinka ottaisin sen puheeksi parhaan ystäväni kanssa? Teenkö sen nyt vai odotanko, kunnes olen selvittänyt asian ensin Chrisin kanssa? Voitte uskoa, että olen pähkäillyt tätä koko aamupäivän enkä ole tullut hullua hurskaammaksi. En tiedä yhtään, miten tällaisessa tilanteessa toimitaan.

Della puhua pälpättää päivän tapahtumista ja työtehtävistään samaan aikaan kun minä poljen pyörälläni raivoisasti. Henkinen tuska lisää selvästi kuntoilun tehokkuutta.

”Entä herra Monimutkainen?” kysyn häneltä, yrittäen kuulostaa mahdollisimman luontevalta.

Minusta näyttää, että Della punastuu, mutta sitä on vaikea erottaa, sillä hänen kasvonsa hehkuvat jo valmiiksi. ”Edelleen monimutkainen”, hän sanoo. ”Sinnittelemme yhdessä, mutta otan siitä ilon irti niin kauan kuin sitä kestää.”

”Ja välillä villiä seksiä tuntemattomien kanssa?”

”Aina kun mahdollista!”

Mietin, mahtaako Chris olla tietoinen siitä. Luuleeko hän olevansa Dellan ainut? Kuinkahan monelle miehelle Della on lähettänyt itsestään alastonkuvia, joissa hän poseeraa huulet törröllään? Makaamalla holtittomasti muiden miesten kanssa hän on vaarantanut Chrisin terveyden ja samalla myös minun. Minua oksettaa. Ja olen vihainen. Suussani tuntuu karvas maku.

Siirrymme tavalliseen tapaamme juoksumatoille.

"En voi viipyä tänään kovin pitkään", sanon. "Minulla on töitä." Mitä pitempään olen Dellan seurassa, sitä enemmän minun tekisi mieli motata hänen omahyväisiä, epärehellisiä kasvojaan, mikä saa minut inhoamaan itseäni. Minun pitäisi tehdä tilit selviksi hänen kanssaan ja kertoa, että tiedän hänen valehtelevan minulle julkeasti päin naamaa. Mutta en pysty.

Ahkeroituamme kymmenen minuuttia juoksumatolla lähdemme suihkuun. Riisuessamme treenivaatteitamme silmäilen Dellaa. Hän on kieltämättä täysiverinen nainen. Jokainen kurvi on kohdallaan, ja pystyn kuvittelemaan liiankin hyvin, miltä hän ja Chris näyttävät yhdessä.

Menemme erillisiin suihkukoppeihimme, ja peseydyn nopeasti. Della jää mitä ilmeisimmin nautiskelemaan omaan suihkuunsa, kuten hänellä on usein tapana. Hän lauleskelee kappaletta "Nothing Breaks Like a Heart". Luulen, että me molemmat tiedämme jo jotain sydämen murtumisesta.

Poistun suihkusta ja kuivaan itseni kihisten yhä kiukusta. Olen raivoissani hänelle, mutta myös itselleni siitä, että en pysty puhumaan hänelle suoraan. Kun olen pukeutunut ja Della laulaa yhä suihkussa, huomaan, että hän on jättänyt lokeronsa avaimen suihkun ulkopuolella olevalle penkille pyyhkeensä viereen. Miettimättä asiaa sen enempää hiivin penkin luo ja otan hänen avaimensa.

Lokerossa ovat Dellan vaatteet, käsilaukku ja puhelin. Haalin ne kaikki syliini. Ensimmäiseksi tiputan hänen puhelimensa vessanpönttöön. Puhelin on tietenkin viimeisintä huutoa oleva iPhone. Kaupanpäällisiksi vedän vielä vessan. Olen kauhuissani siitä, mitä tein, mutta samaan aikaan tyytyväinen itseeni.

Palaan pukuhuoneeseen, avaan lähimmän ikkunan ja kumoan käsilaukun sisällön kadulle. Dellan lompakko, huulipunat, nenäliinat, Kindle-lukulaite ja eväsvoileivät lentävät toinen toisensa jälkeen asfaltille mukavalta kuulostavan kopsahduksen tai tömähdyksen kera. Hänelle rakas Pradan käsilaukku seuraa perässä. Sitten heitän ikkunasta jokaisen vaatekappaleen yksitellen: puseron, jakun, housut ja järjettömän kalliit designerkengät. Katselen, kun tuuli tarttuu hänen rintaliiveihinsä ja Agent Provocateur -merkkiä oleviin pikkuhousuihinsa, ja ne leijailevat lepattaen jalkakäytävälle. Muutama ohikulkija näyttää varsin hämmentyneeltä, etenkin ne, jotka joutuvat väistämään Dellan pikkuhousuja.

Tämän pitäisi tehdä Dellalle selväksi, että hänen suhteensa minun aviomieheeni on paljastunut.

Dellan laulaminen loppuu, ja kuulen hänen sulkevan suihkun hanan. ”Oletko vielä siellä, muru? Olet niin hiljainen. Jodie?”

Mutta en vastaa hänelle. Kerään sen sijaan omat tavarani ja kävelen ulos pukuhuoneesta, pää pystyssä.

82

Istun taas työpöytäni ääressä pää käsiin painettuna ja ihmettelen, mitä minun pitäisi seuraavaksi tehdä. Silloin Bill pyörähtää sisään. ”Ta-daa! Minulla on uutisia”, hän julistaa. ”Hyviä uutisia! Erinomaisia uutisia!”

Nostan katseeni. ”Saimmeko urakan?”

”Kyllä, todellakin”, hän sanoo. ”Teit erinomaista työtä. Eleanor soitti juuri. He *rakastivat* suunnitelmaasi. Hän toivoo, että me kehittelisimme joitain ideoita myös puumajoja silmällä pitäen. Projekti menee täyttä häkää eteenpäin.”

”Sehän hienoa.”

Bill vaikenee ja irvistää minulle. ”Suusi sanoo oikeat sanat, mutta et vaikuta kovin innostuneelta. Luulin, että olisit aivan tohkeissasi.”

”Niinhän minä olenkin. Ihan oikeasti olen.”

”Joten missä vika? Pitäisikö minun tietää jotakin?”

Lysähdän kasaan. ”Ongelmia”, sanon hänelle. ”Isoja ongelmia.”

Bill istahtaa sohvalleni ja ristii pitkät säärensä. ”Haluatko kertoa minulle niistä?”

”Alan ehkä itkeä.”

”Kestän kyllä sen”, hän sanoo. ”Me homomiehet pidämme kunnon itkusta.”

Vedän syvään henkeä ja annan tulla. ”Sain selville, että Chrisillä on *ihan oikeasti* ollut suhde.”

Bill kohottaa kulmiaan. ”Niinhän sinä arvelitkin.”

”Se on kestänyt paljon pitempään kuin kuvittelin. Ja toinen osapuoli on Della.”

”Eikä!” Bill huudahtaa silmät selällään. ”Sinun paras ystäväsi?”

”Niin minäkin luulin. Mutta ei hän taida ollakaan.”

”Voi, Jodie.”

”Niinpä. Mitä tässä voi enää sanoa?”

”Miten sinä sait sen selville?”

”Chris unohti puhelimensa kotiin tänä aamuna.” Minulla on yhä hallussani mieheni puhelin, vaikka olisin halunnut heittää senkin vessanpönttöön. Avaan Chrisin puhelimelta melko paljonpuhuvan kuvan, jossa Della istuu alastomana aviomieheni päällä, ja sysään puhelimen pöydän poikki Billille. ”Ja häpeäkseni minun on tunnustettava, että avasin sen.”

Bill ottaa puhelimen, ja hänen silmänsä laajenevat hänen katsoessaan näyttöä. ”Ohoh.” Hän räpyttelee silmiään ja on selvästi yhtä tyrmistynyt kuin minäkin. ”Ihan oikein, että avasit. Mitä paskiaisia.”

”Olisin antanut anteeksi Chrisille. Itse asiassa minä *olin* jo antanut anteeksi. Mutta en voi enää, kun tiedän, että toinen osapuoli on Della.”

”Puolusteliko Della jotenkin tekojaan?”

”En ole edes ottanut sitä hänen kanssaan puheeksi”, myönnän. ”En ole vain pystynyt. Mutta heitin kaikki hänen vaatteensa ulos kuntosalin ikkunasta, kuten myös hänen Pradalaukkunsa.”

Bill nauraa hohottaa. ”Siis teit *mitä*?”

”Huuhtelin myös hänen puhelimensa alas vessanpöntöstä.”

Nyt hän nauraa jo täyttä kurkkua, ja minäkin hekottelen hieman. ”Tiedän, ettei minun olisi pitänyt.”

”Minusta se oli täydellinen vastaveto”, Bill sanoo.

”Tunnen itseni niin typeräksi, niin nöyryytetyksi.”

”Se ei ollut sinun syytäsi. Sinun ei pitäisi tuntea noin.”

”Enhän minäkään ole mikään puhdas pulmunen.” Bill tietää minun hairahduksestani, joka ei sekään ole mikään ylpeilyn aihe.

”Eihän niitä voi verrata keskenään”, hän sanoo. ”Sinulla oli satunnainen yhden illan juttu. Sinun miehelläsi taas on ollut pitkäkestoinen, suunnitelmallinen, katala suhde parhaan ystäväsi kanssa samaan aikaan kun sinä surit. Hän ei olisi voinut käyttäytyä enää loukkaavammin. Kusipää.” En ole nähnyt Billiä koskaan niin raivostuneena. ”Mitä sinä aiot tehdä seuraavaksi?”

”Jätän hänet.” En ole sanonut sitä vielä ääneen, en edes itselleni. ”Mitä muuta minä voisin tehdä? Meidän juttumme on ohi. Ja on todennäköisesti ollut jo pitkään.”

”Voi, Jodie.” Bill tulee työpöytäni luo, minä nousen ylös, ja hän kietoo kätensä ympärilleni. ”Voit tulla asumaan minun luokseni, jos siitä on sinulle apua.”

”Saatan tullakin. Minun täytyy miettiä, mitä teen.” Tiedän, etten pysty vielä ajattelemaan järkevästi. ”Lähden tänään kotiin aikaisin. Minusta ei ole täällä mitään hyötyä.”

”Voinko tehdä jotakin muuta puolestasi?” Bill haluaa tietää.

”Et mitään. Minun täytyy selvittää tämä ihan itse.” Niin paljon kuin sitä pelkäänkin.

”Soita minulle myöhemmin”, hän pyytää. ”Olen sinusta kuitenkin huolissani.”

”Selvä.”

Hän syleilee minua ja tuuditamme hetken toisiamme. ”Kyllä tämä tästä”, vakuutan hänelle. ”Olen minä selvinnyt pahemmastakin.”

Ja se on totta. Olen kohdannut hirvittävän tragedian ja selvinnyt siitä. Yritän pitää sen mielessäni.

83

Kuinka ollakaan, uppoudun työhöni ja lähdenkin toimistolta vasta kuudelta. Viime hetken kiireelliset sähköpostit ja puhelinsoitot vievät huomioni ja kääntävät ajatukseni hetkellisesti pois murheistani. Sitten kaikki vyöryy päälleni uudestaan, ja pimeys, jonka olin luullut jo hälvenneen, uhkaa peittää minut alleen. Kävelen ruuhkaista katua ja yritän väistellä työmatkalaisia, jotka purkautuvat ulos toimistoiltaan kaikki yhtä aikaa. Ilta on harmaa ja sateinen, ja olen unohtanut sateenvarjoni kotiin. Ihmiset kulkevat pää kumarassa ja törmäilevät minuun epämiellyttävän usein.

Kun saavun maanalaisen asemalle, se on suljettu "häiriön" vuoksi. Se tarkoittaa tavallisesti puukotusta tai sitä, että joku on heittäytynyt junan eteen. Niin on tapahtunut hirveän usein viime aikoina. Joku ei menekään tänään kotiin rakkaittensa luo, tai sitten hänellä ei ole ketään, jonka luokse mennä, mikä on saanut aikaan hänen mielentilansa. Myönnän, että aikaisemmin "heittäytyjien" aikaansaama vaiva on vain ärsyttänyt minua, olen ajatellut vain sitä, miten se häiritsee omia suunnitelmiani. Nyt minut valtaa suru, ja säälin kyseistä ihmistä tai tapaukseen liittyviä henkilöitä, heidän perheitään ja ystäviään.

Sen sijaan, että marssisin seuraavalle asemalle tai ottaisin taksin, astun etäämmälle tyytymättömästä ihmismassasta ja etsiydyn istumaan lähellä olevalle penkille. En välitä, vaikka sade imeytyy housujeni läpi ja kastelee hiukseni. Olen selvinnyt hengissä ja olen yhä tässä. Elämässäni on paljon sellaista, mistä voin olla kiitollinen. Olen nuori – suhteellisesti ottaen – minulla on hyvä työpaikka ja rakastava veli. Olen terve ja useimpien ihmisten mittapuun mukaan myös varakas. Olen nähnyt maailmaa, ja vaikka olen läpikäynyt surullisia ajanjaksoja, matkani varrelle on osunut myös hyviä vaiheita. Kaikki ei ole tullut itsestään – kaikkea muuta – mutta olen selvinnyt myrskystä ja päässyt voiton puolelle, kolhittuna ja kovia kokeneena, mutta en murtuneena.

Katson ympärilläni näyttäytyvää Lontoota ja mietin, mitä ihmettä minä oikein täällä teen. Voisin olla missä tahansa muualla, missä ihmiset eivät puukota tuntemattomia hengiltä tai heittäydy junan eteen. Oivallan, että on olemassa vain yksi paikka, jossa haluaisin todella olla juuri nyt. Pahin on jo takana, ja edessäpäin näkyy sinistä taivasta ja päivänpaistetta. Jos keskityn oikein kovasti, pystyn sulkemaan mielestäni sateen, vellovat ihmismassat ja lähestyvän ambulanssin sireenin ja voin kuvitella olevani Cockleshell Bayssa. Siellä minä haluaisin olla juuri nyt. Haluaisin nähdä auringon laskeutuvan mereen ja tuntea *Päivänpaisteen* kevyen keinahtelun jalkojeni alla.

Puhelimeni kilahtaa ja huokaisen. Viesti saattaa olla Chrisiltä, mutta sitten muistan, että minullahan on hänen puhelimensa. Aprikoin, onko Della kertonut jo hänelle, että minä tiedän heistä.

Mutta vilkaistessani puhelinta huomaan, että viesti onkin Marilyniltä. Hän muistaa minua juuri sillä hetkellä, kun häntä eniten tarvitsen. Viestissä lukee *Olisitpa täällä!* Mukana seuraa kuva rannasta sekä rivi aurinkohymiöitä, palmuja, vesiskoottereita ja kenguru.

Minäkin toivon, että olisin Marilynin luona.

En tiedä, kuinka kauan vain istun siinä, mutta kun viimein lähden liikkeelle, olen läpimärkä. Matkaa kotiin on useita maileja, mutta kävellessäni minulla on aikaa miettiä.

84

Kun astun sisään, Chris ei ole kotona, ja olen iloinen siitä. Kuoriudun läpimärästä takistani ja annan sen pudota eteisen laattalattialle. Huolehdin takista myöhemmin, kuten myös märistä kengistäni, jotka potkaisen jalastani. Avaan keittiössä punaviinipullon, kaadan itselleni ison lasillisen ja otan siitä kolme kunnon kulausta. Minulla on päätöksiä tehtävänä, ja tunnen, että tujaus alkoholia voisi olla avuksi. Värisen kylmästä ja suunnistan kohti suihkua.

Kuuma vesi rauhoittaa, ja aikaisempi vihantunne häviää. Jopa suruni on laantunut, ja sen on korvannut yhä kasvava määrätietoisuus. Samalla kun kuivaan itseäni, juon punaviinilasillisen loppuun. Pukeudun mukaviin, lämpimiin vaatteisiin – pehmeään collegepuseroon, lempifarkkuihini ja kashmirsukkiin – ja oloni alkaa olla lähes inhimillinen. Huolehdin märästä takista ja kengistä, ja valmistan itselleni kauan kaivatun voileivän. Aamiainen ja lounas jäivät minulta väliin, mutta nyt ruokahaluni on palautunut moninkertaisena. Syötyäni leivän menen Nedin veistoksen luo ja nostan sen syliini. Niin kuin aina, minulle tulee levollinen olo. Tiedän, mitä minun pitää tehdä ja missä minun pitää olla.

Pian sen jälkeen kuulen Chrisin kääntävän avainta lukossa, ja sen sijaan, että pelkäisin hänen kotiintuloaan, oloni on ensimmäistä kertaa pitkään aikaan optimistinen. Lasken veistoksen alas ja jään odottamaan häntä.

Kun hän astuu olohuoneeseen, hän katsoo minua vakavana. "Voin selittää", hän sanoo.

"Ei tarvitse", vastaan hänelle surullisena. "Meidän juttumme on ollut ohi jo kauan aikaa, emme vain tajunneet sitä."

"Della ei merkitse minulle mitään."

"Se vain pahentaa asiaa, Chris. Toivoin, että olisit rakastunut häneen. Luulen, että hän rakastaa sinua. Omalla tavallaan."

"Hän toi hieman iloa elämääni silloin, kun kaikki oli niin synkkää. Olit niin uppoutunut omaan suruusi, etten päässyt lähellesi."

"En voi syyttää sinua siitä." Olen niin tyyni, että minusta tuntuu kuin joku toinen kävisi keskustelua minun puolestani. "Mutta me menetimme lapsemme. En vain pystynyt olemaan entinen iloinen itseni. Olisin kuitenkin toivonut, ettei se toinen nainen olisi ollut paras ystäväni. Tulen kaipaamaan häntä."

"Hän on järkyttynyt käytöksestäsi", mieheni sanoo. "Hänen puhelimensa on korjauskelvoton. Kaikki hänen valokuvansa olivat siinä."

"Näin joitakin niistä", huomautan. "Parempi, kun en olisi nähnyt."

Chris osaa sentään punastua. "Hänen mielestään se oli aika halpamaista sinulta. Joku pihisti hänen alushousunsa ja Pradalaukkunsa kadulta."

Nauran, vaikkei minun varmaankaan pitäisi. "Olen pahoillani, mutta kyllä hän varmaan pääse siitä yli. Hän saa olla tyytyväinen, että en keksinyt mitään pahempaa. Olisin voinut heittää hänetkin ulos ikkunasta."

"Pistän välit poikki häneen. Jos se on sitä, mitä sinä haluat." Chrisin kasvot ovat huolesta kurtussa. "Heti saman tien. Soitan ja kerron hänelle siitä nyt heti."

"Hänellä ei ole puhelinta", muistutan Chrisiä.

"Ai niin."

"Sitä paitsi sinä tarvitset häntä. Aion pakata laukkuni ja lähteä. Jos haluat jäädä asumaan tänne, voit ostaa minut ulos tästä asunnosta."

Chris näyttää kauhistuneelta. "Mitä sinä oikein puhut?"

"Ei minun varmaankaan tarvitse sitä sinulle selittää. Meidän juttumme on ohi, Chris."

"Meidän pitää jutella", Chris sanoo. "Siis ihan kunnolla. Käydä terapiassa. Haluaisitko muuttaa jonnekin toisaalle? Teen mitä ikinä tahdot."

"Kokeile asua yhdessä Dellan kanssa", sanon väsyneenä. "Sitä minä sinulta tahdon."

"Älä lähde, Jodie. Olet liian hätäinen. Meillä on niin paljon menetettävää. Luulin, että meillä meni hyvin sen jälkeen, kun palasit Isle of Wightilta."

"Ei mennyt", sanon. "Yritimme kyllä, mutta emme tarpeeksi." En muistuta Chrisiä siitä, että hänellä oli koko ajan suhde parhaan ystäväni kanssa tai että minullakin oli koko ajan mielessäni eräs toinen.

"Sinä et pysty nyt ajattelemaan selkeästi."

"Päinvastoin, en ole pitkään aikaan ajatellut näin selkeästi."

"Mitä sinä sitten aiot?" Chrisin ilme synkistyy. "Palaatko takaisin saadaksesi olla *hänen* kanssaan? En minäkään ihan sokea ole, Jodie."

"En tiedä", myönnän. "Mutta yhtä kaikki, tämä on nyt loppu."

Sitten menen makuuhuoneeseen ja vedän matkalaukkuni esille vaatekaapista.

85

Tilaan taksin ja lähetän Billille viestin, jossa kerron olevani matkalla hänen luokseen. Chris soittaa minulle kolmesti sinä aikana, kun istun autossa. En vastaa hänelle, ja lopulta puhelimeni hiljenee.

Kun pääsen veljeni asunnolle, hän vilkaisee minua ja sanoo: ”En halua nähdä sinua taas surullisena”, ja avaa välittömästi samppanjapullon. ”Nyt juhlistetaan ekohotellin urakkaa ja unohdetaan kaikki murheet, jotka liittyvät kariutuneeseen avioliittoon.”

Hän kaataa minulle lasillisen, jonka otan kiitollisena vastaan. ”Olen ottanut jo pohjalle punaviiniä.”

”Se ei ole ikinä pahitteeksi.” Bill kilistää lasiaan minun lasiani vasten. ”Tulevaisuudelle. Mitä se sitten tuokin tullessaan.”

”Tulevaisuudelle”, toistan kaikuna.

”No?” Bill nojaa keittiön kaappeja vasten ja siemailee juomaansa. ”Miten Chris otti sen?”

”Hän esitti järkyttynyttä.” Kohautan olkiani. ”Hän sanoo, ettei rakasta Dellaa ja että haluaa minun jäävän luokseen. Mutta rehellisesti sanottuna en usko, että hän tietää, mitä haluaa.”

”Mutta sinä tiedät?”

Nyökkään. "Voinko hoitaa ensin tuon?" Vilkaisen matkalaukkuani, joka nököttää hylättynä eteisessä. "Puhutaan sitten."

"Haluaisitko jotain syötävää? Voin tilata jotakin."

"Kävisikö kiinalainen?" kysyn, vaikkei minulla ole juurikaan ruokahalua. "Minulle vain jotain pientä. Söin hetki sitten voileivän."

Sillä aikaa, kun puran laukkuani vierashuoneessa, veljeni tarttuu iPadiinsa ja tilaa meille illallisen.

Hetken päästä istumme Billin jättikokoisella sohvalla, ja olohuoneenpöytä on täynnä kiinalaisen ravintolan noutoruokalaatikoita. Näyttää siltä, että Bill on tilannut meille koko ruokalistan. Onneksi en sanonut, että minulla on nälkä. Maistellessamme eri ruokalajeja kerron hänelle suunnitelmistani. "Jos sinulle sopii, voisin viettää kesän asuntolaivalla. Ehkä pitempäänkin, jos kaikki lähtee sujumaan."

Bill näyttää tuskastuneelta.

Totta puhuen haluaisin, että siitä tulisi pysyvä järjestely, mutta en halua mennä vielä asioiden edelle. Ehkä en ole tervetullut laivalle.

"Mutta tällä kertaa tekisin siellä töitä." Täytyyhän minun yhä ansaita elantoni. "Tiedän, että haluaisit minun jäävän tänne, mutta voin työskennellä etänä", lupaan. "Sinullahan on laivassa vielä yksi huone tyhjillään. Voisin asettua sinne. Tuskin huomaisit eroa entiseen."

"Minusta on mukava, kun olet toimistolla."

"Skypekin on keksitty", muistutan häntä. "Voimme jutella päivittäin. Kymmenen kertaa päivässä, jos haluat. Ja voin tulla käymään täällä usein, jos tarvitset minua kokouksiin tai haluat vain tarkistaa, että olen hengissä. Olen vain muutaman tunnin päässä. Se ei ole nykyään matka eikä mikään. Ja sinäkin voit tulla tapaamaan minua."

Veljeni sivelee partaansa. ”Meillä tulee olemaan kiireiset ajat. Jommankumman täytyy käydä New Forestissa säännöllisin väliajoin.”

”Minä voin tehdä sen. Isle of Wightilla olen jopa lähempänä hotellia. Kyllä me siitä jotenkin selviämme. Jos vain haluamme.”

Bill huokaisee alistuneena. ”Mitä mieltä poikaystäväsi on tästä?”

”Ei hän ole mikään poikaystävä.” Uskaltaudun hymyilemään. ”Ei vielä. Teen tämän ihan vain itseni vuoksi. Kun näin Nedin viimeksi, hän oli raivoissaan minulle. En edes tiedä, olemmeko me jatkossa yhdessä.”

”Etkö ole jutellut hänen kanssaan?”

Pudistan päätäni. ”Olen lähettänyt hänelle viestejä, mutta en ole saanut vielä vastausta.”

”Jos haluat pyytää häneltä tarjouksen hotelliprojektiin, meidän on oltava häneen yhteydessä pian.”

”Tiedän.” Mutta sitä minä en tiedä, miksi Ned välttelee minua niin päättäväisesti. Kirjoitin viesteihin, että ne koskevat työasioita. Tämä olisi hänelle rahakas urakka, ellei muuta. Ehkä hän luulee, että tämä on vain juoni, jonka avulla pääsen puheisiin hänen kanssaan.

”Milloin sinä haluaisit lähteä?”

”Huomenna?” rohkenen ehdottaa. ”Minua ei pidättele täällä mikään muu kuin sinä.”

”Niinkö pian? Pystynkö mitenkään kääntämään päätäsi?”

Painaudun häntä vasten. ”Et oikeastaan.”

”Sinä osaat olla joskus todella rasittava”, Bill valittaa.

Hymyilen hänelle. ”Mutta rakastat minua silti.”

Hän kietoo kätensä harteilleni, ja painan pääni hänen olkaansa vasten. ”Niin rakastankin”, hän myöntää. ”Ja haluan vain, että olet onnellinen. Jos sinun täytyy matkustaa sitä varten Isle of Wightille, olkoon sitten niin."

"Kiitos, Bill." En edes uskalla katsoa häntä, kun kysyn: "Onko sinulla aamulla kokouksia?"

"Kyllä", hän huokaisee. "Mutta voin perua ne. Haluat ilmeisesti, että kuskaan sinut autolla lautalle?"

"Se olisi ihanaa." Saatan kuulostaa rohkealta ja määrätietoiselta, mutta minusta on mukava, kun isoveljeni pitää minusta huolta.

Bill pudistelee päätänsä. "Sinun pitää aina saada kakkusi päälle kirsikka."

Sitten me kumpikin nauramme ja syleilemme toisiamme.

86

Rakas veljeni kuskaa minut Southamptonin lauttasatamaan, ja ostan lipun tälläkin kertaa hitaalle, savuntuoksuiselle Red Funnel -lautalle.

Halaamme toisiamme. ”Soita minulle heti, kun olet perillä”, Bill sanoo.

”Kiitos, Bill.” Puristan häntä lujemmin itseäni vasten. ”Kaikesta.”

”Mene jo.” Bill heilauttaa kättään lauttaa kohti. ”En halua, että myöhästyt.”

”Tulen pian takaisin.”

”Kerro sille kaverille, että hänen voittonsa on minun tappioni.”

”Selvä.” Jos saan mahdollisuuden.

”En kestä katsoa sinun lähtöäsi”, Bill sanoo. ”Itken silmät päästäni.”

”Eivät nämä ole mitkään lopulliset jäähyväiset”, vakuutan hänelle. ”Olen vain muutaman tunnin päässä. Tulen pian tapaamaan sinua.”

Billin silmät täyttyvät kyynelistä, ja niin tietysti minunkin. ”Mene jo. Mene.”

Sitten, ennen kuin ehdin muuttaa mieltäni, jätän hänet ja lähden kävelemään kohti lauttaa. Käännyn vilkuttamaan hänelle. Minun tekee kipeää jättää veljeni niin pian, mutta tiedän, että se on oikea ratkaisu. Niin ainakin toivon.

Tällä kertaa seison lautan kaiteen vierellä toiveikkaana ja keveämmällä mielellä. Pilvet näyttävät pulleilta tyynyiltä, ja aurinko paistaa korkealta sinitaivaalta. Käännän kasvoni ylös nauttiakseni sen rauhoittavista säteistä. Kun jätämme Southamptonin, vierellämme keikkuu useita värikkäitä pikkuveneitä, ja kaksi rohkeaa vesiskootterikuljettajaa pomppii lautan vanavedessä kurvaillen näyttävästi puolelta toiselle. Päivä ei voisi enää enempää poiketa viime kerrasta, kun matkasin saarelle. Tunnelma lautalla on myös toisenlainen. Minua ympäröi joukko lomailijoita, jotka ovat sonnustautuneet värikkäisiin vaatteisiin ja aurinkolaseihin. Kannella leikkii lapsia, ja heidän äänensä kuulostavat kuin musiikilta tuulessa. Katselen perheitä, jotka ovat tulleet pitämään hauskaa, enkä tunne tavanomaista pahaa oloa vaan hymyilen heille leveästi. Minusta ei enää tunnu siltä kuin juoksisin jotakin karkuun, nyt koen juoksevani jotakin kohti.

Saapuessamme tunnin päästä Cowesin vilkkaaseen satamaan minusta näyttää siltä kuin saari sulkisi käsivartensa ympärilleni. Haluaisin jo kiihkeästi päästä Cockleshell Bayhin. Kun ajattelen Nediä, minulle tulee lämmin olo, ja toivon, että voisimme vähintäänkin palauttaa ystävyytemme ennalleen, ellemme muuta.

Tietysti odotan myös innolla näkeväni Marilynin ja Georgen. Ilmoitin tänään Marilynille tekstiviestillä, että olen tulossa takaisin, ja sain häneltä vastaukseksi kolme riviä pitkän emojiryppään – kaikkea mahdollista kukkakimpun, mustekalan ja jäätelötuutin väliltä. Tulkitsin sen niin, että hän on innoissaan.

Noustuani laivasta otan taksin, ja ajamme saaren poikki Cockleshell Bayhin. Jos aion jäädä tänne pidemmäksi aikaa, minun täytyy ostaa pieni auto, jonka avulla voin tutustua saareen lähemmin ja jota voin käyttää matkustaessani mantereen puolelle. Osaan kyllä ajaa, en vain ole tarvinnut autoa Lontoossa, ja olisi mukava ottaa se taito haltuun uudestaan. Minua alkaa jännittää lähestyessämme satamaa. Olen varma, että olen tekemässä oikean ratkaisun, mutta entä jos olenkin väärässä? Mitä jos tämä onkin hirveä virhe?

Nousemme kukkulan laelle, ja näen sinistäkin sinisemmän meren, joka kimaltelee edessäni koko komeudessaan. Olen vähällä käskeä taksikuskia painamaan tallan pohjaan ja ajamaan täyttä vauhtia perille. Mutta pian olemme muutenkin jo Billin asuntolaivan edessä. Maksan kuskille ja otan matkalaukkuni. Vilkaisen levottomana naapurilaivan suuntaan, mutta Ned ei näytä olevan paikalla.

Kun astun *Päivänpaisteeseen*, huokaisen helpotuksesta. Olen täällä, eikä millään muulla ole merkitystä. Minusta tuntuu kuin olisin saapunut kotiin, ja se tuntuu hyvältä. Ensimmäiseksi menen takakannelle ja nautin vain maisemasta; näen taas värikkään sataman ja taustalla turvaa antavan, jykevän linnoituksen. Hengitän sisään raikasta, suolaista meri-ilmaa, joka tuntuu välittömästi puhdistavan kehoni Lontoon myrkyistä.

Tapahtuupa minulle mitä tahansa, täällä minusta tulee onnellinen. Tiedän sen.

87

Puran matkatavarani verkkaisesti rauhoittaakseni hermojani. Asetan Nedin veistoksen kirjahyllyyn. ”Tämä on uusi kotimme”, sanon. ”Toivottavasti pidät siitä.”

Sitten kerään rohkeutta mennäkseni Nedin luo ja selittääkseni tilanteeni hänelle. Hänen näkemisensä tuntuu samaan aikaan sekä jännittävältä että hermostuttavalta. Mutta kun saavun hänen ovelleen, huomaan, ettei ketään olekaan kotona, ja aikaisempi innostukseni laantuu hieman. En voi rauhoittua, ennen kuin Ned ja minä olemme selvittäneet välimme.

Joten otan käyttöön varasuunnitelmani ja lähden rantakahvilaan tapaamaan Idaa. Ehkä hän osaa kertoa minulle, missä Ned on. Hyvällä tuurilla Ned saattaa olla rannalla joogaamassa tai nauttimassa kahvia.

Tänään minun ei tarvitse pukea ylleni toppatakkia eikä villa-asusteita. Aurinko paistaa korkealta taivaalta kirkkaana ja kauniina. Lämpötila lähenee varmasti jo kahtakymmentä astetta. Kuljen satamaa reunustavaa tietä puistokadulle. En löydä Georgea tavanomaiselta paikaltaan ja mietin, onko hän enää edes täällä vai onko hän ehkä muuttanut takaisin Lontooseen.

Laskeudun alas rannalle, joka on muuttunut valtavasti sitten viime näkemän. Koulujen lomat ovat ilmeisesti alkaneet, sillä ranta on täynnä perheitä, jotka ovat vilteistä, päivänvarjoista ja ilmapatjoista päätellen aikeissa oleskella siellä pitempäänkin. Pikkuputiikit, jotka olivat turistisesongin ulkopuolella kiinni, ovat nyt valmiina ottamaan vastaan asiakkaita. En ollut aikaisemmin edes huomannut jäätelökojua, jonka edessä seisoo nyt jono. Viereisestä kojusta myydään vaaleanpunaisia hattaroita. Vuokrattavat loma-asunnot, jotka seisoivat talvikautena enimmäkseen tyhjillään, ovat nyt asuttuja, niiden ikkunat ovat selällään ja niiden parvekkeilta roikkuu raidallisia pyyhkeitä. Tunnelma on kepeä ja elämäntäyteinen. Kesä on mitä ilmeisimmin saapunut.

Rantakahvilassakin käy vilkas hyörinä. Nopea silmäys kertoo, että kaikki pöydät ovat varattuina, jopa rantavallin vieressä oleva suosikkipöytäni. Ida ahkeroi tiskin takana, ja kaksi naishenkilöä, joita en ole nähnyt aiemmin, ottavat touhukkaina vastaan tilauksia ja kuljettavat annoksia pöytiin. En tiedä, mitä minun pitäisi tehdä seuraavaksi. Pitäisikö minun jäädä odottamaan, että jostain vapautuisi pöytä vai tulla takaisin myöhemmin, kun paikka olisi hiljaisempi? Jahkaillessani asiaa tuntematon mieshenkilö alkaa heiluttaa minulle innokkaana kättään ja osoittaa edessään olevaa tyhjää paikkaa. Kun katson häntä ihmeissäni, hän huutaa: ”Jodie!”

Mies selvästi tietää, kuka mikä olen, mutta minusta me emme tunne toisiamme. Mutta koska hän jatkaa viittilöimistään, menen hänen pöytänsä luo.

”Minä se vain tässä, George”, hän sanoo.

”George!” nauran yllättyneenä.

”Et ilmeisesti tunnista minua ilman vaatteitani.” Hän punastuu hieman.

”No, en. Voi luoja. En todellakaan.” Katselen Georgen komeita kasvoja, runsaita tummia kiharoita, kauniita pähkinänruskeita silmiä ja viehättävää hymyä. ”Näytät aivan erilaiselta!”

”Luulen, että se on tarkoituskin.”

Istahdan häntä vastapäätä olevalle tuolille, edelleen ihmeissäni. ”Lakkaan tuijottamasta kohta.”

”Minulla tuppaa olemaan tuollainen vaikutus ihmisiin”, hän sanoo. ”Meikkikerros peittää enemmän kuin uskoisikaan.”

”Se on totta. Vau.”

”Kiva, että olet taas täällä”, George sanoo. ”Luulin, että olit lähtenyt lopullisesti.”

”Niin minäkin.” Tuntuu hieman surulliselta myöntää sitä. ”Asiat eivät menneet niin kuin olin kuvitellut. Mutta toivon, että voin viipyä tällä kertaa pitempään.”

”Niin minäkin.” George hymyilee minulle arvoituksellisesti, enkä voi sanoin kuvailla, kuinka mukavaa on nähdä hänen kasvonsa oikeasti. ”Sillä aikaa, kun olit poissa, tein sopimuksen kirjastani.”

”George, sehän on fantastista.”

”Ei se ole mikään huippudiili”, hän lisää nopeasti, mutta huomaan, että hän on hyvin ylpeä itsestään. ”En usko, että kirja tulee hätyyttelemään bestsellerlistoja, mutta tästä on hyvä jatkaa. Minun ei tarvitse olla enää patsaana, ja voin keskittyä kirjoittamiseen.”

”Kuulostaa hienolta. Pidin todella kirjastasi. Eikös tämä ole nyt juhlan paikka? Otatko toisen kahvin seurakseni? Ja voimme varmaan vähän törsätä ja tilata myös leivokset?”

”Kuulostaa hyvältä.”

Kutsun toisen uusista tarjoilijoista, ja teemme tilauksen.

Kun tarjoilija on poistunut, George lisää ujosti: ”On todella mukava saada sinut takaisin. Minusta tuntui ihan oudolta, kun et ollut täällä.”

”Kiitos, George.” Voin vain toivoa, että muutkin suhtautuvat paluuseeni samoin.

88

Ida tuo tilauksemme. Hän näyttää rasittuneelta, mutta samaan aikaan upealta. Hänen ihonsa on päivettynyt auringossa, ja hän on nostanut hiuksensa päänsä päälle ja sitonut ne värikkäillä nauhoilla. Hänellä on yllään hyvin niukat shortsit, ja hän on heittänyt bikinin yläosan päälle väljän virkatun puseron. Biker bootsit viimeistelevät tyylin ja ovat ihan omintaa Idaa.

Hän paukauttaa leivokset ja kahvit eteemme. ”Sitä sanotaan, että ikävät vieraat tulevat aina uudestaan.”

”Minusta on mukava olla taas täällä, Ida.”

Hän virnistää minulle. ”Kiva nähdä sinua. Ned luuli, että lähdit ikiajoiksi. Minä en ollut siitä niinkään varma. Ajattelinkin, että ilmestyt tänne vielä jossain vaiheessa, mutta en arvannut, että se tapahtuu näin pian.”

”En ollut suunnitellut palaavani ihan näin nopeasti”, myönnän. ”Mutta toivottavasti saan olla täällä nyt pitempään. Tutustun tässä juuri ’uuteen’ Georgeen.”

”Hän on aika hottis.” Ida nauraa. ”Katso nyt, kuinka komea hän on! Miten me emme sitä heti huomanneet?”

George menee tulipunaiseksi, ja he vaihtavat katseen, joka kertoo, ettei sanailussa ollut kyse pelkästä kevyestä kiusoittelusta. George on paljon Idaa nuorempi, mutta en usko, että sellainen pikkuseikka haittaa Idaa. Hän saisi napattua Georgen kevyesti. Toisaalta en usko, että Georgellakaan olisi mitään sitä vastaan.

Ida kääntää huomionsa taas minuun. "Jätit Nedin aivan hirveään jamaan", hän sanoo viileästi. "En ole nähnyt häntä koskaan niin surkeana."

"Olen pahoillani", vastaan. "Se ei ollut tarkoitukseni."

Ida kohauttaa olkiaan, mutta näen, että hän on ollut huolissaan.

"Onko hän maisemissa? Hän ei ollut laivassa."

"Hän häipyi pian sen jälkeen, kun sinä lähdit. Pari viikkoa sitten", Ida sanoo. "Eikä kertonut, minne oli menossa. Eikä vastaa tekstiviesteihin. Ääliö. Minulla ei ole hajuakaan, mitä hän aikoo."

"Ai."

"Tämä ei ole ensimmäinen kerta, kun hän tekee näin. Hän vain häipyy jonnekin kertomatta kenellekään mitään." Toinen olankohautus. "Mutta mitäpä se minulle kuuluu."

"Minäkin olen yrittänyt olla häneen yhteydessä."

"Hän ilmestyy takaisin omia aikojaan." Ida vilkaisee tiskin suuntaan. "Mutta nyt täytyy mennä. Tämä on yhtä hullunmyllyä."

"Ehkä me kolme voisimme käydä lasillisella joku ilta", ehdotan. "Minusta se ainakin olisi kivaa."

Sekä George että Ida näyttävät innostuneemmilta kuin osasin odottaa – tosin luulen, etteivät he ole varsinaisesti kiinnostuneita minun seurastani.

"Juu." Ida kuulostaa siltä, ettei hän piittaa, otammeko lasillisen vai emme. "Minulla olisi vapaata huomisiltana."

"Niin minullakin", George komppaa nopeasti.

"Huomenna sitten. Seitsemältä The Jolly Rogerissa?"

”Voi taivas, ei. Kartamme nyt sitä paikkaa kuin ruttoa, sillä se on täynnä turisteja. Tekstaan sinulle yhden kivan pikkubaarin nimen. Siellä paikalliset käyvät.”

”Okei, kiitos.”

”Kyllä hän vielä tulee takaisin”, Ida huikkaa olkansa ylitse jatkaessaan töitänsä. ”Mutta sinulla voi olla kova työ saada hänet luottamaan taas itseesi.”

”Asiat ovat muuttuneet sen jälkeen.”

Ida tuhahtaa kuuluvasti. ”Yritäpä selittää se Nedille.”

Yrittäisin kyllä, jos hän vain olisi täällä.

89

Kun saavun takaisin *Päivänpaisteeseen*, Marilyn on jo odottamassa. Bill on varmaankin soittanut hänelle heti lähdettyäni. Minulla on niin ihana veli, etten tiedä, kuinka voisin häntä kylliksi kiittää.

Heti kun astun ovesta sisään, rakas ystäväni sulkee minut rehevään syliinsä.

”Sinä olet laihtunut”, hän sanoo ensitöikseen, vaikka voin vakuuttaa teille, että en ole. ”Olipa hyvä, että ehdin tekemään hieman ruokaostoksia.”

Kun hän päästää minut syleilystään, sanon: ”Minulla on ollut sinua ikävä, Marilyn.”

”Voi kulta, minäkin olen kaivannut sinua niin kuin aavikko kaipaa aurinkoa.”

Minun on pakko hymyillä. Jotkut asiat eivät ikinä muutu.

”Se sinun aviomiehesi näytti luihulta. Hänen silmänsä ovat liian lähellä toisiaan, ja hänellä on heikko leuka. Tiedän, ettei hän tekisi sinua onnelliseksi.”

En ole varma, kärsiikö Chris kummastakaan edellä mainitusta fyysisestä vajavaisuudesta, mutta en aio puolustella häntä. Marilyn on oikeassa. Chris ei tehnyt minua onnelliseksi. Enkä minä häntä.

En ole kuullut Chrisistä mitään lähtöni jälkeen, mutta

toivon, että saamme hoidettua asunnon myynnin sopuisasti. Jos hän haluaa jäädä asumaan huoneistoon, se käy minulle mainiosti. Kommunikoimme jatkossa todennäköisesti asianajajien välityksellä, mikä on surullista, mutta en siltikään halua palata takaisin. En koe epäonnistuneeni. Elämä on niin lyhyt, ettei sitä pitäisi viettää onnettomana.

”Oletko ehtinyt vielä juttelemaan naapurisi kanssa?” Marilyn heilauttaa päätään Nedin laivaa kohti korvarenkaat kilisten.

Pudistan päätäni. ”Siellä ei ole ketään kotona. Kävelin tänään Rantamajalle ja juttelin Idan kanssa. Hän sanoi, että Ned on lähtenyt jonnekin. Häntä ei ole näkynyt viikkokausiin.”

”Kyllä hän vielä palaa takaisin”, Marilyn sanoo painokkaasti. ”Olen siitä tuhatvarma.”

”Toivottavasti olet oikeassa.” Mutta kävi miten kävi, en aio enää murehtia. Aloitan uuden elämän Isle of Wightilla, ja maltan tuskin odottaa sitä.

”Tarvitset kahvia”, Marilyn sanoo. ”Minulla on sinulle paljon kerrottavaa.” Hän kaivelee sähkönsinisten haalariensa taskuja. ”Minulla on muistilista, etten unohda mitään.”

”Voi, sepä hyvä”, vastaan nauraen.

”Kiinnitä turvavyö!”

Istuudun pöydän ääreen ja katselen satamaa, kun Marilyn alkaa kilistellä ja kolistella kahvipannun ja kuppien kanssa. Minusta tulee täällä onnellinen. Tiedän sen.

90

Eli mitä minä teen muutaman seuraavan viikon aikana? Ostan itselleni käytetyn pikkuauton, jotta pääsen liikkumaan. Se on Peugeot en-muista-mikä ja väriltään räiskyvän punainen, joten se saa heti Marilynin hyväksynnän. Pystyn tekemään pikkupyrähdyksiä saarella tai matkustamaan lautalla mantereen puolelle milloin huvittaa. En ole ajanut vuosiin, ja tuntuu oudolta istua itse ratin takana sen sijaan, että ottaisin taksin tai kulkisin maanalaisella.

Yksi ensimmäisistä retkistäni suuntautuu metsään, jossa Ned pitää verstastaan. Jätän auton parkkiin ja nautin miellyttävästä kävelyretkestä ympäröiville niityille. Maisema näyttää nyt hyvin erilaiselta. Heinät ja kukat ovat kasvaneet vyötäröni korkeudelle, ja alueella on runsaasti perhosia, aivan kuten Ned lupasi. Kävellessäni eteenpäin niitä lentelee ympärilläni kymmenittäin, ne ovat rohkeita ja pelottomia, aivan kuin olisin jossain Disneyn satuelokuvassa. Sitten saavun suolaiselle marskimaalle ja istahdan yksikseni lintutornin rauhaan tarkkailemaan lokkeja, jotka ruokkivat vaativia poikasiaan. Kaipaan Nediä, sillä hän olisi varmasti pitänyt tästä.

Tilaan netistä *Päivänpaisteeseen* huonekaluja sisustaakseni Billin varahuoneen toimivaksi työhuoneeksi. Tekemistä riittää, joten olen päiväsaikaan melko kiireinen.

Ekohotelliprojekti etenee hyvää vauhtia ja vaatii kaikkien työpanoksen. Olen käynyt pari kertaa katsomassa New Forestin rakennustyömaata ja tavannut siellä myös Billin, jotta hän ei luulisi minun kadonneen kokonaan maankamaralta. Hän on sopeutunut aika hyvin uusiin työjärjestelyihin, ja olemme olleet päivittäin yhteydessä Skypen välityksellä, kuten lupasin. Veljeni vannoo myös tulevansa tapaamaan minua, mutta ei ole vielä saanut sitä aikaiseksi. Rakennustyöt ovat edistyneet mukavasti – itse asiassa niinkin mukavasti, että minun on kohta pakko pyytää jotakuta toista kuvanveistäjää tekemään Nedille kaavaillut työt. En ole uskaltanut tarttua puhelimeen soittaakseni hänelle. On harmillista, ettei Ned ole vastannut viesteihini, sillä tehtävä sopisi hänelle kuin nakutettu. Olen kuitenkin hyväksynyt sen, ettei elämässä tarvitse aina tavoitella täydellisyyttä.

Työkiireistä huolimatta minusta tuntuu kuin olisin hypännyt pois oravanpyörästä. Ennen kuin riennän aamuisin työpöytäni ääreen, käyn ensin kävelyllä joko rannalla, satamassa tai puistokadulla. Joinakin aamuina olen jopa joogannut noin puolen tunnin ajan, vaikka minusta tuntuu hieman typerältä tehdä Nedin opettamia liikkeitä yksinäni.

Olen myöskin ottanut tavaksi käydä Georgen ja Idan kanssa ulkona muutaman kerran viikossa. Pistäydymme sivukadulla sijaitsevassa Old Salties -nimisessä baarissa ottamassa pari lasillista tai nauttimassa pienen päivällisen. Siellä saa erinomaista merenelävistä valmistettua ruokaa, kuten merenrantakaupungissa voi olettaakin. George on loistavaa seuraa – hän on hauska ja sanavalmis, mutta ei tee itsestään numeroa. Pidän hänestä paljon. Nauramme yhdessä, ja toivon, että Idankin asenne minua kohtaan pehmenee ajan myötä. Georgen ja Idan välillä ei ole tapahtunut vielä edistystä

– ainakaan minun tietääkseni. Tosin kokemus on osoittanut, että saatan olla sokea sille, mitä silmieni edessä tapahtuu. Koen silti olevani kolmas pyörä heidän katseidensa muuttuessa yhä viipyilevämmiksi ja kaipaavammiksi.

Vähintään yhtenä aamuna viikossa käyn Marilynin kanssa kahvilla vaihtamassa viimeisimmät kuulumiset. Kun hän on saanut siivottua olemattomat roskat ja liat asunnostani, suunnistamme joko Rantamajaan tai johonkin Idan kahvilan monista kilpailijoista kaupungilla. Marilyn on mukava, ja kuuntelen mielelläni, kun hän juttelee perheestään samaan aikaan kun pakkosyöttää minulle kakkua. Hän on pyytänyt minua monen kertaan vieraisille kotiinsa, mutta en ole saanut vielä kerättyä tarpeeksi rohkeutta kohdatakseni koko perhettä. Teen sen kyllä joskus. Mutta en ihan vielä. Voin jo paremmin. Paljon paremmin. En vain ole varma, olenko valmis jaloissani sakeanaan pyöriviin McConaugheyn suvun lapsenlapsiin. Marilyn on vannonut, ettei lakkaa koskaan pyytämästä minua, ja olen siitä iloinen.

Iltaisin minä luen paljon. Georgen kirja sytytti lukukipinäni uudelleen, ja olen käynyt ahmien läpi Billin kirjahyllyn sisältöä. Kerron Nedin tekemälle veistokselle, mitä olen aikeissa lukea. Sitten istahdan laivan kannelle viinilasin kera ja rentoudun alati muuttuvan taivaan alla.

Koska minulla on enemmän aikaa eivätkä ajatukseni ole enää niin solmussa, olen myös saanut takaisin opiskeluaikojeni luovuuden. Se on ollut ikävä kyllä minulta pitkään kadoksissa. Työprojektini sujuivat kyllä, se ei ollut ikinä mikään ongelma, mutta henkilökohtainen, vapaa-aikaan liittyvä luovuuteni oli jäänyt taka-alalle. Nyt haluan taas maalata pelkästään omaksi ilokseni. Löysin Ventnorin kaupungista pienen taidepuodin, josta ostin vesivärit, siveltimiä, paperia ja maalaustelineen. Kun olen sopivalla tuulella, asettaudun laivan kannelle leikittelemään maalieni kanssa ja yritän vangita kuviini auringonlaskut ja -nousut, aalloilla keikkuvat pienet veneet ja poijujen päällä istuvat merilinnut. Olen vielä ruosteessa, mutta joka maalauskerralla opin lisää ja keksin, mikä toimii ja mikä ei. Olen suunnitellut ilmoittautuvani taidekurssille, jos vain löydän lähistöltä sopivan koulun.

Olen maalannut myös yhden muotokuvan. Selasin ensin vanhoja perhealbumeja, jotka Bill ja minä olimme ladanneet Facebookiin, valitsin sieltä itsestäni lapsena otetun suosikkikuvan ja tein siitä vesivärijäljennöksen. Luulen, että Lottie olisi saattanut näyttää siltä, ja olen iloinen, että minulla on nyt hänestä kuva – vaikka se onkin minun itseni luoma.

Nedistä ei ole näkynyt edelleenkään jälkeäkään, eikä hän ole vastannut viesteihini. Idakaan ei ole kuullut hänestä mitään. Mutta se ei haittaa. Jokin sisälläni on muuttunut, ja sydäntäni ympäröi lämpö, jonkinlainen eheyden tunne, joka on ollut minulta pitkään kadoksissa. Kaipaan Nediä naapurin ominaisuudessa. Kaipaan häntä ystävänäni. Mutta vaikka hän ei tulisikaan enää takaisin, tiedän, että pärjään. Elämäni tuntuu nyt hyvältä ja rauhalliselta. Olisin voinut rakastaa häntä, luullakseni hyvinkin paljon, mutta jos niin ei ollut tarkoitettu, niin ehkä, ajan kanssa, löydän jonkun toisen.

Olen tyytyväinen olotilaani, eikä minusta ole tuntunut pitkään aikaan tältä.

91

Kesä on nyt parhaimmillaan. Sää on täällä hyvin miellyttävä, ja päivät ovat olleet pitkiä, kuumia ja aurinkoisia. Asuttuani vuosia Lontoossa nautin nyt täysin rinnoin rantaelämästä.

Vaikka olen käyttänyt asianmukaista aurinkosuojaa, sääreni ovat ruskettuneet, kasvoni ovat muuttuneet pisamaisiksi ja hiuksiani vaalentavat luonnolliset raidat. En tiedä, onko minun kiittäminen rentoa olotilaani vaiko Marilynin taipumusta tuputtaa minulle ruokaa, mutta olen myös pyöristynyt, ja koen näyttäväni paremmalta näin. Marilyn on tietysti samaa mieltä. Vartalonmyötäiset kotelomekot saivat jäädä Lontooseen, ja vietän päiväni shortseissa ja t-paidassa. Olen jopa uinut meressä – ja ihan tarkoituksella.

Tänään ilmassa ei tunnu tuulenvirettäkään, ja vaikka ikkunat ovat avoinna, laivan makuuhuoneessa on kuuma. Päivästä on tulossa taas paahteinen, joten herään aikaisin ja käyn suihkussa. Päätän käydä rannalla ennen töiden aloittamista. Vaikka minulla ei ole enää ollut Nediä rohkaisevana opettajanani, olet harrastanut joogaa melko säännöllisesti ja katsellut aiheeseen liittyviä YouTube-videoita kehittääkseni tekniikkaani. Jos oikein rohkaistun, saatan kokeilla jopa aurinkotervehdystä.

Kuljen kohti rantaa, joka on tähän aikaan vielä hiljainen. Siellä täällä näkyy muutamia ulkoilijoita, sellaisia, jotka haluavat aloittaa päivänsä hyvissä ajoin eivätkä tahdo tuhlata yhtään aurinkoista hetkeä. Sitten näen edessäni hiekalla tutun hahmon, ja sydämeni hypähtää kurkkuun.

Se on Ned. Tietysti. Eikä hän ole yksin.

Hän on polvillaan hiekassa, ja hänen vierellään on pieni lapsi. Sen täytyy olla Skye. Tytöllä on vaaleanpunainen röyhelökoristeinen uimapuku ja yhteensopiva aurinkohattu, ja jopa siltä etäisyydeltä näen, että hänellä on Nedin tukka, Nedin kasvonpiirteet, ja kun hän kohottaa katseensa, Nedin silmät.

"Moi", tyttö sanoo.

Ned kääntyy nähdäkseen, kenelle tyttö puhuu, ja vaikuttaa hämmästyneeltä nähdessään minut. "Jodie."

"Hei." Kurkkuani kuristaa, mutta onnistun sanomaan: "Olet näköjään ottanut hiekkalinnanrakennustaitosi taas käyttöön." En voi kertoa, kuinka monta kertaa olen katsellut sitä valokuvaa ja kaivannut tämänkaltaista hetkeä.

"Tämä pikkuneiti ei jaksanut nukkua", Ned sanoo minulle. "Hän oli jo neljältä täysin virkkuna eikä olisi millään malttanut odottaa tänne pääsyä."

"Onko jännää olla rannalla?" kysyn tytöltä.

Hän nyökkää minulle ja kaivaa edelleen hiekkaa keltaisella lapiollaan. Hän on niin pikkuinen ja soma, että hänen katselemisensa saa sydämeni pakahtumaan. Pienempi versio Nedistä. Tunnen vihlaisun, kun ajattelen lasta, jonka olisin voinut joskus saada. Mutta uusi minäni vain hymyilee muistolle ja antaa sen mennä.

"Hän on täällä viikon", Ned sanoo.

"Sehän hienoa. Teillä on varmasti kivaa."

”Jep.” Ned katsoo tytärtään ylpeänä.

”Yritin ottaa sinuun yhteyttä, kun olin Lontoossa.”

”Tiedän”, hän sanoo. ”Halusin viettää vähän aikaa hiljaiseloa.”

”Viestit koskivat mahdollista toimeksiantoa. Jännittävää työtehtävää. Ainakin pääosin.” Ned ei näytä kovin vakuuttuneelta, ja luulen, että meidän on käytävä tämä keskustelu uudestaan paremmalla ajalla. Ehkä hän ei edes ole valmis työskentelemään minun kanssani. ”En huomannut, että olit palannut takaisin.”

”Sama täällä”, Ned sanoo. ”Palasimme mantereen puolelta viime yönä. Mutta huomasin kyllä laivan eteen pysäköidyn punaisen auton. Onko se sinun?”

”Ajattelin, että minun olisi hyvä päästä liikkeelle”, kerron hänelle.

Arastelemme hieman toisiamme, emmekä tiedä, mitä sanoa. Hän ei tiedä vielä minun tilanteestani, enkä minäkään hänen.

Vedettyäni syvään henkeä lisään: ”Tulin tänne jäädäkseni.”

”Yksinäsikö?”

Tiedän, että se sana on ladattu täyteen lisäkysymyksiä. ”Aivan yksin. Minulla on sinulle paljon kerrottavaa.”

”Niin arvelinkin.”

”Oli virhe palata Lontooseen. Se tuli aika nopeasti selväksi. Mutta minun täytyi ainakin yrittää.”

Ned hyväksyy kertomani nyökkäämällä päätään, mutta ei sano mitään.

”Ehkä voin kertoa sinulle siitä”, sanon. ”Jonakin päivänä.”

”Jep”, Ned sanoo.

”Iskä, vauhtia!” Skye komentaa. ”Ala kaivaa!”

Ned hymyilee ja pyörittää silmiään minulle. Hän tarttuu lapioonsa, mutta ei pyydä minua liittymään heidän seuraansa.

”No, jätän teidät nyt ahkeroimaan keskenänne. Prinsessalle sopivat hiekkalinnat eivät synny itsestään. Oli ihana nähdä sinut. Ja Skye.”

Lähden kävelemään poispäin. Painan kynteni kämmeniini peittääkseni sydämessäni tuntuvan kivun. Tästä tulee vaikeampaa kuin luulin. Ned on selvästi vielä loukkaantunut, ja minun täytyy tehdä kovasti töitä voittaakseni hänen luottamuksensa takaisin. Olkoon sitten niin. En aio antaa periksi helpolla, ja minulla on kaikki aika maailmassa. Riitti, että näin hänet taas uudestaan, ja tiedän, että hän on kaiken vaivan arvoinen.

Juuri nyt Skye tarvitsee Nedin huomion, ymmärrän sen hyvin. Kun tytär on täällä, Nedin täytyy keskittyä heidän suhteeseensa.

Mutta olen ehtinyt ottaa vasta kymmenkunta askelta, kun kuulen Nedin sanovan: ”Olemme menossa Idan kahvilaan aamiaiselle. Tuletko mukaan?”

Käännyn häneen päin, ja tunnen kurkussani palan, kun sanon: ”Jos se vain käy teille kummallekin?”

”Mitä sanot, Skye?” Ned kysyy. ”Mennäänkö yhdessä Jodien kanssa syömään?”

”Onko prinsessalinna vielä täällä, kun tulemme takaisin?”

”On”, Ned sanoo. ”Kun syömme ensin aamiaisen, jaksamme rakentaa linnasta vielä suuremman ja hienomman.”

”Iskä, sinä olet tyhmä”, kuuluu Skyen tuomio.

”Et ole ensimmäinen ihminen, joka niin sanoo”, Ned toteaa ironisesti.

He kumpikin laskevat lapionsa hiekalle, ja kun Ned nousee ylös, hän katsoo minua syvälle silmiin, mutta en pysty tulkitsemaan hänen ilmettään. Sitten Skye pyrähtää juoksuun edellämme, ja me kolme suuntaamme rantaa pitkin kohti kahvilaa.

92

Idan silmät kirkastuvat, kun hän näkee Nedin. En usko, että se tulee koskaan muuttumaan. Hän saattaa nauttia Georgen kanssa flirttailusta, mutta pystyykö kukaan koskaan täyttämään Nedin paikkaa hänen sydämessään? Toivoisin, että niin kävisi. Olisi ihanaa, jos Ida löytäisi jonkun, jota rakastaa, jonkun, joka rakastaisi häntä takaisin. Se olisi parasta meille kaikille.

"Missä sinä olet ollut...?" Ida sanoo ja lisää perään erittäin ruman sanan.

"Kävin hakemassa tämän pikkuneidin tänne", Ned sanoo.

"Eivätkö puhelimet muka toimi Northamptonissa?"

"Anteeksi", on Nedin ainut selitys.

"Hei, Skye. Minä olen Ida, isäsi vanhin ja suvaitsevaisin ystävä". Hän katsoo merkitsevästi Nediä.

Ned nostaa kätensä ylös antautumisen merkiksi.

"No niin, missä meidän prinsessamme haluaa istua?" Ida vetää tuolin esiin ja Skye hypähtää sille istumaan. "Meillä on jäätelöä ja vohveleita."

"Jätskiä! Iskä, saanko?"

"Jätskiä aamiaiseksi?" Ned pudistelee päätään. "Älä sitten kerro äidille, että annoin sinun syödä jäätelöä aamiaiseksi."

"Jee!" Skye hihkaisee.

”Otatko sinä samaa?” Ned kysyy minulta.

”Ajattelin jotain tavanomaisempaa. Minulle jogurttia ja granolaa. Ja kahvia myös, kiitos.”

Ned tekee oman tilauksensa, ja vaikka meillä olisi paljon sanottavaa toisillemme, kuuntelemme syödessämme enimmäkseen Skyen lörpöttelyä. Hän on ihastuttava – hauska ja älykäs lapsi. Mietin, ettei minun ehkä olekaan myöhäistä saada perhe. Se ei ehkä onnistuisi tavanomaisin keinoin, mutta olisi kerta kaikkiaan ihanaa saada Skyen kaltainen tytärpuoli.

Skye saa syötyä annoksensa ja kysyy: ”Saanko mennä leikkimään rannalle?”

”Kyllä, mutta pysy tässä lähellä”, Ned sanoo. ”Niin että näen sinut.”

”Okei.” Skye nousee tuolilta ja juoksee hiekalle.

Olemme hetken aikaa hiljaa, ja sitten sanon: ”Hän on niin ihana lapsi.”

”Niin on. Olen todella ylpeä hänestä.” Ned tarttuu kahvikuppiinsa ja tutkailee sitä hetken ennen kuin sanoo: ”Kiitos, että sait minut ottamaan yhteyttä heihin. Niin minun pitikin tehdä. Menin tapaamaan Libertyä ja pyysin saada tavata tytärtäni säännöllisesti. Ja hän suostui.”

”Voi, miten kiva.”

”Jäin sinne joksikin aikaa ja tutustuin uudelleen tyttäreeni ja koko perheeseen. Se oli ensin vähän vaivaannuttavaa, mutta pääsimme siitä yli. Tein siellä jopa hieman remonttihommia – korjasin ovia ja asensin lattialistoja. Rakensin lapsille myös puumajan. Liberty antoi Skyen tulla tänne viikoksi. Se on meille kaikille iso juttu. Pidetään peukkuja, että kaikki menee hyvin.”

”Autan mielelläni. Jos se siis sopii sinulle.”

”Se olisi hienoa. Tyttö on varsinainen energiapakkaus, ja minä olen täysin ulalla vanhempana olosta. Olen iltapäivään mennessä jo ihan puhki.”

Me molemmat nauramme.

Sitten tunnelma muuttuu, ja tiedän, että nyt on oikea hetki kertoa Nedille siitä, mitä minulle on tapahtunut.

”Minulla on sinulle paljon kerrottavaa”, sanon hänelle.

93

Me molemmat pidämme silmällä Skyeta Nedin kuunnellessa, kun minä vuodatan hänelle tarinani. Kerron hänelle lapseni menetyksestä ja siitä, kuinka vaikeaa minun oli päästä tapahtuman yli, kuinka tuska ajoi minut melkein hulluuden partaalle. Kerron minun ja Chrisin välisistä ongelmista ja siitä, ettemme saaneet korjattua välirikkoa. Sitten kerron Chrisin ja parhaan ystäväni välisestä suhteesta, ja miten se sai minut ymmärtämään, että avioliittomme oli hajonnut lopullisesti.

Ned kuuntelee kertomustani sanomatta sanaakaan, nyökäten vain päällään oikeissa kohdissa.

Lopulta vedän syvään henkeä ja sanon: "Luulen, että olen rakastumassa sinuun, enkä olisi ikimaailmassa halunnut loukata sinua. Yhteinen yömme festareilla oli parasta, mitä minulle on tapahtunut pitkiin aikoihin, ja olen niin surullinen siitä, että se päättyi niin. Jos mitenkään mahdollista, toivoisin, että voisit antaa minulle anteeksi." Henkäisen viimein ulospäin. No niin, nyt sain sen sanottua. Hän ei voi enää erehtyä tunteistani. "Ja siinä olikin sitten kaikki."

Kun minulla ei ole enää mitään sanottavaa ja hiljenen, Ned ojentaa kätensä pöydän poikki ja tarttuu minua kädestä. "Aloitetaan alusta", on kaikki, mitä hän sanoo.

Silmäni täyttyvät kyynelistä, kun vastaan: "Se olisi ihanaa."
Sitten Skye huutaa: "Iskä! Jodie! Tulkaa jo! Meidän täytyy rakentaa se prinsessalinna!"
"Kyllä me ehditään", Ned sanoo. "Vaikka ehkä siitä tulee ennemminkin keisarinnanlinna."
Meidän jutellessamme ranta on täyttynyt ihmisistä, samoin kahvilan pöydät. Ida puuhastelee lähellämme, ja Ned menee maksamaan hänelle. Kun Ida antaa Nedille suukon, hän halaa tätä hieman liian lujasti, mikä on sydäntä särkevää. Joskus emme mahda mitään sille, ketä rakastamme.
"Onko kaikki hyvin?" kysyn.
"Jep." Ned painaa huulilleni lämpimän suudelman. "Kaikki on juuri niin kuin pitääkin."
Kun astumme hiekalle, Skye sujauttaa kätensä minun käteeni. Se tuntuu niin pieneltä, niin luottavaiselta, että alan melkein itkeä. Ajattelen toista pientä kättä, jota en koskaan saanut pitää omassani, ja askeleni hidastuu, sydämeeni sattuu. Silloin Ned tarttuu toiseen käteeni ja puristaa sitä. Hänen kosketuksensa on niin vahva, niin varma, että tiedän: ajan myötä kaikki kääntyy vielä parhain päin.

Kiitokset

Suurkiitokset Ian Freemantlelle, palkitulle taiteilijalle ja puukuvanveistäjälle, jonka työt toimivat inspiraationlähteenäni suunnitellessani kirjani toisen päähenkilön toimenkuvaa. Hän on uskomattoman lahjakas eikä säästellyt aikaansa neuvoessaan minua. Hänen teoksiaan voi käydä ihailemassa osoitteessa www.ian-freemantle.co.uk.

Anteeksi, hyvät Isle of Wightin asukkaat, että myllersin kotiseutunne maantieteen häpeämättömästi uuteen uskoon. Hienoja paikkoja olisi ollut niin valtavasti, että päätin ujuttaa niistä kaikista jotakin tähän kirjaan. Asuntolaivat, joissa yövyimme, löytyvät molemmat Bembridgen satamasta. Ikävä kyllä Cockleshell Bayta ei ole oikeasti olemassa; se on sekoitus Bembridgeä, Steep Hill Covea ja Seaview'tä terästettynä muutamalla sopivasti valitulla yksityiskohdalla. Metsä, jossa Ned työskentelee, muistuttaa hyvin paljon Newtownin luonnonsuojelualueen viehättävää ympäristöä. Suosittelen teitä kaikkia vierailemaan Isle of Wightilla ja käymään kyseisessä paikassa. Älkääkä unohtako hiekkalapiota ja ämpäriä!

Hei!

Koskaan ei voi tietää, missä ja milloin inspiraatio iskee, mutta loma Isle of Wightilla sijaitsevassa asuntolaivassa kuulosti tässäkin suhteessa lupaavalta, enkä ollut väärässä.

Ihastuin saareen välittömästi. Pienelle pinta-alalle mahtuu paljon nähtävää ja koettavaa, ja lomani oli kuin aikamatka menneeseen, leppoisampaan elämäntyyliin.

Asuntolaivamme oli viihtyisä ja päivät lämpimiä ja aurinkoisia. Kuinka olisin voinut olla kirjoittamatta kirjaa, jonka tapahtumat sijoittuvat kyseiseen paikkaan? Kun sitten palasin saarelle tekemään taustatutkimusta, menetin sydämeni lopullisesti. Jos et ole vielä käynyt Isle of Wightilla, ala ihmeessä suunnitella matkaa.

Kiitos, että valitsit tämän kirjan. Toivottavasti pidät luomistani henkilöistä ja viihdyt Cockleshell Bayssa.

Terveisin

Carole ☺

PS. Jos haluat pysyä ajan tasalla kuulumisistani – sekä saada tietoa uusista kirjoistani tai vaikkapa osallistua hauskoihin arvontoihin – löydät minut Facebookista, Twitteristä ja Instagramista. Voit tilata myös uutiskirjeeni osoitteessa www.carolematthews.com. Tavataan siellä!

www.facebook.com/carolematthewsbooks
@carolematthews
Matthews.Carole
www.carolematthews.com